EDAF

MADRID - MÉXICO - BUENOS AIRES - SAN JUAN - SANTIAGO

JIM TAYLOR

Motiva y estimula a tus hijos

Cómo educar a tu hijo
para que tenga éxito y sea feliz

TU HIJO Y TÚ

Título del original:
POSITIVE PUSHING

© 2002. Jim Taylor
© 2004. De la traducción: Julia Fernández Treviño
© 2004. De esta edición, Editorial EDAF, S. A., por acuerdo con Hyperion, 77 W. 66th Street,
New York, NY 10023-6298 (USA)

Editorial Edaf, S. A.,
Jorge Juan, 30. 28001 Madrid
http://www.edaf.net
I.S.B.N.: 84-414-1459-9

PRINTED IN U.S.A.   IMPRESO EN U.S.A.

Licencia editorial para Bookspan por cortesía de Editorial EDAF, S.A.

Bookspan
501 Franklin Ave.
Garden City, NY 11530

Índice

Agradecimientos especiales a...

Gerald Sindell de Thought Leaders International, mi representante, mentor y amigo. Si no estuvieras allí, yo no estaría aquí.

Jim Levine, mi agente, por haberme concedido quince minutos después de haber recibido mi manuscrito. Gerry Sindell me dijo en aquel momento que tu cambiarías mi vida... y lo has hecho.

Mary Ellen «MEO» O'Neill, mi editora de Hyperion, por haberme dado una dosis de mi propia medicina, al *presionarme* para que descubriera mi voz y la expresara clara y rotundamente.

A todos los que trabajan en Hyperion, incluyendo a Ellen Archer, Will Schwalbe, Katie Long, Jane Comins, Carrie Covert y Shana Alstaetter, por ayudar a hacer realidad mi visión.

A todos los jóvenes con talento, padres, maestros, entrenadores e instructores con los que he trabajado durante los últimos diecisiete años. Lo que sé lo he aprendido de ellos.

Finalmente, a mis padres, Shel y Ceci Taylor, por ser los primeros en enseñarme cómo educar a un gran triunfador.

Introducción
Exigencias constructivas

¿QUÉ es lo que realmente necesitan los niños para ser personas exitosas y felices? Es la pregunta más importante que pueden hacerse los padres, los educadores y la sociedad en su conjunto. La respuesta a esta pregunta determinará la forma de educar a su hijo, o hija, las lecciones que aprenderá, los valores que adoptará y, por último, en qué clase de adulto se convertirá.

La pregunta acerca de qué es lo que necesitan los niños para ser personas exitosas y felices existe desde el Siglo de las Luces. Las respuestas han sido muchas y diversas, desde «la letra con sangre entra» hasta «dejemos que encuentren su propio camino». Como generalmente sucede con estos casos, la respuesta se encuentra en algún sitio entre estos dos extremos. Las personas tienen una tendencia a simplificar estos temas porque creen que así les resultará más fácil resolverlos. Pero esta actitud ocasiona que, con toda probabilidad, la respuesta sea inadecuada.

Mi respuesta a esta pregunta es meditar qué es lo que los padres hicieron bien y en qué se han equivocado al educar a sus hijos durante los últimos cincuenta años. Es también una reflexión sobre el presente para comprender qué es lo que singulariza a nuestra sociedad durante este periodo de nuestra historia para que la crianza de un niño se haya convertido en un verdadero desafío. Y mi respuesta intenta escudriñar el futuro para entender mejor nuestra sociedad y vislumbrar qué dirección habrá de tomar la educación de un niño.

Mi respuesta a la pregunta «¿Qué necesitan realmente los niños?» contiene dos partes. La primera se centra en el «qué» de la pregunta; a saber, las cualidades esenciales que cada niño necesita para llegar a ser un adulto exitoso y feliz. La segunda se orienta al «cómo» de la pregunta, específicamente cómo puede usted ayudar a su hijo a desarrollar esas cualidades. Por fin, mi respuesta pretende autorizarlo para que actúe de acuerdo con sus propios valores y creencias y para que se convierta en una fuerza positiva, activa y decidida en la vida de su hijo.

LOS TRES PILARES DE LOS GRANDES TRIUNFADORES

Los padres que desean que sus hijos alcancen eso llamado «éxito» pueden descubrir que este objetivo entra en conflicto con el deseo de que sus hijos sean felices. Alcanzar el éxito, tal como es definido frecuentemente por nuestra sociedad, es una meta que pone el énfasis en conseguir riqueza y posición social y que a menudo está reñida con la satisfacción, la alegría y la felicidad. Si echamos un vistazo a la sección de psicología de cualquier librería, veremos que el objetivo de alcanzar el éxito por sí mismo no es suficiente. Como observa el doctor Jack Wetter, psicólogo clínico de Los Ángeles: «Hay libros acerca de cómo educar a los hijos para que lleguen a conquistar el éxito y libros para adultos que enseñan cómo sobreponerse a la depresión y aumentar la autoestima».

El propósito —y el tema— de este libro es servirle de guía para que pueda criar a su hijo de forma que llegue a ser un *gran triunfador*. Los grandes triunfadores se distinguen de aquellos que simplemente alcanzan el éxito, en que los primeros opinan que el éxito y la felicidad son sinónimos. Los padres de los grandes triunfadores no solo no consideran que éxito y felicidad sean conceptos que se excluyen entre sí, sino que afirman que deben ir necesariamente unidos. *Él éxito sin felicidad no es éxito.*

La noción de grandes triunfadores lleva implícita la idea de que una parte necesaria del éxito y la felicidad es que el niño haga suyos los valores universales, como el respeto, la consideración, la bondad, la generosidad, la justicia, el altruismo, la integridad, la honestidad, la interdependencia y la compasión. A menos que adopten y vivan de acuerdo con estos valores esenciales y enriquecedores, los niños no pueden llegar a ser grandes triunfadores.

Para facilitar el desarrollo de los grandes triunfadores es preciso fomentar Tres Pilares: la autoestima, la sensación de pertenencia y la maestría emocional. Estas tres áreas proveen las bases para educar a los niños para que sean exitosos y felices y para que adopten los valores que afirman la vida.

El objetivo de esta obra es mostrarle cómo criar a su hijo, o hija, basándose en estos Tres Pilares, de forma que su desarrollo infantil lo conduzca hacia una vida de éxito y felicidad.

PRIMER PILAR: LA AUTOESTIMA

La autoestima ha sido quizá el aspecto del desarrollo evolutivo más incomprendido y peor utilizado en las generaciones recientes. En las últimas décadas los padres fueron obligados a creer que la autoestima se desarrolla cuando un niño se siente querido y valorado. Esta creencia llevó a los padres a colmar a sus hijos de amor y a estimularlos y apoyarlos exageradamente en relación con todo lo que hacían.

Sin embargo, este «amor incondicional» no es más que la mitad de la ecuación de la autoestima. La segunda parte es que el niño necesita desarrollar un sentido de competencia y maestría en relación con el mundo en el que habita. Y lo que es más esencial, los niños deben aprender que sus acciones importan, que sus actos tienen consecuencias. Desde los años setenta, los padres han omitido a menudo proporcionar a sus hijos este componente esencial de la autoestima.

Su hijo desarrollará una alta autoestima si recibe amor, aliento y apoyo de una forma adecuada, pero también gracias a la sensación de competencia que desarrollará si usted le brinda la posibilidad de aprender aptitudes que deberá dominar para materializar sus objetivos. Una autoestima sólida es la base para los otros dos pilares, que son esenciales para los grandes triunfadores.

SEGUNDO PILAR: LA SENSACIÓN DE PERTENENCIA

Otro error que los padres suelen cometer con la intención de que sus hijos desarrollen una sólida autoestima es proporcionarles *demasiado* amor, aliento y apoyo. Al invertir gran parte de su propia autoestima en los esfuerzos que realizan sus hijos, los padres, en efecto, se apropian de los logros de los niños. Aunque estos esfuerzos con frecuencia son bien intencionados, el resultado es que los niños no se sienten conectados con sus propios esfuerzos ni se sienten responsables de lo que hacen. Los niños acaban siendo incapaces de decir: «Estoy haciendo esto porque quiero».

Los niños necesitan desarrollar una sensación de pertenencia respecto de sus intereses, esfuerzos y logros. Esto significa comprometerse en una actividad por amor a ella y estar interiormente decidido a desempeñarse lo mejor posible. La sensación de pertenencia también les proporciona una inmensa fuente de gratificación y alegría por los esfuerzos realizados, y esto, a su vez, los motiva a esforzarse más en las actividades para las que tienen un talento especial.

TERCER PILAR: LA MAESTRÍA EMOCIONAL

El tercer pilar de los grandes triunfadores, la maestría emocional, es quizá el aspecto más descuidado en el desarrollo del niño. Los padres fueron forzados a creer que era perjudicial que sus hijos experimentaran emociones negativas, tales como la frustración, la ansiedad y la tristeza. Basados en esta creencia, han sentido la necesidad de protegerlos de cualquier disgusto. Racionalizan el fracaso, distraen a los niños para que no experimenten emociones profundas, tratan de apaciguar las emociones negativas y crean emociones positivas artificiales.

Sin embargo, los padres que protegen a sus hijos de sus emociones solo consiguen interferir en su crecimiento emocional. Estos niños acaban por no aprender nunca cómo manejar eficazmente sus emociones y, al crecer, no están preparados para afrontar las exigencias emocionales que caracterizan la vida de los adultos. Es preciso dejar que los niños experimenten emociones, pues, de este modo, estarán capacitados para descubrir qué emociones sienten, qué significan para ellos y cómo pueden manejarlas eficazmente.

Este tercer pilar explica por qué debería usted ofrecer a su hijo oportunidades que le permitan experimentar completamente sus emociones —tanto las positivas como las negativas— y aconsejarlo para que pueda comprender sus sentimientos y sea capaz de dominar su vida emocional. Los niños que no se desarrollan emocionalmente pueden llegar a obtener éxitos, pero el precio que suelen pagar es que no se alegran ni se sienten satisfechos al triunfar. La maestría emocional no solamente capacita a los niños para cosechar éxitos, sino también para que sientan satisfacción y alegría por los esfuerzos realizados.

POR QUÉ LOS NIÑOS NECESITAN SER PRESIONADOS

Muchos niños son criaturas que se dejan llevar por la inercia (al igual que muchos adultos). Son capaces de permanecer en el mismo estado —por ejemplo, descansando en el sofá todo el día frente a la televisión— a menos que usted los inste a hacer otra cosa. Si usted no presiona a su hijo, tendrá muchas dificultades a la hora de aprender a andar y a hablar. No querrá trabajar con tesón ni esforzarse demasiado, y, en el mejor de los casos, hará las cosas más despacio, o peor, de lo que es capaz.

A los niños no les gusta sentirse incómodos. Es frecuente que cuando prueban algo nuevo se muestren muy interesados hasta que la tarea se torna difícil. Entonces mirarán a los otros —más frecuentemente a usted— para que les indiquen si ya han hecho suficiente. Si usted dice: «Gran trabajo. Ya puedes dejarlo si quieres», en general no dudarán en hacerlo. Pero en ese caso, su hijo nunca descubrirá de qué es capaz, y tampoco conocerá la satisfacción que se siente al salir de la zona en la que se encuentra a gusto y al superar sus propios límites. Si lo presiona para que trabaje con más diligencia y sea más perseverante, diciéndole por ejemplo: «Hasta ahora has hecho un buen trabajo, pero apuesto a que lo puedes hacer aún mejor», se mostrará más dispuesto a hacer frente a su malestar, obtendrá mejores resultados y se sentirá más satisfecho. Como observa John Powers, que escribe para el *Boston Globe:* «Sucede una cosa graciosa cuando pones el listón muy alto. Todos se las arreglan para sobrepasarlo cuando se dan cuenta de que es precisamente eso lo que se espera de ellos. Los seres humanos pueden hacer cosas sorprendentes —si se les pide que las hagan».

Una metáfora relevante es la de la madre pájaro que está en el nido junto con su cría. Ha llegado el momento de que el pichón aprenda a volar, pero él no lo sabe. Si se lo deja que se las arregle solo, se quedará para siempre al abrigo del calor, la comodidad y la seguridad del nido. Pero la madre sabe que ha llegado el momento de que lo abandone. Sabe también que si lo hubiera hecho antes de estar preparado, se hubiera caído al suelo; pero que si se demora, se resistirá a dejar el nido. Entonces, con un firme aletazo, la madre empuja a su cría fuera del nido, con la certeza de que está lista para volar. ¡Y el pequeño pájaro alza el vuelo!

La mejor forma de ilustrar por qué es fundamental apremiar a su hijo es describir las cualidades que hacen que los grandes triunfadores sean personas de éxito y, además, felices. Los grandes triunfadores han incorporado los valores esenciales que les permiten ser productivos, afectuosos y considerados. Estos valores, a su vez, los capacitan para asumir riesgos y explorar, poner a prueba sus habilidades y ser conscientes de ellas. Estas experiencias enseñan a los grandes triunfadores la conexión que hay entre sus esfuerzos y sus resultados y fortalecen la sensación de tener sus vidas bajo control. Mientras se esfuerzan por alcanzar sus metas, los grandes triunfadores experimentan tanto el éxito como el fracaso y aprenden las valiosas lecciones que cada uno de ellos puede enseñarle. Estas experiencias los hacen sentirse realizados y satisfechos al dar lo mejor de sí mismos, independientemente de si triunfan o fracasan. La culminación de este proceso da por resultado grandes triunfadores que comprenden qué es lo que los hace sentir más felices, qué es lo que los ayuda a encontrar la pasión de su vida y qué es lo que los impele a esforzarse tanto para perseguir sus sueños.

Si usted no es exigente con su hijo, a él le resultará muy difícil desarrollar estos elementos que son esenciales para que pueda convertirse en un gran triunfador. Algunas personas afirman que presionar a los niños es una forma de abuso (y puede serlo), pero no presionar a su hijo puede ser un modo de no ocuparse de él, y esto resulta igualmente destructivo. Igual que la madre pájaro con su cría, usted tiene que estar dispuesto a presionar a su hijo de forma tal que aprenda a remontar el vuelo hasta las mayores alturas.

POR QUÉ SER EXIGENTE CON LOS HIJOS HA LLEGADO A SER TAN CRITICADO

La opinión popular es que los padres deben forzar a los niños a hacer cosas que no quieren, como limpiar sus habitaciones, hacer los deberes o tocar el piano. A los padres de hoy en día se les ha dicho que mediante la exigencia lo único que se consigue es que los niños se enfaden y se sientan resentidos, que tengan menos interés por alcanzar el éxito y que sufran heridas emocionales permanentes que los perjudicarán de por vida. Aparentemente, esta idea de la exigencia encierra una cierta verdad. Los investigadores Ena y Ronald Nuttall de la Universidad de Massachusetts, descubrieron que los padres que presionan demasiado a sus hijos, mediante un control rígido y abrumador, socavan la motivación del niño por conseguir el éxito. Desgraciadamente, la mala interpretación de este tipo de investigaciones y las propias experiencias de algunos padres han llevado a muchos de ellos a evitar ser exigentes con sus hijos, en vez de aprender a presionarlos de una manera saludable y apropiada.

Muchos de los padres nacidos después de la Segunda Guerra Mundial aparentemente tienen recuerdos poco gratos de su educación. Con frecuencia escucho a los padres decir algo semejante a: «No quiero educar a mi hijo como me educaron mis padres a mí». Cuando pido a estos padres que me cuenten cómo fue su infancia, describen que «han sido educados de una forma opresiva, fría, restrictiva o sometidos a un estricto control». Los doctores Don Dinkmeyer y Gary D. McKay, autores de *Raising a Responsible Child*, observan que «nuestra tradición autocrática, que pone el énfasis en el premio y el castigo, nos ha entrenado para dar codazos e incordiar, en lugar de estimular. Frecuentemente, nuestra forma de hablar es simplemente el eco de los comentarios de nuestros padres.

Lo que nos dicen estos investigadores, y también esta cita, es que las exigencias resultan destructivas cuando se presiona a los niños de un modo negativo, agresivo, dominante y ofensivo. Este tipo de exigencia provoca que sus hijos se sientan amenazados. Los niños están inherentemente motivados a evitar las amenazas y, frente a ellas, evitarán esforzarse por conseguir el éxito. Dado que muchos padres parecen haber sido educados con esta forma negativa de exigencia, recelan de ella por pensar que puede ser dañina para sus hijos. Debido a esta opinión negativa, muchos padres son incapaces de ver que el problema radica en *cómo* presionar a sus hijos y no en *si* deben o no ser exigentes. Esto implica una gran pérdida para los niños. Ena y Ronald Nuttall descubrieron que los padres que son más tolerantes y alentadores, y menos hostiles, tienen hijos que son más trabajadores, competentes y ambiciosos. Las exigencias constructivas funcionan.

La generación actual de padres parece haber reflexionado en la educación que ha recibido y haber elegido criar a sus hijos de una manera muy diferente. Desgraciadamente, con el fin de corregir los errores que perciben en los métodos educativos aplicados por sus padres, muchos se van al extremo opuesto, y emplean el enfoque del *laissez-faire* (dejar hacer) que ofrece a los niños muy poca orientación para todos los aspectos de sus vidas.

Los investigadores Rex Forehand y Britton McKinney, de la Universidad de Georgia, analizaron las prácticas disciplinarias de los padres en estos últimos cuarenta años y encontraron cuatro tendencias fundamentales que han fomentado esta reacción exagerada y la desaprobación de la exigencia: 1) la sustitución de una disciplina estricta por una disciplina laxa y relajada, que transmite a los niños mensajes contradictorios, 2) una orientación disciplinaria que abarca desde las creencias religiosas puritanas hasta los «expertos» en áreas como la psicología, 3) cambios en la legislación destinados a reforzar los derechos de los niños, y 4) un papel menor de los padres en la educación de los niños y en la disciplina.

Parece evidente que muchos padres de la generación anterior presionaron a sus hijos de una forma implacable e inapropiada, y muchos niños sufrieron a causa de esta situación. Usted podría ser uno de ellos. En la actualidad, la filosofía dominante se manifiesta como una reacción bien intencionada, destinada a corregir esos errores. Desgraciadamente, esta reacción exagerada ha privado a los padres de un arma fundamental para la educación de sus hijos.

PRESIONAR A SU HIJO
ES UN IMPERATIVO MORAL

Mi opinión es que usted debe presionar su hijo. No solamente es positivo hacerlo, sino que es su derecho, su responsabilidad y su imperativo moral absoluto como padre. Procuraré demostrarle por qué considero necesario que inste a su hijo a actuar. Describiré los peligros a los que puede exponerse si no presiona a su hijo. Intentaré demostrarle cómo debe apremiarlo para que, en vez de contribuir a la posibilidad real de que se convierta en una persona desdichada e inútil, brinde a su hijo la oportunidad de convertirse en un gran triunfador.

Espero cambiar su punto de vista acerca de lo que significa presionar a su hijo, ampliando la definición y describiendo las formas correctas e incorrectas de hacerlo. Voy a autorizarlo para que haga lo que está deseando hacer desde hace mucho tiempo, pero que siempre le ha dado miedo: presionar a su hijo para que se convierta en la persona más exitosa y feliz que pueda llegar a ser.

EL PODER DE LAS EXIGENCIAS
CONSTRUCTIVAS

Las exigencias constructivas tienen como objetivo impulsar a su hijo para que pase a la acción; fomentan el desarrollo del niño, lo empujan a abandonar la zona donde se siente cómodo, para explorar y asumir riesgos; promueven el éxito y la realización. Hasta aquí, las exigencias constructivas no parecen ser muy diferentes de lo que usted entendía hasta ahora como exigencia. Lo que las diferencia de la antigua concepción es que, tal como el término sugiere, se trata de presionar al niño de una forma positiva y esperanzadora. A través de las exigencias constructivas, usted le expresa a su hijo que lo quiere, lo respeta y lo valora, y le permite sentir que es capaz de controlar los esfuerzos que realiza por alcanzar el éxito y la felicidad. Y usted adoptará una postura flexible y receptiva frente a las necesidades de su hijo. Gracias a la naturaleza inherente a las exigencias constructivas, su hijo advierte que cuando usted lo presiona para que mejore su rendimiento, lo hace por su propio bien.

Las exigencias constructivas implican ejercer influencia sobre su hijo para que haga suyos valores, creencias y actitudes que usted considera fundamentales. Hay tres formas de «acicatear» a su hijo. Primero, usted es un *modelo* para su hijo; el niño observa sus expresiones emocionales y sus estrategias para resolver problemas, y copia sus conductas. Las exigencias constructivas lo obligan a «recorrer el camino» de sus creencias, actitudes y valores. No debe asumir la postura de «haz lo que yo digo, pero no lo que yo hago»; usted debe vivir y actuar de acuerdo con sus ideas. Segundo, usted *enseña* o *entrena* a su hijo, proporcionándole información directa, instrucción y orientación sobre valores, creencias y comportamientos. Esto incluye hablar con su hijo acerca de lo que usted valora y compartir con él sus perspectivas acerca de la vida, la familia, la carrera y otras áreas. Tercero, usted *administra el entorno y las actividades de su hijo* —la relación que tiene con sus amigos, las actividades que pueden potenciar sus habilidades, sus experiencias culturales, sus pasatiempos —para que reflejen los valores, las actitudes y los comportamientos que quiere que su hijo adopte. Las exigencias constructivas implican comprometerse activamente para crear un ambiente que fomente la consecución del éxito y de la felicidad de su hijo, en su casa, en el colegio y en su comunidad. Destaca la importancia de crear opciones para que los niños puedan elegir una dirección y transmitirles que *no hacer nada no es una opción*. Requiere que los niños prueben muchas cosas diferentes antes de emitir juicios sobre las mismas.

Las exigencias constructivas requieren que usted apremie a su hijo para que se esfuerce por superar lo que él cree son sus límites. Y, además, implican estimular a los niños, proporcionarles un apoyo emocional, práctico, financiero y de cualquier otro tipo, ofrecerles orientación y una información positiva sobre su desempeño y darles amor y atención.

Efectivamente, emplear la exigencia de una forma constructiva también significa que a veces es preciso ordenar enérgicamente a su hijo que haga algo que no desea hacer. Si el niño está convencido de que responde a sus mejores intereses, accederá a hacerlo. Debería lograr que su hijo responda a ciertas expectativas que reflejan sus valores y creencias, por ejemplo, la importancia del esfuerzo sostenido, la responsabilidad, la consideración y la cooperación. Estos valores se verán reflejados en el trabajo escolar, en los quehaceres domésticos y en su forma de ayudar a los demás. La única forma de conseguir que el niño se exponga a estos valores, los aprenda y los haga suyos, será que usted le exija que los respete. Además, si el niño está realmente comprometido en actividades basadas en valores que usted considera esenciales, será más probable que los adopte como propios.

Las exigencias constructivas son especialmente importantes a la hora de enseñar a su hijo a tomar decisiones bien fundadas. Sucede con mucha frecuencia que un niño rechaza algo que podría ser beneficioso para él sin haberlo probado. Quizá tenga algunas ideas preconcebidas, haya escuchado algún comentario de sus amigos o simplemente no le parece particularmente atractivo a primera impresión. En estas situaciones, usted debería motivar intensamente —presionar— a su hijo para que lo pruebe, sea lo que sea, con el fin de tomar una decisión fundamentada acerca de lo que vale y el interés que tiene, y definir si desea continuar con la actividad. Esto es especialmente importante, porque la mayoría de las cosas valiosas de la vida causan cierto malestar cuando se experimentan por primera vez. Por ejemplo, la monotonía de las tareas del hogar, la necesaria repetición de los ejercicios para aprender a tocar un instrumento musical, o el esfuerzo físico que se requiere para practicar un deporte, pueden ser inicialmente desalentadores. Si permite a su hijo detenerse antes de haber podido disfrutar de algunas de las recompensas que puede reportarle la actividad, se perderá dos elementos esenciales de la vida: no aprenderá el valor que tiene el compromiso para alcanzar el éxito y la felicidad, y no experimentará la satisfacción y la pura alegría que producen los propios logros.

EL OBJETIVO DE LAS EXIGENCIAS CONSTRUCTIVAS

¿Qué es lo que valora en la educación de su hijo? ¿Qué es lo que considera más importante en el desarrollo del niño y en su progreso hacia el estado adulto? ¿Qué cualidades le gustaría infundir en él? ¿Quiere que sea capaz de alcanzar sus metas o que sea feliz?, ¿que tenga empuje o esté contento?, ¿que consiga éxito o se sienta satisfecho?, ¿o todo esto al mismo tiempo? Estas son preguntas fundamentales que tiene que plantearse cuando su hijo es pequeño. La respuesta a estas preguntas tendrá un profundo impacto en el camino que elija el niño y determinará el tipo de persona en que se convertirá.

Sus propias respuestas para estas preguntas reflejan cuál es para usted el sentido de la vida y los valores que se derivan de su opinión. El valor que otorga a la familia, a la confianza, a la educación, a la justicia social, a la salud, al éxito, a la felicidad y al estilo de vida influirán en la forma de educar a su hijo. Consciente o inconscientemente, usted comunica sus valores a su hijo a través de la vida que lleva y las decisiones que toma. Como observa Calvin Trillin, autor de *Messages from My Father,* «Me parece que la educación de los hijos abarca ciertos temas. Los padres proponen el tema, sea explícita o tácitamente, y los hijos lo aprenden, algunas veces fielmente, y otras no tanto». Las exigencias constructivas son la vía por la que puede exponer el tema que le interesa transmitir a su hijo; es la forma que usted elige deliberadamente para comunicar e inculcar esos valores e ideas a su hijo.

EL ARTE DE LAS EXIGENCIAS CONSTRUCTIVAS

Las exigencias constructivas no son una ciencia exacta con reglas precisas que puedan aclararle cómo y cuándo presionar a su hijo. Más bien, se trata de un arte que requiere del pensamiento, de la sensibilidad y de la experimentación para descubrir qué tipo de presión —y qué intensidad— será más efectiva con su hijo en particular. Algunos padres apremian a sus hijos constantemente, sin considerar que su conducta puede resultar una fuerza demasiado opresiva. Otros padres les dan «rienda suelta» para que hagan lo que quieran, sin tener en cuenta cómo puede afectarlos esta libertad sin restricciones. El arte de las exigencias constructivas implica encontrar un sano equilibrio entre estos dos extremos; también requiere que usted atempere sus expectativas de éxito con el amor que siente por su hijo. Todo lo que hace con su hijo es una manifestación de su nivel de control (exigencia) y de su aceptación (amor). Los padres que no controlan suficientemente a sus hijos y que no los aceptan por lo que son, crían niños más problemáticos puesto que reciben poco amor, pero también pocos límites. Estos niños tienden a ser infelices, indisciplinados, distraídos y emocionalmente inmaduros. Los padres que ejercen poco control pero aprueban a sus hijos, crían niños consentidos, impulsivos, irresponsables y dependientes. Los que ejercen mucho control y no aceptan a sus hijos, tienen niños con una autoestima baja, socialmente torpes, enfadados y resentidos con sus padres porque no se sienten queridos. La combinación ideal de estos atributos son los padres que controlan y aceptan a sus hijos. Los niños que tienen la fortuna de contar con este tipo de padres suelen revelar una fuerte autoestima, son emocionalmente maduros y desarrollan al máximo su potencial. Tal como sugiere la doctora Mary Pipher, autora de *Cómo ayudar a su hija adolescente: respuestas sólidas a la anorexia, la sexualidad, la incomunicación, el fracaso escolar y otros problemas de las adolescentes de hoy,* estos padres encuentran «un equilibrio entre la seguridad y la libertad... los valores familiares y la autonomía... la protección y los desafíos... el afecto y la organización. [Niños] escuchen el mensaje "Te quiero, pero tengo ciertas expectativas". En estos hogares los padres establecen directrices firmes y expresan sus esperanzas».

El arte de las exigencias constructivas incluye que usted aprenda a reconocer cuándo está presionando demasiado a su hijo. Un exceso de exigencia puede producir resultados a corto plazo que le harán pensar que el esfuerzo ha dado sus frutos y que el niño ha progresado. Los niños que son más inmaduros o menos capaces de expresar lo que sienten respecto de sus padres pueden, durante un tiempo, responder positivamente a su motivación implacable, esforzándose al máximo y consiguiendo un gran rendimiento, libres del miedo a perder su amor. Estos beneficios iniciales pueden llevar a los padres a creer que "apretar las clavijas" funciona. Sin embargo, esta forma de motivar a sus hijos producirá efectos que retornarán una y otra vez para acosar tanto a los padres como a los hijos. Aunque estos niños puedan llegar a cosechar éxitos por un tiempo, se sentirán infelices debido a la tremenda presión de sus padres. En algún momento, estos niños deberán alcanzar un cierto nivel de madurez porque, de lo contrario, se sentirán tan agobiados por sus padres que recurrirán a una conducta destructiva con tal de aligerar la presión a la que los someten sus padres. El resultado será que los niños se sientan desdichados y fracasados.

Frecuentemente, los niños tienen dificultades para decir directamente a sus padres que les están exigiendo demasiado, por miedo a decepcionarlos. En cambio, les comunican que sienten demasiada presión de una manera sutil —y, a menudo, poco clara— a través de determinadas actitudes como, por ejemplo, no esforzarse mucho, romper o perder su material escolar o sabotear los esfuerzos que realizan para conseguir éxitos. Desgraciadamente, los padres malinterpretan esta conducta y la confunden con una falta de motivación y de reconocimiento por lo que ellos hacen. En vez de intentar comprender qué mensaje está tratando de transmitirles el niño, los padres suelen tener una reacción automática de enfado y asumen una actitud que podría ejemplificarse con la frase: «Qué desagradecido, con todo lo que he hecho por él». Esto incrementa aún más la presión que ejercen sobre sus hijos. Estas reacciones conflictivas producen un círculo vicioso de enfado y resistencia y un destructivo tira y afloja por el control de la vida del niño. Si esta guerra de voluntades continúa, los niños comunicarán sus mensajes en un tono más «alto», empleando un «lenguaje» más destructivo, como, por ejemplo, una franca rebeldía, una conducta perjudicial o el abuso de drogas o alcohol.

Los niños tienen una gran habilidad para comunicar a sus padres que se sienten excesivamente presionados. Desgraciadamente, suelen hablar en un lenguaje que sus padres no dominan. El arte de las exigencias constructivas significa ser receptivo a cómo responde el niño cuando se siente apremiado y, por tanto, los padres deben aprender a hablar con el lenguaje del niño. La receptividad incluye analizar deliberadamente el mensaje que su hijo está tratando de comunicarle —a menudo, ni siquiera él tiene consciencia de lo que quiere decir— y transmitirle que lo está escuchando con atención. Al aprender el lenguaje de su hijo, usted puede interpretar correctamente sus mensajes y actuar en su provecho.

Se requieren dos fuerzas para entablar un combate. Si usted presiona demasiado a su hijo, él se empeñará aún más en oponer resistencia. Si usted no se muestra demasiado exigente, su resistencia disminuirá. Los padres a veces no se dan cuenta de que, en algunas ocasiones, menos es más; si usted deja de presionarlo, le permite seguir avanzando en la dirección que él (y usted) han elegido. Mediante esta actitud, usted aumenta las probabilidades de que su hijo recupere su interés, retome su alto nivel de rendimiento, y vuelva a disfrutar de sus esfuerzos por alcanzar el éxito en su actividad.

Como observa John Gray, doctor en Psicología, autor de *Children Are From Heaven*: «Cuando los niños se oponen a los padres, a menudo se debe a que quieren algo más, y presumen que si usted simplemente los entendiera, les ofrecería su apoyo para que consiguieran todo lo que quieren o necesitan... Si usted es capaz de comprender por qué su hijo se resiste a su influencia, su resistencia disminuirá de inmediato. Cuando los niños captan el mensaje de que usted ha comprendido qué es lo que quieren y cuán importante es para ellos, modifican su actitud y el nivel de resistencia».

LAS EXIGENCIAS CONSTRUCTIVAS
IMPLICAN PRESIONARSE A SÍ MISMO

Las exigencias constructivas no se refieren solamente a todo lo que hace o no hace por su hijo. Para poder presionar a su hijo apropiadamente, *primero tiene que presionarse a sí mismo*. En mis años de trabajo con jóvenes triunfadores *no* he conocido padres realmente mezquinos ni malintencionados. He tratado con algunos que, a menudo, se sentían desorientados, a veces confundidos y ocasionalmente angustiados. Sin embargo, en general, la mayoría de los padres aman a sus hijos y quieren lo mejor para ellos, pero, o bien no saben qué es lo mejor para ellos, o bien es tal la carga emocional que arrastran de su propia educación que no son capaces de actuar teniendo en cuenta qué es lo mejor para sus hijos. Cuando se ayuda a los padres a comprender qué es lo más conveniente para sus hijos, se esmerarán por ofrecerles las mejores oportunidades.

Que un niño coseche éxitos y sea feliz no depende necesariamente de cuán «bueno» o «malo» es usted como padre, ni de qué tipo de errores ha cometido en la educación de su hijo. La manera en que se desenvuelve su hijo depende más bien de su franqueza a la hora de actuar o producir cambios en provecho del niño. Si usted está dispuesto a hacer lo mejor para él —lo cual puede incluir modificar alguna de sus actitudes para apoyar el cambio de su hijo—, él contará con buenas posibilidades para el futuro. Si usted no está dispuesto a hacer lo mejor para su hijo —o no se siente capaz—, o no puede modificar su postura ni fomentar cambios en él, tendrá menos probabilidades de disfrutar de una vida satisfactoria y rica cuando sea un adulto.

En mi trabajo con jóvenes triunfadores he encontrado dos tipos de padres conflictivos. Los padres más difíciles son los que no están dispuestos a actuar de acuerdo con los mejores intereses del niño, o son incapaces de hacerlo, ni de realizar cambios que le resultarían muy útiles. Este tipo de padres son rígidos y están convencidos de que están haciendo lo correcto, o acarrean una carga emocional tan pesada que, simplemente, carecen de la capacidad para responder a las necesidades de su hijo, o de introducir cambios en su propia vida. Estos padres son incapaces de considerar que han cometido errores en la educación de su hijo y se sienten amenazados cuando se les indica que deben cambiar para poder ayudarlo. Si el niño tiene que enfrentarse solo a un padre que no le brinda su apoyo, sus posibilidades de convertirse en una persona de éxito son escasas. Si este niño es lo suficientemente afortunado como para contar con el apoyo de otra persona, por ejemplo, de su madre, de un psicoterapeuta, de un maestro, de un entrenador o un instructor, tendrá más oportunidades; sin embargo, tendrá que librar una ardua batalla ya que deberá oponerse al poder y a la influencia constante de un padre que no es capaz de ayudarlo y sobrevivir en un ambiente familiar poco saludable.

El segundo tipo de padres describe a los que quizá también soportan una intensa carga emocional y que, posiblemente, han cometido errores aunque tienen la valentía de reconocer el daño que infligen a sus hijos y son capaces de afrontar sus problemas y de tolerar los cambios de los niños. Estos padres suelen buscar ayuda profesional y ofrecen a sus hijos las mismas oportunidades. Como están dispuestos a cambiar, los hijos pueden disfrutar de un nuevo entorno que, en vez de inhibirlos, los motivará a invertir todos sus esfuerzos en la consecución del éxito y la felicidad, y tienen grandes probabilidades de convertirse en personas productivas y equilibradas. Siento un gran respeto por los padres que anteponen las necesidades del niño a las propias, se enfrentan con sus demonios personales y, con frecuencia, están dispuestos a sufrir con tal de ayudar a sus hijos. Este tipo de padres desinteresados, valientes y fuertes son realmente excepcionales.

Por ejemplo, Michelle era una violinista muy prometedora cuyo padre, Howard, había dedicado sus últimos diez años a la carrera musical de su hija. Dado que Michelle progresaba y parecía ser una gran promesa, Howard aumentaba su presión para que ella practicara. Se enfadaba con facilidad, lo que le había sucedido durante toda su vida, y sus enfados formaban parte de la rutina diaria de Michelle. Los problemas surgieron cuando Michelle cumplió los trece años. Comenzó a sufrir ataques de pánico antes de los conciertos, lo cual la llevaba a tocar muy por debajo de sus posibilidades. Howard era incapaz de ver que él era la causa de los problemas de su hija y recurrió a un psicólogo para que la ayudara. En muy poco tiempo, el psicólogo comprendió que el problema era el padre. Advirtió rápidamente que Howard había estado clínicamente deprimido la mayor parte de su vida y que manifestaba su depresión a través del enfado. Por recomendación del psicólogo, comenzó un tratamiento con un psiquiatra que le suministró una medicación antidepresiva. Howard modificó su actitud con una rapidez extraordinaria. Su ira remitió y fue capaz de tomar distancia y no involucrarse tanto en la carrera musical de Michelle. La conducta de Michelle también cambió radicalmente. Como si le hubiesen quitado un enorme peso de sus espaldas, Michelle volvió a sentir el placer de tocar el violín.

Las exigencias constructivas suponen que usted se presione a sí mismo con el objetivo de comprender qué es lo mejor para su hijo. También significa «mirarse en el espejo» y reconocer cuáles son las decisiones poco afortunadas que ha tomado en relación con su hijo, y qué es lo que hace mal. Finalmente, las exigencias constructivas requieren tener el valor de modificar ciertas actitudes para ayudar realmente a su hijo a convertirse en un gran triunfador.

SENTAR LAS BASES PARA LOS GRANDES TRIUNFADORES

DEFINIR EL ÉXITO Y EL FRACASO

El éxito y la felicidad que su hijo sea capaz de conquistar dependerá en gran medida de cómo entienda el éxito y el fracaso. La diferencia entre alcanzar simplemente el éxito y convertirse en un gran triunfador radica en el hecho de que su hijo persiga objetivos que le fueron impuestos por usted o por la sociedad, o de que se dedique plenamente a la consecución de sus propias metas, después de haber reflexionado quién es y qué es lo que desea. Imagine a su hijo obligado a perseguir objetivos que realmente no le interesan. El valor emocional que tendría el éxito conseguido gracias a esos objetivos sería insignificante. Ahora imagine que su hijo se esfuerza por materializar objetivos basados en *sus* valores y creencias más esenciales y consigue el éxito. En este caso, le otorgará un enorme valor y se sentirá alegre y satisfecho.

Desgraciadamente, no es fácil que los niños desarrollen una perspectiva saludable en relación con el éxito y el fracaso. Nuestra sociedad ofrece definiciones y puntos de vista estrechos y restrictivos del éxito y del fracaso que pueden llegar a inhibir el desarrollo de los grandes triunfadores. La cultura estadounidense suele definir sencillamente el éxito en términos de «ganar». Este criterio superficial conlleva la idea de que en cualquier competición deportiva, expresión creativa o examen escolar solamente puede haber un ganador. Todos los demás, por lo tanto, se agrupan en la categoría de «perdedores». Esta sociedad adjudica también una gran importancia a la riqueza, a la posición social, al aspecto físico y a la popularidad, como indicadores de éxito; cuanto más dinero y poder tenga usted, más atractivo y popular será, y, por lo tanto, más éxitos cosechará. Para la mayoría de los niños educados según estos conceptos, el éxito parece una meta difícilmente de alcanzar. Al mismo tiempo, la sociedad ha conseguido que los niños consideren que perder es intolerable; ser pobre, sentirse impotente, no ser atractivo ni popular es sencillamente inadmisible. Con estas definiciones restrictivas, los niños se sienten atrapados en una situación insostenible: *tienen pocas oportunidades para triunfar y muchas para fracasar.*

Si acepta ciegamente los limitados criterios de la sociedad sobre el éxito y el fracaso, ni usted ni su hijo tendrán ningún poder de decisión para definir qué son realmente el éxito y el fracaso. Si admite esta estrecha definición del éxito y esta descripción general del fracaso, en vez de inclinarse por definiciones basadas en sus propios valores, es poco probable que su hijo se convierta en un gran triunfador, ya que no podrá avanzar por un camino elegido por él, sino que se verá forzado a seguir una trayectoria que le reportará lo que otros consideran éxito, pero que podría no serlo para él.

Para volver a situar el éxito en un contexto que estimule el desarrollo de un gran triunfador, la nueva perspectiva debería centrarse en quién es su hijo y en qué es lo que más valora. Desde este punto de vista, se puede definir al éxito como el proceso de establecer y alcanzar objetivos que expresan y afirman los valores que su hijo ha escogido. Siguiendo este mismo criterio, el fracaso puede ser considerado como la incapacidad para materializar objetivos que contribuyen a la afirmación del individuo. O bien, el fracaso puede indicar que los objetivos no son coherentes con los valores de su hijo, aun cuando puedan reportarle éxito de cara a los demás. Con estas nuevas definiciones, su hijo puede triunfar sin que esto signifique ganar, y puede perder sin fracasar. Por ejemplo, una joven flautista trabaja con ahínco para que la admitan entre los instrumentos de viento de la orquesta de su escuela. Aunque nunca llegará a ser solista, es una triunfadora por haberse propuesto un objetivo que es sumamente importante para ella y haber conseguido realizarlo.

Definir el éxito y el fracaso de una manera saludable y positiva es solamente el primer paso para que su hijo pueda llegar a convertirse en un gran triunfador. Estas nuevas definiciones ofrecen a su hijo objetivos por los cuales esforzarse, pero no le enseñan la forma de alcanzarlos. El segundo paso esencial que proporciona a su hijo las herramientas para alcanzar sus objetivos incluye el proceso de *consecución de las propias metas*. Sin esta capacidad —es decir, la forma en que el niño consigue lo que se propone—, su hijo nunca encontrará el éxito que anhela. La consecución se basa en importantes habilidades que usted le puede enseñar y que lo conducirán hacia el éxito: la determinación, el esfuerzo, la paciencia y la perseverancia, por citar algunas. El proceso de consecución también enseñará a su hijo a sentirse alegre y satisfecho por los esfuerzos que realiza para obtener sus metas. Esta combinación de cualidades favorecerá el desarrollo de grandes triunfadores, que obtienen verdaderos logros basados en sus propios valores y en su forma de ser. Por lo tanto, usted debería poner el énfasis en educar a su hijo para que sea una persona *exitosa y feliz*. Si es capaz de inculcarle valores positivos, enseñarle habilidades y ofrecerle experiencias constructivas, su hijo será un triunfador —independientemente de cuál sea su forma de definir el éxito.

Algunos niños consiguen un éxito extraordinario en la actividad que han escogido para triunfar y llegan a ser muy famosos cuando son adultos. Esto les ha sucedido, por ejemplo, a Beverly Sills, Anthony Hopkins y Dorothy Hamill. Otros niños acaso no consigan un éxito tan sonado ni lleguen a ser famosos, pero esto no significa que no sean triunfadores. El éxito puede ser definido por la sensación de pertenencia, el compromiso, el esfuerzo y la calidad con que su hijo participa en la actividad elegida, y por la satisfacción, la afirmación y la alegría que le reporta. El éxito puede ser definido también en términos de compasión, consideración, generosidad y amor. Un gran triunfador puede ser un cardiólogo especializado en cirugía cardiovascular, un matemático, un pianista o un campeón olímpico. Pero también puede ser un maestro, un artista, un carpintero o un padre.

Si usted ha hecho todo lo que tenía que hacer pero su hijo sigue sin alcanzar un gran nivel de éxito (entendido según el criterio tradicional), acaso simplemente no se adecue a esa definición de éxito —debido a su temperamento, capacidad o interés. No obstante, aún puede llegar a ser un gran triunfador. Usted habrá triunfado como padre cuando proporcione a su hijo la orientación y la libertad necesarias como para que él encuentre su propia forma de definir lo que es una persona exitosa y, de este modo, sea capaz de perseguir esa meta con todas sus fuerzas.

¿CUÁLES SON LAS COSAS QUE HACEN FELIZ A SU HIJO?

Una gran parte de este libro está dedicada a enseñarle cómo presionar a su hijo para que desarrolle los tres pilares necesarios para la consecución del éxito y se convierta en un gran triunfador. Sin embargo, la definición de un gran triunfador incluye no solo tener éxito, sino también disfrutar de los esfuerzos que se realizan para conseguirlo. Un factor indispensable de las exigencias constructivas es instar a su hijo a que también se proponga la meta de ser feliz en la vida.

A lo largo de todo el libro sugiero que gran parte de la felicidad que experimenta un gran triunfador proviene de la alegría y la satisfacción que le reportan sus esfuerzos por triunfar. Recientes investigaciones confirman mi punto de vista al demostrar que existen tres áreas que son esenciales para la consecución de los objetivos —y que son centrales en este libro— y que también son cruciales para la felicidad: la autoestima, la competencia y la autonomía. Las personas que tienen una sólida autoestima, que se consideran competentes en las actividades que realizan y sienten que estas les pertenecen, se consideran felices. Sorprendentemente, dos de los pilares sociales más citados y codiciados de la felicidad —la riqueza y la popularidad— no fueron asociados con ella, e incluso se les adjudicó un efecto negativo para la felicidad.

Sin embargo, la felicidad no está inextricablemente vinculada con el éxito. Por el contrario, puede ser independiente de él y alimentarse de muchas otras fuentes además del éxito. Me ocuparé especialmente de explicar por qué el hecho de invertir todos los esfuerzos en una sola actividad, excluyendo otras que también son significativas, puede conducir al éxito pero no a la felicidad. Un elemento esencial para que los niños lleguen a ser grandes triunfadores, a diferencia de los que únicamente consiguen el éxito, es la habilidad de los padres para crear *un equilibrio en la vida de sus hijos*. Así como el niño debería tener otras experiencias, además de participar en una actividad que le otorga sentido a su vida y le permite afirmarse, también debería encontrar otros motivos para ser feliz, independientemente de los esfuerzos que realiza por triunfar.

En mi trabajo con jóvenes triunfadores mi objetivo primordial es ayudarlos a comprender qué es exactamente lo que los hace felices y a identificar todo aquello que contribuye en mayor medida a su felicidad, tanto en las actividades para las que demuestran dotes especiales como en otras áreas. También les ayudo a reconocer cuáles son las cosas que pueden ofrecer un equilibrio a su vida —por ejemplo, el tiempo dedicado a la familia, las creencias religiosas y las aficiones o pasatiempos— y los guío para que asuman un papel activo en la creación de un *equilibrio dentro del desequilibrio*. Este concepto significa que, incluso cuando los niños se comprometen con una actividad que potencia sus cualidades y en la que emplean casi todo el tiempo del que disponen, pueden crear también pequeñas dosis de equilibrio en su estilo de vida que, de lo contrario, se caracterizaría por el desequilibrio.

Si logra despertar el interés de su hijo para que descubra aquello que lo hace feliz, él estará mejor capacitado para reconocerlo y para buscar experiencias placenteras. Para ayudar a su hijo a comprender mejor qué le proporciona felicidad, en primer lugar puede preguntarle cuáles son las actividades que le gustan y por qué las disfruta. También puede observarlo con el fin de identificar cuáles son las actividades que le proporcionan más placer. Además, puede estimularlo para que participe en dichas actividades, dedicándole más tiempo, ofreciéndole recursos y compartiendo la experiencia con él.

Este equilibrio es esencial para los grandes triunfadores porque la consecución de los logros no siempre es un proceso placentero y gratificante. Mientras se esfuerza por conseguir el éxito, será inevitable que su hijo periódicamente se desilusione y se sienta desdichado; el proceso puede ser aburrido y frustrante. Si cuenta con otros recursos para ser feliz, estará mejor capacitado para mantener una perspectiva sana respecto del papel que la actividad elegida desempeña en su vida, será capaz de afrontar los inevitables altibajos que se producen en el camino y podrá dominar las difíciles experiencias que lo conducirán al éxito, en vez de consentir que se conviertan en un obstáculo.

Debido a su férreo compromiso con la actividad que potencia sus aptitudes, su hijo será capaz de disfrutar del proceso y *sentirse feliz*. Los grandes triunfadores afirman que además de los beneficios que obtienen a través del éxito, de las interacciones sociales o de otras recompensas, se sienten muy felices de participar en la actividad que puede depararle una victoria. Los grandes triunfadores aprecian los pequeños detalles de su participación. Por ejemplo, la violonchelista a la que le encanta cambiar las cuerdas del chelo y afinarlo. El jugador de fútbol que disfruta viendo los partidos profesionales en el estadio y por televisión. El jugador de ajedrez al que le gusta hablar con su padre sobre la teoría de este juego. El matemático prodigioso a quien le entusiasma estudiar la historia de las matemáticas. Todos ellos demuestran que participar en una actividad que potencia las aptitudes y puede conducir al éxito es una gran fuente de alegría y felicidad para los grandes triunfadores. El mero hecho de comprometerse de alguna manera en este tipo de actividades es suficiente para que se sientan felices.

Esta felicidad tiene lugar en diferentes niveles. Evidentemente, prefieren rendir al máximo de sus posibilidades y triunfar, pero esta no es la razón primordial de su compromiso. Aceptar los desafíos, ver los progresos de su desarrollo y alcanzar los objetivos que se han propuesto es lo que permite a los grandes triunfadores experimentar la felicidad. Se sienten dichosos al adquirir más habilidades, al constatar que su rendimiento es cada vez mejor y obtener éxito. Lo que he aprendido de los grandes triunfadores es que se deleitan con todos los aspectos de su actividad y a todos los niveles. El hecho de estar totalmente absorbidos por los esfuerzos que hacen por triunfar les reporta éxito y felicidad.

Los grandes triunfadores también saben conquistar la felicidad en el *terreno personal*. La gran mayoría interviene en otras actividades y tiene aficiones que les dan una satisfacción adicional. Un bailarín podría participar en actividades extraacadémicas. Un atleta podría dedicar parte de su tiempo a su fe religiosa y participar en las actividades de su parroquia. Un buen estudiante podría trabajar como voluntario en un asilo. Estas experiencias equilibran la estrechez de miras y el ensimismamiento que puede producir una entrega sin reservas a la actividad que puede conducir al éxito y, al mismo tiempo, ofrecen una perspectiva saludable sobre la importancia que tiene en sus vidas. El tiempo que dedican a lo personal es una oportunidad para escapar de las exigencias de la actividad elegida, para reírse, para divertirse sin más o para disfrutar de valiosas experiencias. Muchos grandes triunfadores encuentran que es este tiempo personal el que «los mantiene cuerdos» cuando las obligaciones de la actividad en la que participan, los vuelve locos.

Muchos de ellos terminan por aprender que conseguir el éxito puede ser una búsqueda solitaria y conducirlos al aislamiento social. Imagine al estudiante de informática que debe sentarse frente al ordenador solo durante horas y horas. O al patinador que se ha revelado como una gran promesa, que debe levantarse a las cinco de la mañana todos los días para ir a una fría y oscura pista de patinaje antes de asistir al colegio. O al percusionista que debe pasar tres horas después de la escuela ensayando solo. Debido a que la soledad a menudo forma parte de la consecución de los logros y del crecimiento personal, los grandes triunfadores *valoran sus relaciones con los otros.* La oportunidad de dar y recibir amor, amistad y apoyo de su familia y amigos es esencial para su felicidad. Igual que la persona que está famélica festeja su próxima comida, los grandes triunfadores están hambrientos de relaciones personales significativas. Ellos saborean la sencilla alegría que produce la comunicación, el compartir, la risa y las relaciones con los demás. La investigación sobre la felicidad que acabo de mencionar confirma este punto de vista. Tener relaciones afectivas —es decir, sentirse unido sentimentalmente a determinadas personas— era el deseo que más se asociaba con la felicidad; los que las tenían se consideraban los más felices.

Los grandes triunfadores son, por definición, niños que trabajan con tesón y revelan un extraordinario rendimiento, ya que las actividades que pueden deparar éxito requieren que se les dedique un tiempo considerable y que se realice un gran esfuerzo para conseguir las metas propuestas. Como gran parte de la vida de una persona que rinde al máximo de su capacidad está dedicada a la acción y a la consecución de sus logros, los grandes triunfadores tienen un *gran aprecio por simplemente ser.* Y ser implica participar en actividades cuyo único propósito es pasarlo bien: leer, ver películas, comer, caminar, escribir. Tener tiempo para «simplemente ser» permite a los grandes triunfadores conocerse como personas en vez de centrarse únicamente en sus logros, y además les brinda la oportunidad de librarse de las exigencias del éxito.

Este concepto básico de la felicidad les proporciona una perspectiva saludable desde la cual pueden perseguir sus objetivos. También les permite mantener el equilibrio en sus vidas, que frecuentemente son cualquier cosa menos estables. Finalmente, el hecho de basarse en la felicidad y el equilibrio les permite comprometerse con un proceso riguroso que, en última instancia, los conducirá tanto al éxito como a la felicidad.

EL OBJETIVO DE LAS EXIGENCIAS CONSTRUCTIVAS

Un mensaje esencial que quiero comunicar en este libro es que los padres deben desempeñar un papel deliberadamente enérgico en la educación de su hijo. Esto requiere que usted se comprometa activamente en guiar a su hijo para que su desarrollo sea positivo.

Este mensaje significa que debe analizar atentamente los valores, creencias y actitudes que guían su vida y tomar una decisión consciente de cómo quiere educar a su hijo.

Usted podrá comunicarle este mensaje de manera efectiva únicamente si lo hace de una forma positiva, afectuosa y confiada. Su hijo necesita sentir que todo lo que usted hace —independientemente de que lo premie por un trabajo bien hecho o lo castigue por un mal comportamiento— lo hace por amor a él y pensando qué es lo que más le conviene.

La habilidad de su hijo para convertirse en un gran triunfador dependerá de algunas creencias esenciales que usted debe inculcarle. Los doctores Aubrey Fine y Michael Sachs, autores de *Total Sports Experience for Kids,* ofrecen una síntesis valiosa de estas creencias (he agregado los números 1 y 7 y los comentarios entre paréntesis):

1. Soy querido (sentido del valor).
2. Soy capaz (sentido de la competencia).
3. Es importante intentarlo (valor del esfuerzo).
4. Soy responsable de "mi" día (sensación de pertenencia).
5. Se pueden cometer errores (aceptación de las imperfecciones).
6. Puedo controlar las cosas cuando van mal (respuesta a la adversidad).
7. Disfruto con lo que hago (valor de la pasión y la felicidad).
8. Puedo cambiar (ser un maestro).

Motiva y estimula a tus hijos está dedicado a inculcar estas creencias fundamentales a su hijo. Lo animo a pegarlas en su nevera como un recordatorio constante de sus intenciones, de sus objetivos en la educación de sus hijos y de las creencias y valores que quiere transmitirles.

La filosofía y el enfoque por los cuales abogo en *Motiva y estimula a tus hijos* tienen el propósito de ayudarle a materializar estas tres metas esenciales. Todo lo que haga con y por su hijo debe estar en función de los mejores intereses del niño; debe ayudarle en la consecución de sus logros, fomentar su felicidad y un desarrollo sano para que disfrute de una vida adulta alegre y vital; y, por último, debe potenciar una relación sólida y afectuosa entre usted y su hijo.

En nombre de la simplicidad, he alternado el uso de «hijo» e hija», «él» y «ella» a lo largo de *Motiva y estimula a tus hijos*.

PRIMERA PARTE

La autoestima

En los años setenta, ochenta y noventa, el eslogan entre los expertos en el tema de la educación de los niños y el objetivo principal de los padres a la hora de educar a sus hijos era ayudarles a «desarrollar su autoestima». Los mejores profesionales destacaban los peligros que suponía una baja autoestima, y a ella se atribuyeron muchos de los males que imperan en la juventud actual: la violencia, la adicción a las drogas, el suicidio. Con el fin de ayudar a los niños a desarrollar su autoestima se crearon programas específicos y se tomaron una serie de iniciativas. «Los "expertos" aconsejaron a los padres que dirigieran todos sus esfuerzos en esa línea», afirma John Rosemond, un psicólogo familiar y autor del libro *Teen-Proofing*.

Los padres estaban temerosos de hacer cualquier cosa que pudiera atentar contra la autoestima de sus hijos y llegaron a creer que cualquier fracaso o sentimiento negativo que experimentaran podía afectarla. Proteger a los niños del fracaso y de cualquier experiencia que pudiera contribuir a que tuvieran una mala imagen de sí mismos se convirtió en un imperativo nacional; se produjo un cambio de las expectativas y de los patrones de conducta. «En vez de proponernos metas exigentes y aceptar el desafío de alcanzarlas, hemos creado normas confusas con las que pretendemos sacar buena nota y proclamarnos triunfadores... Hubo un tiempo en que ese era el veredicto. Aprobabas o suspendías... Si tu ego estaba herido... entonces te dedicabas con empeño a conseguirlo la próxima vez y conseguías sentirte satisfecho contigo mismo», reflexiona John Powers, que escribe en el *Boston Globe*.

Preocupados por este cambio de actitud, los colegios modificaron los sistemas de puntuación para que los niños que eran calificados con una nota baja no lo asociaran con un fracaso. Por ejemplo, cuando yo estaba en sexto grado, la Junta Directiva del colegio de mi pueblo eliminó la nota S (suspenso) y la sustituyó con NM (necesita mejorar) para asegurarse de que los alumnos no se sintieran unos fracasados si no tenían un buen rendimiento en el colegio. Los programas de deportes para jóvenes comenzaron a restarle importancia a las competiciones debido a que el mero hecho de perder un partido podía afectar la autoestima de los niños. No se anotaban los puntos en el marcador y tampoco se declaraban ganadores. Los padres dejaron de apremiar a sus hijos por miedo a que no conquistaran sus objetivos y a que la posibilidad de no satisfacer las expectativas paternas pudiera marcarlos de por vida.

De acuerdo con los expertos de aquella época, los niños necesitaban sentirse en todo momento amados y valorados por sus padres y estar conformes consigo mismos para poder desarrollar su autoestima. Los padres se esmeraban por colmarlos de cariño y atenciones, independientemente de cómo se comportaran o de los éxitos que cosecharan. También los recompensaban para asegurarse de que sus hijos creyeran en todo momento que habían triunfado, *incluso aunque no fuera cierto.*

Lamentablemente, este enfoque con frecuencia produce el efecto contrario al esperado. «En la generación anterior, los expertos comunicaban a los padres que la autoestima garantizaba buenas notas, mejor comportamiento y menor adicción a las drogas y al alcohol. Sin embargo, no es precisamente eso lo que ha sucedido. La idea de fomentar la autoestima en los niños ha fracasado por completo... Parecería que los esfuerzos bien intencionados para lograr que los niños se sintieran satisfechos a cualquier precio ha dado como resultado una epidemia de mocosos indisciplinados», opina John Rosemond. Lo que comenzó como la loable intención de suavizar la estricta educación americana que surgió tras la Segunda Guerra Mundial, se convirtió en una fiesta de amor de los padres, cuya consecuencia fue que omitieran precisamente aquello que realmente ayuda a desarrollar la autoestima. Los padres comenzaron a creer que la consecución del éxito —la idea de que los niños deben comprometerse profundamente en determinadas áreas para las que

demuestran aptitudes especiales con el fin de de
podía no ser realmente algo positivo debido a u'
ción de la autoestima.

Debido a la forma inadecuada de motivar
consiguieran sus objetivos, comenzaron a surgir ṕ
cológicos. Para muchos de ellos, la mera idea de intentaₓ
guir el éxito en determinada tarea se convirtió en una obligacıₒ
angustiosa y abrumadora, por entender que solamente podrían
conservar el cariño de sus padres si no fracasaban. Estos niños
soportaron el peso de expectativas poco realistas y una presión
agobiante. A menudo, la definición del éxito y del fracaso se basó
en una perspectiva rígida y estrecha, tan poco saludable que limitó
severamente las oportunidades de triunfar (ya nos hemos ocupado
ampliamente de este tema) y, además, tampoco se ofreció a los
niños los instrumentos necesarios para alcanzar el éxito.

En vez de ocuparse de estos problemas relacionados con la consecución del éxito, los padres llegaron a creer que aspirar a conquistarlo era una tarea peligrosa y destructiva. No intentaron comprender por qué motivo a menudo se la asociaba con los problemas
infantiles, sino que simplemente condenaron la idea en su conjunto.
Los deportes juveniles dejaron de proclamar ganadores, los niños
recibieron recompensas por el mero hecho de asistir a los partidos,
el objetivo de la excelencia fue sustituido por el de no hacer las
cosas mal. La vida de los niños se colocó en una escala móvil para
que cada uno de ellos se sintiera un triunfador.

Sin embargo, apartar a los niños del objetivo de triunfar no fue
una buena solución. Conquistar el éxito fue, y es, la solución al problema. Nuestra sociedad está orientada hacia el éxito. Si los niños no
aprenden a responder positivamente a los desafíos que supone la realización de sus metas, cuando sean adultos tendrán muchas dificultades para adaptarse a la sociedad. Proteger a los niños para que no
aprendan a triunfar significa obstaculizar su desarrollo, limitar su
capacidad para conseguir el éxito y fomentar su insatisfacción e infelicidad. El objetivo no es evitar el éxito, sino preparar adecuadamente a los niños para conquistarlo. «Debemos tratar la autoestima como
la valiosa cualidad que es, y considerarla como un compuesto enrare-
cido formado por la actitud, el carácter, la conciencia y el trabajo

Y con toda seguridad no se consigue de forma gratuita. Sin
bargo, está al alcance de cualquiera que esté dispuesto a pagar el
recio. Debemos ayudar a nuestros estudiantes para que desarrollen
su autoestima de una forma que parece estar pasada de moda», propone Malcolm Gauld, presidente de Hyde Schools, internados prepa-
ratorios de Nueva Inglaterra [*], en los que se destaca la importancia
del desarrollo del carácter y del crecimiento personal.

---

[*] Hyde Schools es una escuela privada que prepara a los alumnos para ingresar en la universidad. (*N. de la T.*).

CAPÍTULO I

¿No soy lo suficientemente bueno para ti?

Seguridad frente a competencia

C UANDO pido a los padres que definan la autoestima de los niños, la mayoría dice algo parecido a: «Es lo que sienten los niños respecto de sí mismos. Los niños con una alta autoestima se sienten satisfechos de sí mismos y amados y valorados por sus padres. Los niños con una autoestima baja creen que sus padres no los quieren y no se sienten a gusto consigo mismos». No obstante, esto representa solamente la mitad de la definición de la autoestima, que consta de dos componentes esenciales. La primera parte, a la que se ha dado una gran importancia en los últimos treinta años, es la necesidad que tienen los niños de sentirse amados, valorados y comprendidos por sus padres. La sensación de seguridad que se deriva de dichos sentimientos constituye la base de la autoestima. Los niños que experimentan esta sensación de seguridad saben que, independientemente de lo que hagan o dejen de hacer, seguirán siendo queridos y valorados. Dicha sensación les garantiza que sus padres los seguirán queriendo aunque fracasen en la consecución de sus objetivos.

Los niños deben saber que existen personas a las que pueden acudir cuando necesitan protección cuando se sienten vulnerables o afrontan algún tipo de peligro. El apoyo de dichas personas permite a los niños alejarse con más confianza de su paraíso seguro y aventurarse en el mundo para explorarlo, asumir riesgos y poner a prueba sus límites. Saber que sus padres los querrán, independientemente del resultado de sus esfuerzos por alcanzar el éxito, y que los protegerán del peligro, constituye la base de la seguridad de los niños y su motivación para perseguir el éxito. «Los niños están atrapados entre su necesidad de ser independientes y su necesidad de sentirse seguros. Necesitan saber que los padres están cerca —aunque sin estar pendientes de cada uno de sus movimientos—», afirma la psicóloga Nancy Drake. Sin embargo, esta sensación de seguridad no es suficiente para desarrollar la autoestima de los niños.

Durante las últimas décadas, el movimiento en defensa de la autoestima ha pasado por alto el segundo componente esencial de la misma: la sensación de competencia y maestría en relación con la propia vida. Ann Masten y J. Douglas Coatsworth, investigadores de la Universidad de Minnesota y de la Universidad de Miami, respectivamente, opinan que el concepto de competencia se puede definir de dos maneras: de un modo amplio, en términos de los diferentes momentos evolutivos en que los niños aprenden habilidades especiales (por ejemplo, el control de esfínteres, la adquisición del lenguaje y las habilidades sociales), y, de un modo más preciso, en términos de las áreas específicas en las que se espera que cosechen éxitos, tal como los estudios o el atletismo. Este significado de la competencia se basa en diversos aspectos. En su forma más básica, es producto de la convicción que tienen los niños de que sus *acciones cuentan;* en otras palabras, ellos saben que cuando actúan consiguen ciertos resultados (cuando los niños hacen cosas positivas, obtienen resultados positivos; cuando se comportan de un modo negativo, suceden cosas negativas; cuando no hacen nada, no ocurre nada). La sensación de competencia se desarrolla cuando los niños están convencidos de que tienen la capacidad necesaria para transformarse en personas de éxito. Esta sensación de competencia es fundamental porque, tal como demuestran los doctores Masten y Coatsworth, la percepción que tienen los niños de sus aptitudes y de su capacidad de control, y la confianza en sus habilidades, afectan de un modo directo su futuro comportamiento.

Cuando los padres son sobreprotectores pueden privar a un niño de las oportunidades esenciales para desarrollar su sensación de competencia en determinadas áreas, tal como la madurez emociona: la toma de conciencia, la comprensión y el control de sus emociones. No ser competente a nivel emocional limita en gran medida la capacidad de un niño para alcanzar el éxito, ya que no se siente capaz de afrontar los inevitables obstáculos y altibajos que suelen presentarse en el camino hacia el éxito. Los doctores Masten y Coatsworth descubrieron que la falta de confianza a nivel emocional estaba relacionada con diversos problemas de la infancia, la adolescencia y el estado adulto, que incluían la ansiedad, la agresividad, la carencia de habilidades sociales y una escasa capacidad para triunfar.

Es en este punto donde el movimiento en defensa de la autoestima ha fracasado. Para proteger la autoestima de sus hijos, los padres se desentendieron de todo aquello que realmente contribuye a desarrollarla. No se permitió que los niños aprendieran que sus acciones eran importantes. También se evitó que se sintieran responsables de sus actos y que experimentaran las consecuencias que se derivaban de ellos. Al eliminar el éxito y el fracaso (por ejemplo, ganar o perder en los deportes, ser evaluados y calificados en la escuela), los padres llegaron a privar a sus hijos de la posibilidad de aprender que sus propios esfuerzos producen resultados y consecuencias. Por ejemplo, si los padres premian a sus hijos por haber completado solamente la mitad de su tarea escolar, por considerar que esto es mejor que nada, lo único que consiguen es «bajar el listón» y enseñarles que les basta con conseguir un mínimo logro.

Además de restar posibilidades a sus hijos por no comprender ambas caras de la autoestima, los padres tampoco les brindan lo que ellos más necesitan. Los niños pueden llegar a desarrollarla cuando tienen la seguridad de que sus padres los quieren, independientemente de que triunfen o fracasen. También significa brindarles las oportunidades para que se conviertan en personas competentes y desarrollen las aptitudes necesarias para afrontar los desafíos que supone conquistar el éxito. Una autoestima genuina y profundamente arraigada permite a los niños plantearse determinados retos, sentirse satisfechos consigo mismos y, a la vez, valorados por sus esfuerzos, y empeñarse por llegar al límite de su capacidad. Esta combinación de sentirse amados y seguros, junto con el deseo de investigar sus propias habilidades, proviene de una sólida sensación de competencia y actúa como la verdadera fuente de la autoestima. Jean Illsley Clarke, autor de *Sel-Esteem: A Family Affair*, afirma: «La autoestima positiva es importante porque las personas que tienen confianza en sí mismas se sienten bien y tienen un aspecto saludable, son efectivas y productivas, y reaccionan ante los demás y ante sí mismos de un modo sano, positivo y enriquecedor. Las personas cuya autoestima es positiva saben que son dignas de ser amadas, pueden cuidarse a sí mismas y también a otras personas».

BANDERAS ROJAS

En cada capítulo de *Exigencias constructivas* describo «banderas rojas» que le ayudarán a reconocer los signos tempranos de las dificultades que puede experimentar su hijo, y que pueden dar lugar a otros problemas en el futuro. Si reconoce cualquiera de dichas banderas rojas como *propias*, entonces será capaz de analizar la situación en profundidad para comprender cuáles son los problemas latentes y sus causas, y cuál es la forma correcta de ayudar a su hijo o hija a superar dichas dificultades.

La contribución fundamental para el desarrollo de los niños es que todas las señales de advertencia incluidas en *Exigencias constructivas* se pueden relacionar con problemas de autoestima en la infancia. Por ejemplo, los perfeccionistas dependen de su próximo éxito para sostener su autoestima. Los niños a quienes su capacidad de rendimiento les genera ansiedad no se sienten competentes y siempre esperan fracasar. Los niños que expresan emociones inadecuadas o no son capaces de controlar sus emociones, se sienten incapaces de asumir una situación que puede conducirlos al éxito. Los niños que sufren trastornos psiquiátricos más severos, tal como la adicción a las drogas o trastornos de la alimentación, manifiestan su baja autoestima a través de dichos síntomas.

CÓMO AYUDAR A SU HIJO A DESARROLLAR LA SENSACIÓN DE SEGURIDAD

«Para muchas personas, su más profundo anhelo es ser aceptadas por lo que son en el seno familiar; que las traten con amabilidad, compasión, comprensión y respeto; gozar de libertad, seguridad, intimidad y de una sensación de pertenencia», escriben Myla y Jon Kabat-Zinn, autores de *Everyday Blessings*. Esto requiere amor y una sensación de seguridad.

Los niños que aprenden que el amor de sus padres depende de sus logros o de sus fracasos se sienten amenazados por el desafío de conseguir el éxito. Esta amenaza surge de su percepción de que toda experiencia que suponga la consecución de determinadas metas pone en peligro el amor de los padres. La posibilidad de triunfar puede estimular a un niño por el hecho de asegurarle el cariño de sus padres. La posibilidad de un fracaso, no obstante, lo somete a un estado de temor constante por la posible pérdida del amor de los padres. Esta inseguridad inhibirá su interés por explorar el mundo, asumir riesgos y alcanzar sus metas.

Para que su hijo desarrolle esta sensación de seguridad, debe usted expresarle su cariño independientemente de sus éxitos o sus fracasos. «El... mensaje que los niños necesitan escuchar es: "Eres importante y digno de amor sencillamente porque existes". Este componente básico de la autoestima es un regalo que el niño no tiene que hacer méritos para conseguir», observa Jean Illsley Clarke. Esto parece algo aparente y natural, sin embargo, la mayoría de los problemas relacionados con la conquista del éxito se deben a algún tipo de «amor condicional.» Por ejemplo, para un niño es muy diferente que sus padres le digan que podía haberse esforzado un poco más, de una forma que le permite comprender que se lo dicen por su propio beneficio («Cariño, no llegarás a conseguir lo que te has propuesto a menos que te esmeres») a que le expresen su decepción porque no responde a sus propias expectativas («Estamos desolados porque hoy no has ganado»). Los padres que transmiten a sus hijos el mensaje de que no se han esforzado lo suficiente de una forma positiva, los animan a comprometerse más en lo que hacen. Los padres que interpretan la falta de esfuerzo del niño de una forma personal y le transmiten su desilusión reaccionando con enfado o tristeza, logran que su hijo desarrolle el miedo a triunfar por no arriesgarse a perder el amor de sus padres en el caso de que fracase.

El segundo elemento importante de la sensación de seguridad es la necesidad del niño de sentirse protegido y a salvo. Este aspecto de la seguridad le ofrece la confianza necesaria para investigar su mundo, asumir riesgos y esmerarse por triunfar. Para su hijo, el mundo es un enorme y fascinante patio de juegos en el que puede dedicarse a explorar. Aunque también puede ser un lugar caótico e incontrolable donde acechan peligros ocultos y que la atemoriza. Los niños advierten que tienen limitaciones y que no saben demasiado acerca del mundo. Si le da libertad a su hija, sin haber fomentado previamente la sensación de seguridad, puede convertirse en una persona vulnerable y temerosa. Usted puede comunicarle que, por ser más fuerte que ella, puede protegerla siempre que lo necesite. Esto refuerza la sensación de seguridad del niño —siempre tendrá un paraíso seguro al cual retornar— y le da la confianza necesaria para afrontar desafíos y desarrollar la sensación de competencia.

Esa sensación de seguridad también se acrecienta cuando usted establece límites que el niño debe respetar. Un mundo sin límites puede resultar abrumador y amenazante. Como él tiene poca experiencia para distinguir lo que es seguro de lo que no lo es, será incapaz de juzgar cuál es la distancia a la que puede llegar. Por otro lado, la natural curiosidad de los niños puede llevarlos a comprometerse en situaciones que superan sus capacidades. Los límites actúan como una zona de seguridad que protege a su hijo de las experiencias para las que no está preparado. Si usted no define los límites a una edad temprana, probablemente el niño se enfrentará a determinados desafíos que superará sus posibilidades. Estas experiencias despertarán temores y acaso comience a considerar el mundo como algo inquietante que está fuera de su control. Esta percepción del peligro lo disuadirá de emprender futuras exploraciones e inhibirá su disposición a asumir riesgos y a perseguir el éxito. El psiquiatra Davis Fassler opina: «Los niños necesitan y quieren que les pongan límites claros y previsibles, puesto que se benefician de ellos». Establecer límites no significa encerrar a su hijo en su habitación e impedirle experimentar riesgos o fracasos. Por el contrario, los límites significan comprender los peligros que puede encontrar en su camino, ser consciente de los riesgos que puede afrontar de acuerdo con su edad y asegurarse de que tiene la capacidad práctica, física, psicológica y emocional para responder de un modo satisfactorio a un nivel de desafío razonable. Por ejemplo, durante una visita al zoológico un padre da dinero a su hijo pequeño para que compre un helado a un vendedor que se encuentra a pocos metros de distancia. El padre lo sigue de cerca para asegurarse de que no le pasará nada. Sin embargo, el niño cree estar solo y esta experiencia le da la confianza suficiente como para aventurarse a nuevas exploraciones.

Mientras su hijo aprende a sentirse cómodo con los límites actuales y desarrolla una mayor confianza en sí mismo que le permitirá emprender futuras exploraciones, usted debe revisar constantemente los límites para ofrecerle un mayor grado de libertad. De esta forma, le ofrecerá oportunidades adicionales para ganar en experiencia y desarrollar sus habilidades. Cuando su hijo alcanza un cierto nivel de madurez, debe permitirle que establezca por sí mismo sus propios límites. Por ejemplo, en los primeros años de vida, usted debe determinar claramente los límites físicos del lugar donde puede jugar. Al principio, los límites pueden abarcar el salón, donde usted puede vigilarlo. Más tarde, incluirán toda la primera planta de la casa, desde donde puede escucharlo jugar. El paso siguiente es que los límites se amplíen hasta el patio vallado de la casa, donde usted puede salir ocasionalmente a comprobar si todo está en orden. A medida que el niño crezca, los límites continuarán aumentando para incluir el edificio en el que vive y el parque del vecindario. Más adelante, usted simplemente le preguntará adónde va y deberá confiar en que es capaz de ser responsable y mantener sus propios límites.

Esta ampliación gradual de los límites ofrece algunos beneficios importantes como, por ejemplo, garantizar al niño que tiene permiso para aventurarse más allá de su terreno conocido, pero a sabiendas de que aún existen límites que debe respetar. Los límites ofrecen al niño la oportunidad de ganar experiencias y desarrollar sus habilidades en situaciones que aumentan el nivel de los retos de una forma gradual, con el fin de aumentar su sensación de competencia; le ofrecen un puerto seguro al que sabe que puede regresar cuando llega a un límite en sus exploraciones. Finalmente, ampliar los límites y luego permitir al niño que sea él mismo quien los defina le permitirá internalizar progresivamente la sensación de seguridad que usted le ha ayudado a desarrollar desde que era pequeño. También le permitirá sentirse seguro de sí mismo y sentirse amado por los padres, lo que contribuirá a fortalecer su sensación de competencia y fomentará su independencia.

CÓMO FOMENTAR LA SENSACIÓN DE COMPETENCIA DE SU HIJO

En cierta ocasión Henry Ford afirmó: «Si usted cree o no cree que es capaz de hacer algo, está en lo cierto». Esta simple afirmación destaca un aspecto esencial para comprender la habilidad que tiene su hijo para alcanzar sus objetivos. La mayoría de los niños tienen la capacidad intelectual, técnica o física para conquistar cierto nivel de éxito en las actividades a las que eligen dedicarse. Sin embargo, a menudo no triunfan porque no se sienten competentes.

Es fundamental que un niño se crea apto para triunfar porque esto le permite aprovechar sus aptitudes para superar su nivel de rendimiento actual y lo estimula a plantearse el desafío de descubrir cuál es el límite de sus posibilidades. La sensación de competencia comienza con la convicción de que los esfuerzos serán recompensados con el éxito. Esta confianza en su capacidad y la probabilidad de materializar sus metas contrarrestan la preocupación y la ansiedad que provoca la posibilidad de fracasar y la presión que puede sentir un niño cuando se agobia por el mero hecho de pensar en el fracaso. Gracias a dicha confianza, el niño se esfuerza por superarse hasta un nivel que no podría alcanzar de otra manera. Sentirse seguro de sí mismo es una condición necesaria para asumir riesgos, y contribuye a que el niño se empeñe en conquistar sus objetivos. Finalmente, esta actitud lo preparará para afrontar los inevitables contratiempos que surgirán a medida que se esfuerce cada vez más por materializar sus propósitos.

La sensación de competencia incluye dos aspectos que son necesarios para que los niños se conviertan en triunfadores: *la confianza global y la confianza específica*. La confianza global es la convicción que tiene un niño de que sus acciones son importantes y de que dispone de la capacidad de superar satisfactoriamente una amplia gama de retos. La confianza específica se refiere a cuán competente se siente el niño para triunfar en una actividad para la que tiene aptitudes especiales. Lo que ambas tienen en común es que los niños aprenden que pueden ejercer influencia sobre el mundo y que sus acciones pueden producir los resultados deseados. Por ejemplo, un niño aprende que si estudia mucho obtendrá buenas notas, y que, por el contrario, sus calificaciones serán malas si no trabaja lo suficiente. Cuando carecen de esta confianza fundamental en su idoneidad, los niños dudan de su capacidad para triunfar, y no debería sorprendernos que, como consecuencia, se esfuercen poco por conseguir sus objetivos.

LA CONFIANZA GLOBAL

Esta sensación general de competencia se basa en que el niño comprenda la relación que existe entre sus acciones y sus resultados: si hace cosas positivas, obtendrá resultados positivos; si hace cosas negativas (o no hace nada), no conseguirá nada bueno. Las experiencias tempranas deben fomentar que el niño crea que sus acciones son importantes.

Esta relación es quizá la lección más importante que pueden aprender los niños para convertirse en futuros triunfadores. Se basa en la conexión entre el esfuerzo y el resultado. Si los niños aprenden que cuando actúan adecuadamente consiguen los resultados que desean, comenzarán a pensar que son capaces de controlar su vida. Los psicólogos se refieren a esta percepción como el *punto interno de control,* por el cual los niños creen que los resultados que obtienen son una consecuencia de sus esfuerzos y sus actos.

Los niños que reconocen esta conexión entre el esfuerzo y el resultado se sienten capaces de conseguir el éxito porque han aprendido que, si se esfuerzan, tendrán la posibilidad de cumplir con los objetivos que se han propuesto y que, de lo contrario, no lograrán triunfar. Los comentarios de los niños que internalizan esta relación son del tipo de: «Lo he conseguido porque he trabajado duro» y «Me lo he ganado».

Sin embargo, existe el peligro de que los niños no aprendan nunca que sus acciones cuentan. Esto puede ocurrir cuando consiguen lo que quieren independientemente de lo que hagan (los niños malcriados) o cuando nunca obtienen lo que desean más allá de lo que hagan (los niños frustrados o desatendidos). En ambos casos, estos niños revelan poco interés por conseguir algún logro porque han aprendido que sus esfuerzos no cuentan —para ellos no existe ninguna relación entre sus esfuerzos y los resultados. La falta de relación entre esfuerzo y resultado se ejemplifica con afirmaciones del tipo de: «No he hecho nada para conseguir esto» y «Nada de lo que hago parece marcar una diferencia». Los psicólogos denominan a esta percepción como el *punto externo de control*, por el que los niños sienten que existen circunstancias externas que no pueden controlar —otras personas, la suerte— y que son las que determinan sus éxitos o fracasos.

Se puede producir otra distorsión perjudicial entre causa y efecto cuando, en vez de establecer una conexión entre el esfuerzo y el resultado, los niños piensan que su propia capacidad está vinculada a los resultados. El problema es que los niños no pueden ejercer ningún control sobre sus aptitudes (por ejemplo, la inteligencia, el talento creativo y las hazañas atléticas); simplemente, las tienen o no las tienen. Cuando los niños atribuyen sus éxitos a habilidades innatas, pueden llegar a no identificarse con sus propios logros porque no relacionan el éxito con sus propias acciones. Esta relación a menudo se observa en niños que demuestran ser toda una promesa en una determinada actividad. Obtienen éxitos tempranos debido a ciertas habilidades naturales, y no a su dedicación (y con frecuencia consiguen éxito con poco o ningún esfuerzo). Por ejemplo, el talento de un alumno que saca sobresalientes sin estudiar o de un diestro atleta que gana constantemente las competiciones a pesar de que no se entrena lo suficiente. Las afirmaciones del tipo: «Yo no he sido» o «Pero si no he hecho nada» ilustran los casos de los niños que no asocian sus logros con su propio desenvolvimiento.

Esta relación entre la propia habilidad y los resultados va en detrimento de los niños, porque el talento tiene sus límites. En algún momento, estos niños alcanzarán un nivel de logros en el que las exigencias por conquistar el éxito sobrepasarán sus habilidades, o descubrirán que todos los que se encuentran al mismo nivel tienen un talento similar (por ejemplo, el pez grande que habita en una poza pequeña y se traslada a una más grande) y entenderán que la habilidad por sí misma no determina el éxito. En ese punto, el talento se convierte en una desventaja porque estos niños nunca han aprendido la importancia y el valor del esfuerzo, de modo que no son capaces de afanarse por desarrollar sus habilidades. Los niños que más éxitos cosechan son los que combinan su talento innato con el compromiso y el trabajo duro.

Los niños que comprenden la relación entre el esfuerzo y el resultado, independientemente de su capacidad natural, tienen garantizado cierto nivel de éxito porque están dispuestos a utilizar las habilidades innatas que poseen. Aquellos que no revelan habilidades excepcionales a una temprana edad, pero demuestran una gran determinación, a menudo son definidos como grandes triunfadores porque llegan a cosechar más éxito de lo esperado. Sin embargo, tal como sugiere el legendario entrenador de baloncesto de la UCLA John Wooden: «No existen los grandes triunfadores. Las personas obtienen todo aquello que son capaces de conseguir». En otras palabras, únicamente por medio de una esmerada dedicación al trabajo los niños llegan a comprender las habilidades innatas que poseen.

La doctora Susan Harter, una reputada investigadora sobre el tema de la autoestima y de la educación de los hijos en la Universidad de Denver, descubrió que los padres desempeñan un papel esencial cuando se trata de fomentar la sensación de competencia de sus hijos. Su forma de responder a los éxitos y fracasos de los niños en aquellas actividades en que pueden destacar es determinante. Si los niños reciben una estimulación constante y positiva por los esfuerzos que realizan y los resultados que consiguen, son capaces de desarrollar la confianza en su capacidad y la habilidad para controlar sus esfuerzos futuros. Esta sensación de competencia, según Harter, aumenta la autoestima y la motivación, y disminuye la ansiedad que despierta un posible fracaso. Confiar en la propia capacidad tiene un impacto directo y positivo sobre el nivel de éxitos.

El doctor Foster Cline y Jim Fay, autores de *Parenting with Love and Logic*, afirman: «Como padres, desempeñamos una función muy importante para que los niños desarrollen un buen concepto de sí mismos. Nuestras palabras y nuestros actos, la forma en que los alentamos o les servimos de modelo: los mensajes que transmitimos a nuestros hijos los ayudan a dar forma a la imagen que tienen de sí mismos... Un mensaje esencial que se debe transmitir a los niños de todas las edades y que se puede comunicar de diversas maneras es «Tú eres capaz de hacerlo». Es necesario comunicarles que, independientemente de que triunfen o fracasen, siempre serán amados y contarán con un lugar seguro en el que pueden descubrir y poner a prueba sus habilidades. Esto se logra comunicando a su hija, con un talante sereno y positivo, que usted está a su total disposición para ayudarla a satisfacer sus necesidades y alcanzar sus objetivos.

Cuando ella recibe este mensaje de amor y seguridad, está preparada para desarrollar la sensación de competencia. Usted debe brindarle oportunidades para que actúe en el mundo y reconozca cuáles son las acciones que cuentan. Esto se puede conseguir relacionando cada uno de sus actos con resultados positivos o negativos. Por ejemplo, los padres de una niña que no se ha esforzado para que la incluyan en la orquesta del colegio pueden comunicarle de una forma amable, pero al mismo tiempo firme, que su falta de dedicación ha sido la causa de dicha situación. Pueden respaldar esta afirmación, recordándole que ha faltado a algunas clases o que no ha practicado lo suficiente. Pueden ofrecerle su apoyo, indicándole que debe practicar con su instrumento y trabajar con más interés con el fin de mejorar su interpretación, para conseguir que la admitan en la orquesta el próximo curso. Y además pueden añadir que el éxito depende de ella. En contraste, si los padres le transmitieran que la culpa de no haber sido admitida en la orquesta es del comité de selección, puesto que ella es mejor que otros músicos seleccionados, la niña probablemente no asumiría ninguna responsabilidad ni comprendería la relación entre su falta de esfuerzo y la decisión tomada por el comité y, con toda seguridad, no se sentiría motivada para practicar con su instrumento en el futuro.

Debe ofrecerle a su hija una amplia variedad de oportunidades en las que pueda alcanzar el éxito (y también experimentar en cierta medida el fracaso) para que pueda desarrollar una sólida sensación de competencia. La sensación de competencia global que se construye sobre la base de diversas experiencias en una amplia gama de actividades es más fuerte y resistente que la confianza basada en un número limitado de experiencias en unas pocas actividades.

Todo lo que *usted* piensa sobre las aptitudes de su hijo influyen en el desarrollo de la sensación de competencia. Las investigadoras de la Universidad de Michigan Pamela Frome y Jacquelynne Eccles descubrieron que las ideas que tienen los padres sobre el rendimiento escolar de sus hijos inciden en la propia percepción de competencia de los niños, en las dificultades que encuentran en las tareas para las que tienen un talento especial y en sus expectativas de éxito. Y lo que es aún más importante, las investigadoras descubrieron que las percepciones de los padres tienen más influencia sobre los hijos que su propio rendimiento. El doctor Wayne Dyer, autor de *La felicidad de nuestros hijos: prepárelos para su futuro*, afirma: «Si usted considera que su hijo es una persona importante, atractiva y meritoria, en general el niño tendrá la misma imagen de sí mismo; de este modo, habrá sembrado las semillas tempranas de la propia valoración». Debería preguntarse qué opinión tiene de la competencia general de su hijo y de su idoneidad para desempeñarse en aquellas actividades específicas en las que sus aptitudes le permiten aspirar al éxito. Debería también considerar los mensajes que le comunica en relación con su competencia. ¿Acaso le transmite que lo cree competente o, por el contrario, que lo considera inepto?

LA CONFIANZA ESPECÍFICA

La confianza específica alude a qué es lo que sienten los niños en relación con su capacidad para realizar una determinada actividad en la que pueden conseguir logros importantes. Las aptitudes con respecto a las que los niños pueden desarrollar una confianza específica abarcan desde la ejecución técnica de un instrumento musical hasta la capacidad cognitiva para resolver un problema de matemáticas o la destreza física necesaria para dominar un deporte. «La confianza que posee una persona en su propia capacidad tiene un profundo efecto sobre sus posibilidades. Las personas que se consideran efectivas logran recuperarse de los fracasos; su enfoque se basa en cómo afrontar las situaciones en vez de preocuparse por lo que pueda salir mal», observa el doctor Daniel Goleman, autor de *Inteligencia emocional*.

Para que los niños se conviertan en personas de éxito, la confianza específica en sí mismos debe provenir de una sensación general de competencia. Los niños que se consideran competentes transfieren con mucha más facilidad dicha sensación a las actividades específicas para las que han revelado tener aptitudes. Cuando se ha desarrollado una sensación global de competencia, se puede fomentar la confianza específica ofreciendo al niño la oportunidad de desarrollar las habilidades necesarias para dominar la actividad elegida. La enseñanza profesional, la práctica y el rendimiento, la posibilidad de observar a personas con talento que se desempeñan admirablemente, y de consultar materiales autodidácticos, tales como los libros y los vídeos, permiten desarrollar dichas habilidades. Estos métodos ayudan a que los niños confíen en sí mismos al ofrecerles las habilidades cognitivas, técnicas, físicas, sociales o psicológicas que contribuyen al éxito, y sobre las cuales se puede fundar la confianza específica. También ofrecen a los niños la oportunidad de experimentar y saber afrontar los contratiempos, los obstáculos y las adversidades, lo que afirma su capacidad para superar los aspectos más exigentes de la actividad por la que aspiran conseguir el éxito. Estas estrategias también brindan a su hijo el apoyo práctico, técnico y emocional que necesita para poder ser competente en el ejercicio de la actividad elegida y para desarrollar la confianza en su capacidad. Por ejemplo, un joven bailarín recibe clases de baile de un profesor muy cualificado, se entrena cinco veces por semana, actúa en espectáculos una vez por mes, asiste a las funciones de la compañía de danza profesional de su ciudad y lee biografías de bailarines famosos. Finalmente, estas oportunidades le permiten saborear el éxito —y esto incluye dominar la técnica y alcanzar su principal objetivo—, que es la forma definitiva de validar su confianza específica.

En cierta medida, esta sensación de competencia necesita evolucionar, y esto se consigue dejando que el niño actúe por sí mismo para superar sus propios límites. Los padres a menudo se empeñan en ayudar demasiado a sus hijos. Por ejemplo, cuando un niño tiene dificultades para hacer su tarea escolar, suele pedir ayuda a sus padres y, en algunas ocasiones, terminan por hacer ellos mismos la tarea. A pesar de sus buenas intenciones, su conducta resulta contraproducente para el niño, pues no le permite encontrar sus propios recursos para superar los obstáculos y aprender las habilidades necesarias para realizar su tarea. Como resultado, el niño no consigue ser competente y tampoco desarrolla una confianza específica en su capacidad para hacer solo sus deberes.

Impedir que su hijo asuma la responsabilidad de su trabajo socava el desarrollo de su autoestima, pues es una forma de comunicarle que no lo cree capaz de hacer las cosas por sus propios medios. Si el niño recibe este mensaje, lo más probable es que, en vez de confiar en sí mismo, dude de su idoneidad y acaso llegue a pensar que es un inútil y que no merece que le presten atención. Solamente cuando se permite al niño experimentar completamente todos los aspectos que jalonan el camino hacia el éxito —los obstáculos, los altibajos, los errores, los éxitos, los fracasos, la frustración y la satisfacción— podrá afrontar sus retos y desarrollará una sólida confianza en su capacidad para triunfar en el futuro. La doctora Sylvia Rimm, autora de *How to Parent So Children Will Learn*, opina que «los niños no pueden convertirse en personas competentes y seguras de sí misma si eligen el camino fácil. Solamente cuando se enfrenten con un desafío podrán comprender la relación entre los hábitos positivos y los resultados satisfactorios... Si cada cinco minutos corren en su busca, pidiéndole ayuda, usted debe animarlos a resolver el problema por sus propios medios... Si los padres hacen todo lo que deben hacer los niños, ellos no tienen ningún incentivo para realizar las tareas por sí mismos».

Usted debe ofrecer apoyo a su hijo, pero él tiene que responsabilizarse de hacer su trabajo. La mejor forma de ayudarlo cuando tienen algún problema, es hacerle comprender cuál es el obstáculo, enseñarle a convertirlo en un problema manejable, y a descubrir de qué forma es posible resolverlo. Usted puede enseñarle a volver a definir un problema: «¿Cuál podría ser otra forma de describir el problema?». Puede mostrarle cómo convertir complejos desafíos en problemas más fáciles de resolver: «¿Puedes descomponer el problema en otros más pequeños?». Entonces, puede guiarlo para que resuelva los pequeños problemas que finalmente conducirán a la solución del gran problema. Los deberes del colegio constituyen una gran oportunidad para que usted enseñe a su hijo las habilidades necesarias para resolver los problemas en general, de modo que luego pueda encontrar por sí mismo las soluciones para problemas más complicados. Una vez que el niño incorpore dichas habilidades y sepa cómo resolver problemas más difíciles, se sentirá realmente seguro y aumentará la confianza específica en su capacidad para realizar la actividad que puede conducirlo al éxito. Cuando ayudan a sus hijos a hacer su tarea, los padres nunca deberían decir «nosotros» comprendemos el problema y «hemos» encontrado la solución. Esta forma de hablar indica que el niño ha compartido la responsabilidad de esta actividad y, como consecuencia, la tarea deja de pertenecerle. Usted debe ayudarlo en el proceso como un colaborador silencioso y sin obtener ningún mérito.

Mientras ayuda a su hijo a desarrollar la confianza que necesita para una determinada área de aprendizaje, debe usted emplear las «cuatro E». En primer lugar, debe exponerlo a *experiencias* que fomenten la confianza específica en diferentes áreas, tal como la educación, las artes, el deporte y los *hobbies*. Cuanto mayor sea el número de actividades en las que su hijo se siente competente, más sólida será su confianza específica. En segundo lugar, debe establecer un alto nivel de *expectativas* que el niño tiene que esforzarse por conseguir. Dichas expectativas siempre deben estar a la altura de sus posibilidades reales. Debe comunicárselas a su hijo en un tono positivo y afectuoso, y debe transmitirle que confía en su capacidad para conseguir las metas propuestas. En tercer lugar, debe enseñarle el valor esencial del *esfuerzo* para conseguir el éxito en cualquier tarea que emprenda. La mayor parte de los comentarios que usted haga sobre su trabajo deben transmitir que el trabajo duro, la paciencia y la perseverancia son aspectos esenciales para conseguir sus objetivos. Finalmente, debe *estimularlo* de una forma constante para que supere los obstáculos y fortalezca la relación que existe entre sus esfuerzos y la satisfacción de sus expectativas. Su hijo siempre recurrirá a usted para determinar si es realmente competente. Si le transmite su fe en él con un talante positivo, el niño internalizará la confianza en sí mismo. Con esta actitud, lo ayudará además a relacionar sus esfuerzos con sus resultados, y a experimentar una sensación de satisfacción, felicidad y entusiasmo. John Buri, investigador en la Universidad de St. Thomas de Minnesota, afirma que los padres que tienen expectativas claras y estimulan constantemente a sus hijos y, al mismo tiempo, destacan la importancia de la sensatez, la flexibilidad y la comunicación, tienen muchas más probabilidades de que sus hijos desarrollen una sólida autoestima.

CONFIANZA ESPECÍFICA SIN CONFIANZA GLOBAL

Existen algunos niños triunfadores que confían plenamente en su capacidad para destacar en una determinada actividad *sin* haber desarrollado primero la sensación general de competencia. Estos niños a menudo revelan un talento natural para una determinada actividad y, rápidamente, consiguen progresos considerables sin haber tenido antes la oportunidad de confiar en su propia idoneidad. Por ejemplo, dos estudios realizados con un grupo de destacados bailarines adolescentes indicaron que, en general, revelaban una autoestima inferior a la de sus compañeros de instituto, a pesar de tener una gran confianza en su talento para la danza. Desgraciadamente, la confianza específica tiene una base estrecha que puede ser fácilmente quebrada a la hora de afrontar reveses o fracasos, y no se generaliza para abarcar otros aspectos de su vida.

Estos chicos suelen sentirse ineptos cuando tienen que realizar otras actividades y muestran una tendencia a sentirse insatisfechos o desdichados. Dependen completamente de la actividad para la que tienen talento, porque en ella se sienten valorados, y la necesitan para sostener su autoestima —lo mismo que le sucede a un drogadicto— y cualquier fallo en su propio terreno puede resultar devastador. A menudo consideran que tienen poco valor como seres humanos. Esta estrecha perspectiva de su idoneidad puede condenarlos a un temor constante de que los demás no los consideren dignos de amor ni de respeto. Por tanto, el éxito sostenido en el área que dominan solo les proporciona una *apariencia* de idoneidad, y no una profunda y permanente confianza en su capacidad, que debería basarse en la convicción de que son capaces de triunfar en el mundo.

Desde que era muy pequeña, Hailey había demostrado una gran destreza física y su mundo giraba alrededor de la gimnasia desde que tenía seis años. Sus padres albergaban la esperanza de que se convirtiera en una gimnasta olímpica y, por ese motivo, se trasladó a otra ciudad con su madre para entrenarse en una prestigiosa academia. No tenía ninguna amiga fuera de ese ambiente, pensaba que la única razón por la cual caía bien a los demás era debido a su destreza como gimnasta, y todos sus esfuerzos se dirigían a formar parte del equipo olímpico. Parecía tener una confianza suprema en su capacidad como gimnasta, pero se sentía totalmente inepta para todo lo demás. A menudo pensaba que si no se hubiera dedicado a la gimnasia, su vida no tendría sentido.

Cuando Hailey tenía dieciséis años, logró clasificarse para las pruebas olímpicas de Estados Unidos, en las que se seleccionaría a las integrantes del equipo olímpico. Dos semanas antes de las pruebas, Hailey sufrió «un verdadero ataque de pánico». Su estado de ánimo alternaba entre una ira incontrolable y una tristeza abrumadora. Al comprobar que no experimentaba ninguna mejoría, sus padres pidieron una entrevista con un psicólogo deportivo. Pronto resultó evidente que para Hailey la competición significaba mucho más que una oportunidad para progresar en sus aspiraciones. Creía que toda su vida estaba en juego en ese evento. Las conversaciones con el psicólogo deportivo revelaron que Hailey pensaba que su actuación en las pruebas tendría una influencia determinante sobre su autoestima, su mundo social y su futuro. La semana previa a la prueba, el psicólogo decidió centrarse en desafiar la importancia que Hailey concedía a la competición, ofreciéndole otros puntos de vista que destacaban que el evento era sencillamente un paso más en su carrera de atleta. Con este nuevo enfoque, Hailey consiguió serenarse y realizar una buena actuación en la competición; el resultado fue que la incluyeron en el equipo de gimnasia olímpica de los Estados Unidos.

LA INTROSPECCIÓN

Las personas que conquistan el éxito son capaces de «mirarse en el espejo» y ver objetivamente sus puntos fuertes y sus puntos débiles. Para convertirse en personas competentes, exitosas y felices, los niños deben ser capaces de analizar para qué actividades tienen talento y en cuáles necesitan mejorar. Tomar conciencia de sus puntos fuertes les da confianza y les indica en qué áreas pueden aspirar a triunfar. Prestar únicamente atención a su talento, limita su capacidad de éxito. A diferencia de lo que cree la mayoría, los puntos fuertes de una persona no suelen marcar el límite máximo de sus posibilidades. Por el contrario, las personas consiguen triunfar solamente en la medida en que se lo permiten sus mayores flaquezas. Por consiguiente, para que los niños reconozcan su capacidad y conquisten una completa sensación de competencia, deben estar dispuestos a concentrarse y trabajar en aquellas áreas en las que tienen dificultades.

La capacidad de un niño para la introspección depende en gran medida de que se considere una persona idónea. Un niño que tenga plena confianza en su capacidad, puede considerar de una forma positiva sus puntos débiles. Por ejemplo, puede pensar que si se esmera en un campo en el que tiene dificultades, su empeño le ayudará a desarrollar su capacidad para triunfar. En contraste, un niño que no está tan seguro de ser una persona competente, puede considerar que sus puntos débiles significan una amenaza para su autoestima y constituyen un problema que lo conducirán inevitablemente al fracaso.

Si usted pone el énfasis en el perfeccionamiento, en vez de dar importancia a los resultados inmediatos, y estimula a su hijo para que se concentre en la actividad que puede potenciar sus aptitudes, con el fin de que consiga un buen desarrollo a largo plazo, él tomará conciencia de la importancia que tiene la introspección para alcanzar sus objetivos. Usted no debe asumir la responsabilidad de señalar los puntos débiles de su hijo, sino ayudarlo a desarrollar un buen criterio para juzgarse a sí mismo. Por ejemplo, si su hijo llega a casa después de haber jugado mal en un partido de fútbol, puede preguntarle qué es lo que le ha pasado. Si él no sabe qué responder, puede ayudarlo a descubrir la causa de su fracaso. La respuesta puede ser, por ejemplo, que no ha regateado bien con el pie izquierdo. Entonces puede preguntarle cómo cree que es posible superar ese obstáculo, transmitirle su confianza de que lo cree capaz de mejorar y alentarlo para que se entrene concienzudamente para el siguiente partido.

Su propia perspectiva acerca de lo que se consideran imperfecciones o defectos afecta la capacidad y la disposición de su hijo para reflexionar. Los padres que no se sienten cómodos con la introspección cuando se trata de su propia vida, transmiten esa sensación a sus hijos. Los que no son capaces de reconocer ni aceptar sus propios errores, experimentarán ansiedad al enfrentarse a los defectos por primera vez, ya sean propios o de sus hijos. Esta reacción actuará como una medida disuasoria y sus hijos evitarán «mirarse en el espejo» y disfrutar de los beneficios de la introspección.

Usted puede actuar como un modelo positivo hablando abiertamente de sus propios defectos y demostrando que no solo es aconsejable, sino también necesario, reconocer los propios errores. Cuando acepte sus propios defectos delante de sus hijos, debe explicarles las lecciones que ha aprendido de ellos y cómo intenta corregirlos. Por ejemplo, cuando su hija desea conseguir algo de forma inmediata, puede comentarle que a veces también usted se siente impaciente, pero que ha aprendido que si es capaz de esperar un poco, finalmente consigue lo que desea. O, cuando su hijo se niega a hacer la tarea, puede comunicarle que también usted posterga a veces su trabajo, pero que luego lo lamenta porque tiene que darse prisa para terminar el proyecto y nunca sale tan bien como si lo hubiera hecho con tranquilidad. Si usted es capaz de hablar de sus propios defectos, de reírse y aprender de ellos, transmitirá a sus hijos la idea de que simplemente forman parte del ser humano.

Por otra parte, usted no pretende utilizar las así llamadas imperfecciones como una excusa para el mal comportamiento. Por ejemplo, afirmar que no coordina los movimientos lo suficientemente bien como para asistir a clases de yoga, no es una forma de compartir sus defectos con sus hijos. Al hablar de ese modo, lo único que hace es racionalizar que no tiene ningún interés en invertir tiempo para convertirse en un buen practicante de yoga. Lo que debe decirle a sus hijos es que le lleva más tiempo dominar nuevas habilidades que a la mayor parte de las personas y que, por ese motivo, debe trabajar más para alcanzar sus objetivos. Los padres que transmiten a sus hijos que es sano mirarse en el espejo para conquistar el éxito y la felicidad, los estimulan para que desarrollen un punto de vista constructivo en relación con las áreas en las que tienen dificultades.

UNA CABAL IMAGEN DE SÍ MISMO

Un niño puede pensar que conoce sus puntos fuertes y sus puntos débiles, pero conocer sus posibilidades y limitaciones solo resulta útil cuando son reales. Sin un punto de vista objetivo, los niños pueden desarrollar una imagen distorsionada de sí mismos, que a menudo es exagerada. Dichas distorsiones pueden referirse a la propia capacidad, al esfuerzo, al potencial o a los objetivos. La introspección puede enseñar a los niños a poner a prueba la idea que tienen de sí mismos para que puedan elegir un camino que sea coherente con sus puntos débiles y fuertes.

Existen varias razones por las que los niños conciben ideas equivocadas en relación consigo mismos. Ellos pueden distorsionar inadvertidamente la realidad porque tienen poca experiencia y no cuentan con una base sólida para emitir juicios; desarrollan sus impresiones a partir de la información de que disponen. Por ejemplo, en una clase de dibujo un niño recibe un elogio de la profesora y no escucha que ella también alaba a otros alumnos. Basándose en esta información limitada, el niño puede pensar que tiene más talento artístico que sus compañeros.

Los niños suelen desarrollar la imagen que tienen de sí mismos, comparándose con sus condiscípulos. Si los superan en algún aspecto, pueden llegar a pensar que tienen talento, a pesar de que sus compañeros acaso no representen exactamente un alto nivel de competencia.

Los niños pueden equivocarse al evaluar el nivel de esfuerzo que deben realizar. Por carecer de experiencia, en general ignoran qué significa esforzarse por conseguir algún objetivo. Lo más común es que cuando comienzan a sentirse incómodos o inquietos piensen que han trabajado lo suficiente cuando, en verdad, sus esfuerzos distan mucho de ser los adecuados. Acaso se dediquen a observar a los triunfadores para determinar el esfuerzo que se necesita para conquistar el éxito. Desgraciadamente, no es fácil juzgar el esfuerzo: todos ven los éxitos de Michael Jordan, Yo-Yo Ma y Mikhail Baryshnikov, pero pocos han visto los años de intenso esfuerzo que han invertido para alcanzar el éxito.

Los niños a veces desarrollan ideas equivocadas respecto de sí mismos como un medio de reforzar su autoestima. Por ejemplo, cuando consideran que tienen más talento del que poseen, y que trabajan más de lo que realmente hacen, logran mejorar la confianza en sí mismos aunque sea de una forma provisional. Y los padres también pueden pensar que dichas impresiones ayudan a potenciar la autoestima de sus hijos. La mayoría se empeña en creer que sus hijos tienen talento y son especiales, de manera que, en ocasiones, se engañan a sí mismos y también confunden a sus hijos.

Esta tendencia a exagerar puede suponer algunos beneficios inmediatos para los niños, al aumentar la confianza que tienen en sí mismos. Sin embargo, estas exageradas manifestaciones también pueden tener como consecuencia que no se sientan motivados a trabajar con dedicación ni a ser perseverantes, porque una percepción desmedida de sus habilidades les permite pensar que alcanzarán el éxito gracias a su talento y que no es necesario trabajar duro para triunfar. Además, quizá tampoco se sientan estimulados para concentrarse y dirigir toda su energía a la consecución de sus objetivos.

Los efectos a largo plazo de estas falsas aseveraciones se producen en dos niveles. En primer lugar, el progreso del niño será más lento debido a una percepción exagerada de su capacidad y de su esfuerzo. Si los niños no trabajan con dedicación en aquellas actividades para las que están especialmente dotados, su progreso se estanca. En segundo lugar, y lo que es aún más importante, cuando los niños que han sido engañados respecto de sus habilidades son obligados a confrontarse con la inexactitud de dichas afirmaciones —el síndrome del pez grande en la poza pequeña— la experiencia puede ser traumática y, como resultado, los niños pueden sentirse frustrados, rabiosos o tristes. Pueden asociar la idea general del triunfo con estas emociones negativas y, debido a que se sienten a disgusto la mayor parte del tiempo, quizá eviten cualquier tarea que pueda conducirlos al éxito.

Cuando los niños comprenden adecuadamente los niveles de habilidad y esfuerzo que se requiere para triunfar en una actividad para la que tienen aptitudes especiales, son capaces de evaluar con precisión su capacidad actual y sus posibilidades a largo plazo. También pueden tomar decisiones respecto de sus aspiraciones, sus esfuerzos y su compromiso futuro en la actividad en cuestión. Esto no significa que un niño debería abandonar una actividad porque no está especialmente dotado para ella. No todos los niños pueden ser las estrellas de una determinada actividad, pero todos pueden obtener grandes beneficios si participan con entusiasmo. Las experiencias positivas conquistadas a través de una participación comprometida —independientemente del nivel de éxitos que se obtenga— ofrece a los niños la posibilidad de divertirse y sentirse satisfechos, y les proporciona valiosas lecciones que pueden utilizar en otras parcelas de la vida.

Si la imagen que tiene un niño de sí mismo es acertada, influirá en las emociones asociadas a los esfuerzos para conquistar el éxito. Los niños que tienen una idea equivocada de su capacidad, tendrán expectativas desproporcionadas en relación con sus verdaderas habilidades. Debido a sus expectativas poco realistas, es bastante improbable que obtengan éxito cuando participan en actividades para las que realmente tienen aptitudes. El consecuente fracaso será emocionalmente devastador porque su rendimiento habrá sido muy inferior al que ellos imaginaban, al margen de cuán fuera de su alcance esté, en realidad, el éxito.

Los niños que comprenden objetivamente cuáles son sus habilidades se sienten emocionalmente equilibrados cuando participan en la actividad que puede potenciarlos hasta conducirlos al éxito. Por valorar adecuadamente sus capacidades, estos niños conseguirán triunfar en la mayoría de los casos y se sentirán entusiasmados y alegres por los esfuerzos realizados. Simultáneamente, los inevitables contratiempos y fracasos que encontrarán en su camino no representarán una carga. Aunque se sentirán naturalmente decepcionados y frustrados frente a las experiencias insatisfactorias, no se sumirán en una profunda tristeza ni sufrirán demasiado. Como las emociones que experimentan estos niños respecto de la consecución de sus metas son positivas, aprenderán de sus éxitos y de sus fracasos y en el futuro utilizarán ambas situaciones en beneficio propio.

Como su hija tiene poca experiencia e ignora cuáles son los criterios que deben servir de base a sus percepciones, usted puede actuar como guía y ayudarla a poner a prueba sus opiniones. Puede iniciar un diálogo y preguntarle qué imagen tiene de sí misma, comparar sus ideas con lo que usted considera cierto y, en el caso de que sus percepciones sean erróneas, deberá ayudarla a tener un concepto más realista de su propia persona. Las preguntas que puede formular son: ¿Qué tal te ha ido hoy? ¿Crees que tienes condiciones para esta actividad? ¿Cuánto has trabajado? ¿Te has divertido? ¿Cuáles son tus objetivos? También puede escuchar sus comentarios espontáneos —«Voy a ser la próxima Sarah Chang»— y valorar su talento y los esfuerzos que realiza para corroborar si son coherentes con sus metas.

Las reflexiones de su hija en relación con sus habilidades, esfuerzos, posibilidades futuras y aspiraciones, realmente son una consecuencia de lo que usted piensa en relación con su capacidad. Tendrá muchas dificultades para ayudarla a poner a prueba su talento si la opinión que tiene de ella no es objetiva. Muchos padres tienen dificultades para admitir que sus hijos no son los más inteligentes ni los más brillantes. La primera vez que la niña patea un balón, ya la consideran como una nueva Mia Hamm. En la primera ocasión que su hijo juega bien al fútbol, es el próximo Joe Montana. Usted debe someter a prueba lo que piensa de su hijo o hija. Si le falta experiencia para evaluar objetivamente los esfuerzos, las habilidades y los objetivos del niño, debería recurrir a profesores, instructores y/o entrenadores para que le ayuden a emitir un juicio realista sobre la capacidad de su hijo.

REGLAS PARA ALCANZAR EL ÉXITO Y LA FELICIDAD

1. Su actitud debe determinar su capacidad para alcanzar el éxito. No permita que sea el éxito el que determine su actitud.
2. Nuestras emociones nos impiden hacer por nosotros mismos lo que nos gustaría hacer por los demás.
3. No tenga miedo de ser un niño.
4. No permita que la autoestima se mezcle con la consecución del éxito; este es diferente a la vida.
5. No huya de sí mismo. Adondequiera que vaya, allí estará.
6. Cuando tenga que afrontar obstáculos, no los ignore, supérelos.
7. La confianza nace de una práctica adecuada.
8. Aprenda a perdonarse.
9. La incapacidad de olvidar es devastadora.
10. Ocúpese del proceso y no del resultado.
11. La duda es la primera causa del fracaso en el camino hacia el éxito.
12. Persiga su sueño y disfrute del viaje.

---

* Love, III, D. (1997): *Every shot I take: Lessons learned about golf, life, and a father's love*, Nueva York: Simon & Schuster.

CAPÍTULO 2

¿No puedes quererme simplemente por lo que soy?

Seguridad frente a competencia

EL «amor incondicional» es otro eslogan surgido del movimiento en favor de la autoestima. La idea básica que sustentaba el amor incondicional parecía bastante razonable. Los padres debían amar a sus hijos a pesar de lo que hicieran. Los niños no tenían que preocuparse por sus actos, porque no estaban asociados a la posibilidad de perder el cariño de sus padres. Ellos podían contar con ese amor más allá de lo que sucediera. Como muchos otros aspectos de este cambio en la perspectiva social, esta idea fue mal interpretada, mal utilizada y, por último, demostró ser más perjudicial que beneficiosa.

El amor condicional estaba en auge en los años cincuenta. Era una forma de mantener el control, fomentar la conformidad e inculcar determinados valores y creencias de los padres y de la sociedad en general. Sin embargo, en la década de los sesenta sucedió algo que bien pudo ser una reacción frente a la rigidez imperante durante la posguerra. Fue como si los niños de los años cuarenta y cincuenta hubieran dicho: «Ya está bien. Queremos que nos quieran, independientemente de lo que hagamos». Al poco tiempo, una sociedad como la estadounidense pasó del «amor condicionado a la obediencia y al buen comportamiento» al «amor sin restricciones».

Desgraciadamente, el péndulo osciló demasiado. Si analizamos detenidamente el amor incondicional, comprendemos por qué este experimento no resultó ventajoso para los niños norteamericanos. El problema es que este tipo de amor consigue que todas las opciones, las decisiones y los actos carezcan de sentido.

Recompensar a los niños —el amor es, en realidad la máxima recompensa— independientemente de su conducta los priva de una de las más importantes lecciones: que sus actos tienen consecuencias. ¿Qué mejor aliciente para inducirlo a realizar una buena acción que la amenaza de perder el amor de sus padres?

Estimo que deberíamos abandonar la idea de que existe el amor incondicional. La mayoría de las cosas que suceden en la vida dependen de ciertas condiciones, y el amor no es diferente. Nuestra sociedad ha cometido un gran error. En vez de discutir qué tipos de amor condicional son efectivos y cuáles no lo son, supeditamos el amor a cualquier cosa.

En realidad, utilizamos constantemente el amor para premiar o castigar la conducta de nuestros hijos. Cuando desaprueba a su hijo o hija, en realidad le está demostrando que puede retirarle momentáneamente su cariño y que su amor es condicional. Por ejemplo, es probable que no se muestre cariñoso con su hijo cuando es desobediente o egoísta, lloriquea o es cruel con sus hermanos. ¿Realmente le retira su afecto en estas situaciones? Evidentemente, lo sigue queriendo. Sin embargo, en general, los niños no son capaces de entender la diferencia entre «no aprobamos tu comportamiento» y «debido a lo que has hecho, te retiramos nuestro cariño». Lo que el niño comprende es que el amor ha quedado temporalmente suspendido. Él piensa: «He hecho algo mal y mis padres ya no me quieren».

Recomendar el amor incondicional no solo no soluciona el problema de la consecución del éxito, sino que instaura una desviación de la conducta moral y socava la seguridad de los niños en los Estados Unidos actuales. Los hilos que unían a la juventud norteamericana —y quizá a toda la sociedad— fueron cortados. Al suprimir el amor condicional, los padres perdieron su capacidad para ejercer influencia sobre sus hijos. Les dieron carta blanca debido a la idea poco acertada de que su libertad contribuiría al desarrollo de su autoestima, fomentaría la madurez y la independencia y les permitiría transformarse en personas exitosas y felices. Pero lo que realmente sucedió fue que los niños no asumieron ninguna responsabilidad, ni siquiera una conducta ética ni la voluntad de conseguir el éxito. Para decirlo simplemente, los padres dejaron de establecer principios para sus hijos.

En algún momento los padres advirtieron que el péndulo había llegado demasiado lejos y comprendieron que el amor incondicional no era eficaz. Muchos niños eran perezosos, no mostraban interés por sus actividades y no tenían ningún control sobre sus emociones. Estos niños no se convirtieron en personas positivas y meritorias. Era evidente que se necesitaba un cambio, de modo que muchos padres decidieron volver al amor condicional.

Lamentablemente, muchos de ellos apelaron al tipo erróneo de amor condicional. Los padres siguieron queriendo a sus hijos de una forma incondicional, independientemente de sus valores y de su conducta general. Les ofrecieron una libertad sin restricciones, no les enseñaron el sentido de la responsabilidad ni a comprometerse con sus actos, no les mostraron las consecuencias de los mismos y brindaron cariño a sus hijos, hicieran lo que hicieran. Debido quizá a la incertidumbre económica que imperaba en la década de los ochenta, los padres decidieron enfocar el amor condicional hacia la conquista del éxito, creyendo que esta perspectiva estimularía a los niños para trabajar duro, triunfar y superar los difíciles tiempos por los que atravesaba la economía. Los padres comenzaron a basar el amor condicional en el rendimiento escolar de sus hijos. Si sacaban un sobresaliente, los colmaban de amor. Si suspendían, les retiraban su cariño y expresaban su desilusión, su sufrimiento y su vergüenza. De este modo, la autoestima de los niños estaba exageradamente asociada con los esfuerzos que realizaban por conseguir sus objetivos. Este amor condicional provocó que el deseo de triunfar se convirtiera en algo amenazador, puesto que el éxito y el fracaso estaban íntimamente vinculados con el amor de sus padres; como el amor que recibían no estaba relacionado con lo que ellos eran como personas, su conducta no tenía consecuencias. Esta dicotomía que existe hoy en día es el núcleo de muchas de las dificultades que deben afrontar los padres y los hijos al transitar por el complejo paisaje social de nuestros días.

El problema no ha sido nunca que los padres amen incondicionalmente a sus hijos, sino que hagan depender su cariño de condiciones que son inadecuadas. Los padres deben invertir el uso del amor condicional e incondicional. Usted debe brindarle amor incondicional a su hijo, de modo que no tenga nada que temer si no consigue satisfacer sus expectativas. Este tipo de amor lo motivará a dar lo mejor de sí mismo y a desarrollar su capacidad al máximo. Simultáneamente, debe transmitirle que su amor depende de las actitudes y los valores positivos que adopte. De este modo, será capaz de anticipar que si se comporta de una forma inaceptable, usted le retirará su afecto, al menos provisionalmente. También sabrá que si se comporta correctamente, usted lo colmará de cariño. Con el tiempo, el niño aprenderá a internalizar este sano amor condicional, que lo ayudará a actuar de un modo ético. Este uso adecuado del amor condicional e incondicional lo ayudará a educar a un futuro triunfador.

BANDERAS ROJAS

BANDERA ROJA 1: EL AMOR CONDICIONAL

Uno de los peligros que acechan el éxito y la felicidad de un niño es que los padres utilicen su amor como un arma para amenazarlo y controlarlo. Esto sucede cuando los padres condicionan su cariño a los éxitos o fracasos del niño. El novelista John Steinbeck afirma: «El mayor tumor que puede sufrir un niño es no ser amado, y el infierno que más teme es el rechazo». Este tipo de amor condicional se denomina *el amor que depende de los resultados* y puede ser comunicado de una manera explícita o sutil.

Algunos padres se identifican tanto con los logros de sus hijos que los recompensan por sus éxitos y los castigan por sus fallos. Estos padres son espléndidos con su amor cuando los hijos triunfan y les retiran su cariño cuando fracasan. Los recompensan por sus logros expresando abiertamente su afecto, sea elogiándolos efusivamente o mediante un contacto físico, besándolos y abrazándolos. Y también expresan materialmente su satisfacción comprándoles extravagantes regalos.

Cuando el niño fracasa se comportan de una forma completamente distinta. Pueden manifestar su decepción, castigándolos por no haber conseguido sus objetivos. El castigo puede ser enfadarse, insultarlo y despreciarlo, privarlo de su amor, imponer una distancia emocional, no tener ningún contacto físico con él y negarle el apoyo y el estímulo que necesita. Los padres que ofrecen este tipo de amor basado en los resultados no creen que los niños tienen derecho a ser amados, sino que deben hacer algo para merecerlo. Implícitamente, piensan que la mejor actitud es adoptar un enfoque «transaccional», en el que el amor es una recompensa por el éxito y la retirada del cariño es una forma de hacerles pagar su fracaso. Citaré el ejemplo de una familia con la que trabajé en el noroeste.

A menudo, los padres pueden crear inadvertidamente un tipo sutil de amor basado en los resultados, que puede resultar igualmente destructivo. Cuando su hijo triunfa, es natural que se sienta feliz y entusiasmado, y cuando fracasa, lo normal es que se sienta afligido y desilusionado. Como los padres viven los éxitos y fracasos de sus hijos de una forma indirecta, pueden experimentar emociones similares a las de sus hijos. Cuando usted expresa dichas emociones de una manera categórica, no tiene la intención de que se conviertan en la expresión de un amor que depende de los resultados. Sin embargo, su hijo puede no estar lo suficientemente maduro como para comprender que usted comparte de una forma indirecta su experiencia. Desgraciadamente, lo que el niño advierte es que usted experimenta intensas emociones positivas cuando él triunfa, y emociones negativas de la misma intensidad cuando él fracasa. Esta involuntaria comunicación transmite al niño la idea del amor condicional, y ocasiona las mismas dificultades que afrontan los niños cuyos padres manifiestan abiertamente que su amor depende de los resultados.

David era una estrella del patinaje artístico a sus trece años de edad y, siempre que debía intervenir en una competición, viajaba acompañado de su madre, Susan. David había comenzado a competir cuatro años atrás, y Susan había desarrollado involuntariamente el hábito de expresarle su amor condicional después de cada evento. Cuando David patinaba bien, ella le pasaba el teléfono móvil para que llamara a su padre, Carl, un banquero muy ocupado con sus negocios. Luego iban juntos a un centro comercial a comprar algo especial para David antes de volver a casa. Por el contrario, cuando David patinaba mal, a menudo salía de la pista de hielo llorando y decepcionado. Susan lloraba con él e intentaba consolarlo. Luego, llamaba a su marido para comunicarle las malas noticias en vez de dejar que David hablara personalmente con su padre y le contara lo sucedido.

Este modelo de conducta llevó a David a pensar que cuando patinaba mal hacía sufrir a su madre y enfadaba a su padre. Inexplicablemente para ambos, David comenzó a mostrar rechazo por las competiciones y, a menudo, encontraba excusas para evitarlas. Se sentía extremadamente nervioso antes de patinar y su actuación estaba muy por debajo de su nivel. Pronto empezó a comentar que quería abandonar el deporte, aunque siempre le había entusiasmado patinar y parecía ser toda una promesa.

Las investigadoras Melissa Kamins y Carol Dweck descubrieron que los niños que creían que su valía dependía de su rendimiento se convertían en personas excesivamente autocríticas, experimentaban intensas emociones negativas, juzgaban severamente sus actuaciones y eran menos perseverantes después de sufrir algún contratiempo. Esta investigación demuestra que el amor que depende de los resultados produce niños que viven en un constante estado de temor. Son estimulados de una forma maníaca para que triunfen y sean dignos del amor de sus padres y, sin embargo, tienen un gran temor al fracaso y a perder ese cariño que tanto necesitan. Estos niños llegan a creer que sus padres —y por extensión todas las demás personas— los querrán únicamente si consiguen triunfar. Sin embargo, todos los niños deben afrontar obstáculos y fracasos a pesar de sus esfuerzos por conquistar el éxito. Los niños que dependen de los resultados lo pasan muy mal cuando fracasan, porque incluso el más pequeño de los fallos puede afectarlos hasta tal punto que los incapacita para tener en cuenta los éxitos que han cosechado y considerar los obstáculos desde una perspectiva sana. Pueden sentirse deprimidos y ansiosos porque un fallo significa una amenaza para su autoestima. Si el amor que depende de los resultados persiste, con el paso del tiempo llegarán a sentirse agobiados y desarrollarán algún tipo de conducta destructiva.

BANDERA ROJA 2: EL AMOR QUE CORRE TRAS LA ZANAHORIA

Una forma dolorosa y destructiva del amor condicional es el amor que corre tras la zanahoria. Los padres prometen al niño un amor que parece estar a su alcance, pero que nunca llega a conseguir. Esta expresión proviene del trabajo que realicé con un joven atleta profesional que me hizo conocer una canción de Alanis Morissette en la que habla de «la zanahoria transparente que perseguimos». El burro avanza porque cree que va a conseguir la zanahoria que está atada en el extremo de un palo que cuelga frente a él; del mismo modo, los niños se sienten impulsados a seguir intentando conquistar el amor de sus padres que tanto anhelan.

Lamentablemente, a pesar de los esfuerzos que realizan estos niños, o del alto nivel de éxito que logren, nada parece ser nunca suficiente para ser dignos de ese cariño. Los padres que utilizan este amor que persigue la zanahoria, colocan a sus hijos en una posición desesperanzada. Nunca los recompensan por sus esfuerzos y, sin embargo, los niños se resisten a claudicar, pues hacerlo significaría abandonar la esperanza de que sus padres los quieren de verdad, y eso sería, sencillamente, demasiado doloroso. De modo que estos niños insisten en intentarlo, siguen persiguiendo la escurridiza zanahoria y tratan de ser lo suficientemente buenos como para merecer el afecto de los padres.

Si usted es uno de esos padres que proponen a sus hijos un amor que corre detrás de la zanahoria, es muy probable que nunca se sienta completamente satisfecho por los logros del niño. Por ejemplo, su hijo vuelve a casa con el resultado de un examen en el que lo han calificado con 93 sobre 100, y usted le pregunta por qué ha fallado en una pregunta especialmente sencilla. O su hija recibe una ovación por su interpretación como bailarina, y lo primero que usted le dice es que se ha equivocado en tres pasos de su coreografía. En ambos ejemplos, el niño ha triunfado ante los ojos de todo el mundo y, sin embargo, sus logros no han sido suficientes para que se considere merecedor de su amor. ¿Por qué utilizan los padres esta forma destructiva del amor? Probablemente por el error de creer que si aprueban categóricamente los aciertos del niño, él o ella lo interpretarán como una licencia para no esforzarse tanto.

Los padres expresan también este amor que persigue la zanahoria cuando castigan severamente al niño por su fracaso. Cuando usted se niega a hablar con el niño, o le expresa violentamente su enfado, él siente que el amor de sus padres es inalcanzable. El ejemplo más extremo de este tipo de amor lo observé en la madre de una joven atleta. Antes de que trabajara con ellas, la niña atravesó diversas dificultades durante el transcurso de unas competiciones de verano. La madre criticó duramente el equipo de su hija, la abandonó en medio de una competición, le manifestó reiteradamente que no la quería y, en dos ocasiones, no le dirigió la palabra durante una semana. Lamentablemente, esta historia no tuvo un final feliz. Después de varios meses, la madre prescindió de mis servicios acusándome de «minar» sus esfuerzos por ayudar a su hija. Más adelante la niña me comunicó que había abandonado el deporte y que odiaba a su madre.

BANDERA ROJA 3: CREAR UN «HACER HUMANO»

Un desafortunado aspecto del amor que depende de los resultados y del amor que persigue la zanahoria es que los padres transmiten a sus hijos que únicamente serán dignos del amor de sus padres si satisfacen sus expectativas y cosechan éxitos. Este amor condicional crea un niño que es un *hacer humano*, es decir, una persona cuya imagen de sí misma está asociada a sus éxitos. Este vínculo entre el resultado y la autoestima se convierte en la base de su egolatría. Al haber internalizado la idea que le han transmitido sus padres de que es un «hacer humano», el niño solo se siente satisfecho consigo mismo cuando triunfa, y se desprecia cuando fracasa. Lamentablemente, los «haceres humanos» no pueden llegar a triunfar porque, aunque son capaces de alcanzar cierto nivel de éxito, sus logros les producen poca alegría.

La relación autoestima-resultados es tan intensa que los «haceres humanos» se juzgan a sí mismos no solamente por la forma en que se desempeñan en aquellas actividades que son realmente importantes en su vida, sino también en relación con las tareas más mundanas. Están tan desesperados por conseguir la aprobación que llegan a valorizarse por los logros más triviales (tenía una cliente que se valoraba por lo bien que se cepillaba los dientes). Por ejemplo, los «haceres humanos» son a menudo personas que dependen de una lista, es decir, que se despiertan con una enorme cantidad de tareas por hacer y no se sienten satisfechos hasta que han tachado cada uno de los elementos que integran dicha lista.

Un niño que basa su autoestima en lo que hace y no en lo que es, se coloca a sí mismo en una posición desesperada e inútil. El fracaso es una parte normal e inevitable de la vida, sin embargo, para estos niños es inaceptable y les inflige un gran sufrimiento. De modo que cada vez que los niños que son «haceres humanos» experimentan un fracaso, lo consideran como un ataque a su autoestima: no se sienten dignos de ser amados. Experimentan una tremenda ansiedad ante la posibilidad de que no los quieran, y su motivación esencial es evitar a toda costa el fracaso y proteger su autoestima. Estos niños viven en un estado constante de malestar y se valoran únicamente cuando hacen algo que contribuye a reforzarla. Debido a este estado de vigilancia perpetua en el que incurren en ocasiones los «haceres humanos», sienten que *deben* triunfar para ser felices; paradójicamente, incluso cuando consiguen el éxito no se sienten dichosos.

BANDERA ROJA 4: LAS EXPECTATIVAS MALSANAS DE LOS PADRES

Las expectativas malsanas son una de las actitudes más destructivas de los padres que ofrecen un amor basado en los resultados o un amor que corre detrás de la zanahoria. «Muchas personas sufren durante toda su vida este opresivo sentimiento de culpa basado en la sensación de no haber respondido a las expectativas de sus padres», escribe la psicoanalista Alice Miller, autora de *Prisoners of Childhood*.

Para expresar expectativas sanas a su hijo necesita comprender la diferencia que existe entre los objetivos y las expectativas.

Los objetivos son posibilidades. Son metas a las cuales pueden aspirar los niños, y que a veces consiguen y otras no. Cuando alcanzan sus objetivos, los niños se sienten entusiasmados porque no tenían ninguna garantía de triunfar. Cuando no los consiguen, se sienten decepcionados, aunque generalmente se muestran satisfechos ante cualquier progreso que hagan para materializar sus propósitos.

Tener expectativas significa suponer que algo va a suceder. Una expectativa puede hacer que algo incierto resulte más tangible, casi tan real como si ya hubiera sucedido. Cuando no se cumplen, usted siente que alguien lo ha privado de algo, aunque en realidad nunca lo haya poseído. Las expectativas también se formulan en términos de todo o nada —se consiguen o no se consiguen—, de manera que cualquier resultado que sea inferior a una realización absoluta de las expectativas constituye un fracaso.

Muchos padres defienden su forma de expresar sus expectativas afirmando: «Si no esperamos cosas de nuestros hijos, ellos nunca llegarán a nada». Pero el problema es que, a menudo, los padres proponen expectativas inadecuadas. Usted debería esperar que su hijo sea sincero, considerado, responsable, trabajador y digno de reconocimiento. Pero dichas expectativas son francamente diferentes a esperar que su hijo saque solamente sobresalientes, estudie en Harvard o se convierta en un atleta profesional.

Las expectativas son un instrumento esencial para que los niños se conviertan en personas de éxito. Pero son también armas potenciales que los padres utilizan en contra de los niños. Tal como afirma Shirley Gould, autora de *Teenagers: The Continuing Challenge*: «Nuestras propias expectativas a menudo interfieren en la relación que tenemos con nuestros hijos. No solo tenemos expectativas relacionadas con lo que ellos deberían hacer, pensar y ser, sino también respecto de cómo deberíamos sentirnos y comportarnos como padres». El tipo de expectativas que tienen los padres en relación con sus hijos pueden ser beneficiosas o perjudiciales y determinan la disposición del niño para esforzarse por conseguir el éxito y la felicidad.

Un desafortunado error que muchos padres cometen es comunicarle a sus hijos expectativas que no tienen ninguna posibilidad de realizar. Una expectativa relacionada con las *habilidades* se basa en que el niño obtenga un determinado resultado gracias a su talento natural: «Jugarás muy bien en la partida de ajedrez porque eres muy inteligente». Las expectativas basadas en los *resultados* se basan en que el niño obtenga un determinado resultado: «Estoy convencido de que ganarás».

Existen pocas cosas más destructivas para los niños que no satisfacer las expectativas de los padres. «Muchos niños tienen la sensación de que sus padres no los aceptan por lo que son; sienten que, de algún modo, los desilusionan o no responden a sus expectativas; que no "dan la talla"», escriben Jon y Myla Kabat-Zinns. Si los niños no son capaces de satisfacer las expectativas relacionadas con sus habilidades, están obligados a atribuir su fracaso a una falta de capacidad: no fueron suficientemente inteligentes, fuertes o habilidosos. Esto resulta perjudicial porque los niños no pueden controlar sus habilidades; pueden llegar a creer que son incapaces de conseguir el éxito en el futuro y sentirse impotentes a pesar de su empeño por resolver la situación; pueden considerar que el éxito es algo fútil y vano. Los niños que atribuyen sus éxitos y fracasos a sus habilidades tienden a cosechar menos éxitos. Las afirmaciones que he escuchado de ciertos jóvenes incluyen frases como: «Simplemente, carezco de aptitudes, de modo que, ¿para qué intentarlo?».

No responder a las expectativas de los padres relacionadas con los resultados puede ser igualmente pernicioso. Nuestra sociedad otorga una enorme importancia a la competencia y al triunfo. Shirley Gould afirma que: «Los padres temen que si no ejercen presión sobre sus hijos para que triunfen, obtengan buenas notas y premios, entonces ellos no se esforzarán por conseguir esos objetivos. Sin embargo, sucede exactamente lo contrario... Los padres ansiosos que anteponen el éxito a cualquier otra cosa, a menudo contribuyen a que sus hijos no consigan triunfar». Más aún, las expectativas relacionadas con los resultados, con frecuencia se basan en comparar al niño con sus compañeros: «Juegas al fútbol mejor que tu amigo Eddie. Deberías superarlo». Pero el niño no tiene la capacidad de modificar sus habilidades en relación con las de sus compañeros. Un niño puede esmerarse por hacerlo mejor, pero no conseguir ponerse a la altura de sus amigos y, por lo tanto, es incapaz de responder a las expectativas de sus padres, que se basan únicamente en los resultados. Esto es especialmente injusto porque el desarrollo evolutivo de los niños no es uniforme. Un niño que no destaca en una actividad a los diez años puede superar a sus compañeros a los catorce.

Las expectativas relacionadas con las habilidades y los resultados se asocian al amor basado en los resultados. Los niños perciben que sus éxitos y fracasos están en estrecha relación con las expectativas de los padres y determinan que los quieran o no los quieran. La importancia que se otorga a ambos tipos de expectativas coloca a los niños en una situación en la que no es posible ganar. No es alegría lo que sienten al responder a las expectativas de los padres, sino simplemente alivio por poder conservar su cariño. Si no responden a las expectativas, entonces su mayor temor se hace realidad: que sus padres no los quieran.

Si el niño percibe que nada de lo que hace es suficiente y siente una enorme presión como respuesta a unas expectativas cada vez más exigentes, la consecuencia será que pague un peaje emocional muy elevado. Los doctores Dinkmeyer y McKay observan: «Establecer un nivel cada vez más alto de exigencia, hace que el éxito sea imposible de alcanzar y desmoraliza a los niños; por ejemplo, de un niño que obtiene notables en todas sus asignaturas se espera que en adelante saque sobresalientes». Los padres que tienen expectativas inusualmente elevadas en relación con sus hijos consiguen que ellos se enfaden con facilidad. Los niños que expresan su hostilidad aprenden a asociar los éxitos con emociones negativas y los evitan para no experimentar dichos sentimientos. Los niños que reprimen su agresividad se sienten culpables y temen perder el amor de sus padres. Ambos tipos de niños consideran que el éxito es una experiencia penosa que deben ser evitada.

Otro peligro que puede surgir al expresar expectativas en relación con la habilidad de un niño o con un probable triunfo, es que los niños internalicen las expectativas malsanas de sus padres. Estos niños no necesitan que sus padres les comuniquen sus deseos para sentirse presionados. Por el contrario, ellos mismos crean sus propias expectativas que son igualmente perjudiciales. De este modo, ya no actúan movidos por la intención de ganarse el amor de sus padres, sino para conseguir valorarse a sí mismos. Esas expectativas internalizadas interfieren en la capacidad de un niño para triunfar y ser feliz, incluso cuando sus padres no están presentes; además, también afectarán sus oportunidades de triunfar cuando sea un adulto.

Un ejemplo especial de expectativas que son particularmente destructivas es lo que denomino el *síndrome del heredero*, en el que el hijo mayor (ocasionalmente, la hija mayor) de un padre muy exitoso —el evidente heredero del trono familiar— se derrumba bajo el peso de dichas expectativas. Si usted prepara a su hijo para que sea su heredero y él no es capaz de soportar la presión de seguir sus pasos, llegará a descubrir, si todavía no lo ha hecho, que su hijo encuentra diversas maneras de evitar una responsabilidad que lo agobia. Algunos herederos simplemente rinden por debajo de sus posibilidades, hasta que sus padres renuncian a sus expectativas y las depositan en otro hijo, o hija, que parece estar preparado para asumirla. El primogénito que estaba destinado a ser el heredero, probablemente no consiga estar nunca a la altura de sus posibilidades. Este camino generalmente incluye la pérdida de una relación estrecha con los padres, debido a su sensación de haber fracasado y de haberlos desilusionado, y también por la rabia que siente contra ellos por haberlo colocado en una posición en la que se siente un inútil. Otros herederos eligen carreras diametralmente opuestas a la profesión de sus padres y cosechan éxitos por méritos propios, consiguiendo de este modo mantener su amor y su aprobación. Como último recurso desesperado, un heredero puede desarrollar un problema de adicción a las drogas que requiera un tratamiento, logrando de esta forma que los padres lo absuelvan de la responsabilidad de satisfacer sus expectativas.

Sin embargo, el síndrome del heredero también puede tener un final feliz. Toni era hijo de un próspero banquero e inversor muy reconocido socialmente. Desde que era muy pequeño, sus padres albergaban la esperanza de que asistiera a la renombrada Ivy League* y luego se hiciera cargo del negocio familiar. En la época

---

* La Ivy League constituye un grupo selecto de ocho universidades privadas de Nueva Inglaterra, famosas por su prestigio académico y social. (*N. de la T.*)

en que Toni asistía al instituto hacía todo lo que podía para evitar el futuro que sus padres habían decidido para él. Era el clásico alumno que rendía por debajo del nivel esperado —poco esfuerzo, notas insuficientes, problemas con las drogas y algunos líos con la ley.

En vez de asistir a la Ivy League, como su padre deseaba, Toni decidió ingresar a una universidad estatal cercana a su domicilio. En aquella época iba de fiesta en fiesta, sacaba malas calificaciones y estaba siempre bajo amenaza de expulsión. Cada vez que se metía en problemas, sus padres utilizaban su poder y su posición para sacarlo del apuro y aclarar la situación.

Al no saber cómo ayudar a su hijo, los padres de Toni solicitaron la ayuda de un psicólogo que sugirió que cambiaran completamente su forma de tratarlo. En vez de liberarlo de obligaciones, el psicólogo aconsejó que le otorgaran el total dominio de su vida para que se hiciera responsable de sus actos. Aunque este consejo preocupó a los padres de Toni, decidieron intentarlo. Al año siguiente Toni seguía luchando por conseguir mejores notas y aún tenía algunos problemas con la ley. La diferencia fue que no podía contar con la ayuda de su padre (se vio obligado a realizar un servicio comunitario y a trabajar para pagar todas las multas acumuladas). Por primera vez tuvo que asumir la responsabilidad de su vida y, lentamente, esta comenzó a cambiar. Toni descubrió una asignatura que le gustaba, sus notas mejoraron, no volvió a tener problemas con la ley y dejó de fumar y tomar drogas. Tres años más tarde terminó sus estudios y se graduó en la Universidad en Derecho y durante el verano trabajaba con su padre para hacer prácticas. El primogénito que había sucumbido inicialmente a la carga que representaban las expectativas de los padres se convirtió finalmente en el heredero debido a su propio interés por obtener el éxito y asumir el legado de su padre.

BANDERA ROJA 5: ELOGIOS Y CASTIGOS ENFERMIZOS

Debería usted prestar mucha atención a los elogios que dirige a su hijo cuando responde a sus expectativas. Las investigadoras de la Universidad de Columbia Claudia Mueller y Carol Dweck descubrieron que los niños que eran más alabados por su inteligencia que por sus esfuerzos pronto mostraban una exagerada tendencia a centrarse en los resultados. Después de experimentar un fracaso, estos mismos niños eran menos perseverantes y revelaban menos entusiasmo. Atribuían sus fallos a su falta de capacidad (porque estaban convencidos de que no podían cambiar) y se desempeñaban muy por debajo de sus posibilidades cuando podían aspirar a futuros éxitos. Dweck afirma: «Al elogiar a los niños por su inteligencia, solo se consigue que desarrollen un miedo a las dificultades, porque comienzan a equiparar el fracaso con la estupidez».

Alabar excesivamente a los niños puede ser perjudicial. La investigación ha concluido que los alumnos que recibían más elogios eran más cautos a la hora de contestar las preguntas, tenían menos confianza en sus respuestas, eran menos perseverantes con las tareas que suponían cierto grado de dificultad y estaban menos dispuestos a compartir sus ideas. El educador Alfie Kohn afirma: «Cuanto más decimos a los niños "Me gusta lo que has hecho", más se basan ellos en nuestras opiniones sobre lo que es bueno y lo que es malo, en vez de formar sus propios juicios. Frente a esta actitud ellos se valorarán solamente cuando reciban nuestra aprobación».

Los castigos que impone a sus hijos por no responder a sus expectativas tienen un impacto significativo sobre su capacidad de cosechar éxitos. Otro estudio de la Universidad de Columbia realizado por Carol Dweck, con Melissa Kamins, descubrió que los niños que habían recibido «críticas personales» —cualquier información relacionada con su competencia o valía— atribuían su fracaso a su falta de aptitudes, limitaban sus expectativas, manifestaban emociones negativas y, posteriormente, tenían un rendimiento muy inferior a sus posibilidades. Jon y Myla Kabat-Zinns estiman que: «Cuando los padres retiran su amor a sus hijos, o juzgan su conducta, les infligen un dolor y una aflicción innecesarios... ¿Cuándo ha tenido la desaprobación de los padres —sea avergonzando o humillando a su hijo, o retirándole su amor— un efecto positivo en el comportamiento de un niño? Es posible que una postura semejante arroje como resultado que el niño sea obediente, pero ¿a qué coste para el niño y para su vida futura?».

Cuando no consiguen responder a las expectativas de sus padres, los niños equiparan las críticas personales con el castigo. A menudo reaccionan evitándolas, lo que puede convertirse en su principal motivación. Las críticas pueden afectar el interés del niño por conseguir el éxito y, al mismo tiempo, mantienen la dependencia que tiene de sus padres. Finalmente, el hecho de ser constantemente criticado interfiere en su posibilidad de triunfar y en su necesidad de independizarse, que es cada vez mayor cuando se acerca a la adolescencia. El doctor Wayne Dyer opina: «Cuantas más críticas reciba un niño, más probable será que evite asumir las tareas que han sido el motivo de la desaprobación... Cuanto más critique a su hijo, mayores serán las posibilidades de que internalice ese tipo de valoraciones y, antes de que pase mucho tiempo, desarrollará una imagen de sí mismo basada en —sí, lo ha adivinado— en la autocrítica».

BANDERA ROJA 6: SER UN PADRE PRAGMÁTICO

Si usted es un padre pragmático, seguramente transmite a sus hijos la importancia de los resultados con la esperanza de motivarlos. Sin embargo, este tipo de padres terminan por minar los logros que cosechan debido a que el éxito y el fracaso se convierten en una pesada carga.

Los padres tratan a sus hijos como si fueran «pequeños empleados». Esperan que «produzcan» resultados, es decir, que cosechen éxitos. Si los resultados esperados no llegan, entonces estos «jefes» expresan su disconformidad y sus hijos quizá perciban que en cualquier momento pueden ser «despedidos». ¡Imaginen cómo se sienten esos niños!

Los hijos de este tipo de padres sufren al comprobar que ellos no identifican sus logros con lo que en realidad son. Por el contrario, los niños «sienten que todo el amor que han conquistado con tanto esfuerzo y abnegación no tiene relación con su forma de ser;

que la admiración por su belleza y su capacidad de triunfar se debe a los triunfos que cosecha y no a sus cualidades como persona», observa la psicoanalista Alice Miller.

BANDERA ROJA 7: CREAR UN NIÑO UNIDIMENSIONAL

Si el objetivo primordial de los padres es ayudar a su hijo a conseguir un alto nivel de éxitos en un único campo, corren el riesgo de crear un niño unidimensional. La doctora Linda Hamilton observa: «Las presiones que supone una competición, la danza o una carrera privan a muchos adolescentes de la oportunidad de explorar otras áreas. Los bailarines que entregan su vida al ejercicio de su profesión pueden pensar que todas las relaciones y las habilidades importantes se encuentran en el mundo de la danza. Como consecuencia, es bastante común que un bailarín se identifique principalmente con los valores y modelos de su profesión». Esto se puede aplicar a cualquier niño comprometido con la tarea de conquistar el éxito en las artes, los estudios, los deportes o en cualquier otro campo.

La identidad de un niño está compuesta por todas las personas, objetos y experiencias que le proporcionan una sensación de valía y un sentido a su vida. Los componentes típicos de la identidad incluyen la familia, los amigos, la escuela, los deportes y las actividades culturales. Una persona con una identidad unidimensional se ocupa predominantemente de un solo campo. Si desde muy temprana edad el niño adopta una actitud devocional en relación con una actividad para la que demuestra especial talento, corre el peligro de limitar las fuentes que afirman y dan sentido a su autoestima.

En ese caso, puede convertirse en una persona cuyos intereses están exclusivamente dirigidos a una actividad específica, y que depende en exceso de ella para valorizarse. Esto supone una gran presión para el niño que se esfuerza por triunfar, y una amenaza desmesurada para su autoestima cuando debe afrontar un fracaso. Cuando los niños unidimensionales logran triunfar, se consideran personas meritorias, competentes y valoradas, pero si fracasan en la única actividad en la que han invertido todos sus esfuerzos, esto puede causarles ansiedad, impotencia y desesperación. Si tiene lugar algún acontecimiento que impide su participación en la actividad en la que se han volcado, como, por ejemplo, una lesión o no haber sido admitidos en el equipo, los niños unidimensionales pueden sufrir una crisis de identidad al perder un elemento esencial para su autovaloración: «¿Quién soy y cuánto valgo?».

He trabajado con muchos niños que habían alcanzado los más altos niveles de éxito. Para muchos de ellos, su inquebrantable compromiso con el triunfo dio como resultado que sus vidas tuvieran una apariencia de celebridad y poder, aunque en ellas abundaba el descontento, las relaciones fallidas y los intereses limitados. En otros casos, los niños no fueron capaces de materializar sus sueños y fueron condenados a un estado de insatisfacción que duraría toda la vida.

Oksana Baiul, la estrella del patinaje artístico que ganó una medalla de oro en las Olimpiadas de 1994, es un ejemplo de una niña unidimensional. Sin padres ni familia que la apoyara ni guiara, desde muy pequeña se dedicó a este deporte, que llenó completamente su vida. El campeón olímpico de 1988 habla de su amiga en estos términos: «Para los jóvenes atletas que constituyen una verdadera promesa es muy importante contar con una buena educación que les permita soportar la presión. Y ella no tenía ningún respaldo... Necesitaba buenos modelos que le enseñaran a ser una persona responsable». Después de ganar en Lillehammer, Noruega, y convertirse en una profesional, sufrió una crisis personal que la condujo al alcoholismo y tuvo que someterse a un tratamiento. En el transcurso del mismo aprendió dos cosas que la mayoría de los niños aprenden de sus familias: el respeto por sí misma y la prudencia. Ella misma comenta: «Creí que era un fenómeno, pero no lo era. Sabía patinar, y eso era todo. Para mí ha sido un verdadero regalo tener una nueva oportunidad para rehacer mi vida».

El antídoto para el desarrollo unidimensional de los niños es que los padres se aseguren de encontrar recursos para potenciar sus habilidades, para que se diviertan, para que encuentren un sentido para su vida y puedan destacar tanto en la actividad para la que han revelado tener aptitudes especiales como en otras áreas. Esto requiere que usted encuentre un tiempo para compartir con su hijo experiencias que le sirvan de ayuda para desarrollar su identidad. La doctora Ruth Strang, autora de *Helping Your Gifted Child,* destaca: «Es especialmente importante que el niño desarrolle una personalidad equilibrada y responsable, y que los padres estén atentos a su educación para no promover un desarrollo unilateral.

Los padres de Darren, un ex jugador de fútbol de 18 años, lo alentaron para que avanzara a lo largo de un estrecho camino. Desde que era muy pequeño había soñado con ser un defensa de la NFL y dedicó su vida exclusivamente a conseguirlo. Su padre, un ex jugador universitario, pretendía que su hijo consiguiera el éxito que él no había obtenido. Todos los aspectos de su vida estaban orientados a facilitar su perfeccionamiento como jugador de fútbol. En el instituto, Darren fue reconocido como uno de los mejores defensas del país, y jugó en muchas competiciones estudiantiles.

Desgraciadamente, el último curso sufrió una grave lesión en la espalda que lo obligó a abandonar sus sueños o arriesgarse a una parálisis permanente. Por primera vez en su vida, sintió que no sabía quién era ni qué era lo que estaba haciendo. Si ya no podía ser un futbolista, entonces ¿quién era él? La consecuencia de este lamentable suceso fue un periodo de depresión clínica y fantasías de suicidio, mientras Darren luchaba por aceptar que ya no podría ser futbolista. Tras apenas unos meses de reflexión, fue capaz de valorar la situación y plantearse nuevos objetivos. Consiguió superar lo que más tarde denominó su «pozo de desesperación» para dedicarse a construir una identidad más equilibrada que incluía diversos intereses que devolvieron el sentido a su vida.

BANDERA ROJA 8: EL PERFECCIONISMO

El perfeccionismo es el aspecto más destructivo del amor basado en los resultados y del amor que corre detrás de la zanahoria, y puede dañar seriamente la capacidad del niño para conquistar el éxito y la felicidad. Sin embargo, es algo muy común en el mundo de los que se esfuerzan por triunfar. Si usted nunca aprueba lo que su hija hace, puede fomentar su perfeccionismo. Los niños llegan a creer que únicamente la perfección conformará a sus padres, por lo tanto, cualquier cosa que sea inferior será sencillamente inaceptable. Debido a su necesidad de contar con el amor de sus padres, los niños perfeccionistas se esfuerzan exageradamente por conseguir sus objetivos. Internalizan esos modelos imposibles de alcanzar y se castigan por no ser prefectos. Laura Vanderkam, que acaba de graduarse en la Universidad de Princeton, escribe: «Los padres desean lo mejor para sus hijos, pero algunos pretenden que sean perfectos. Los que aspiran a tener hijos perfectos, en algún punto del camino obstaculizan el desarrollo del alma de esos niños».

Los doctores M. Antony y Richard P. Swinson, autores de *When Perfect Isn't Good Enough*, sugieren que los perfeccionistas son personas que aspiran a niveles excesivamente altos de éxito y son muy críticos a la hora de valorarse a sí mismos. El psiquiatra David Burns describe a los perfeccionistas como personas «cuyos modelos están fuera de su alcance y superan lo razonable... que se esfuerzan compulsiva e infatigablemente por conseguir metas imposibles y miden su valía en términos de productividad y realización».

El perfeccionismo es un arma de doble filo. El perfeccionismo sano o positivo se caracteriza por fomentar objetivos superiores y la confianza en las propias posibilidades de conseguir el éxito. Los perfeccionistas sanos tienen grandes expectativas, pero también la capacidad de ser flexibles y adaptarse a un rendimiento que no sea perfecto, cuando las circunstancias así lo requieren. Llevo diecisiete años trabajando con jóvenes triunfadores y he conocido muy pocos perfeccionistas sanos.

Los perfeccionistas neuróticos o enfermizos se distinguen por una precisión, una pulcritud y una organización compulsivas. Albergan expectativas poco realistas, tienen un pensamiento rígido, consideran el camino hacia el éxito como una oportunidad para fracasar, son poco tolerantes con los errores, jamás se sienten satisfechos con los frutos de sus esfuerzos, reaccionan negativamente frente a los contratiempos y se muestran poco entusiastas cuando consiguen sus objetivos. Los perfeccionistas neuróticos tienden a asociar sus errores con juicios negativos sobre su persona y les preocupa que, debido a un fracaso, puedan perder el respeto de los demás. A menudo carecen de confianza en sus habilidades, se cuestionan la calidad de sus esfuerzos y son excesivamente autocríticos. El perfeccionismo neurótico se ha relacionado con diversos problemas psicológicos, como, por ejemplo, los trastornos de la alimentación, la fobia social, el miedo al fracaso, la depresión, la ansiedad frente al propio rendimiento y la incapacidad para manejar el estrés.

Algunos investigadores han concluido que la diferencia entre los perfeccionistas neuróticos y los perfeccionistas sanos se basa en la severidad con que se juzgan a sí mismos y no en los objetivos superiores a los que aspiran. Los perfeccionistas sanos establecen un alto nivel de expectativas, pero no se dejan atormentar por sus pequeñas imperfecciones. Los perfeccionistas neuróticos también aspiran alcanzar metas que suponen un alto grado de exigencia, pero además no se permiten el menor fallo en la consecución de sus objetivos.

Si usted es perfeccionista, seguramente es tan estricto consigo mismo como lo es con su hijo, y es probable que se deba a que cuando era niño sus padres le brindaron un amor condicional y le transmitieron el mensaje de que debía ser perfecto. Los padres perfeccionistas detestan el fracaso, no pueden aceptar sus propias imperfecciones y se muestran muy disgustados cuando no son capaces de alcanzar sus propias metas inalcanzables. Por ejemplo, un padre se castiga por haber fracasado en un trato comercial, o incluso en algo tan nimio como puede ser jugar bien un partido de golf. Otro padre se enfada y se siente frustrado cuando debe enfrentarse a determinados obstáculos en un proyecto de trabajo.

Si usted no es perfeccionista pero espera que su hija alcance la perfección, involuntariamente estará creando las condiciones para que fracase. Quizá espere que compense sus propios defectos, pero un niño no puede asumir la responsabilidad de una tarea imposible. E, independientemente de lo que haga, sus imperfecciones no desaparecerán.

Usted puede transmitir la idea del perfeccionismo de diversas maneras. Los padres cuyos hijos son perfeccionistas neuróticos, les han inculcado modelos demasiado elevados y son excesivamente críticos. Suelen hacen comentarios negativos sobre los logros de los niños, que tienen una enorme influencia en la forma en que ellos se juzgan a sí mismos. Los niños captan los mensajes perfeccionistas de sus padres, los internalizan y los convierten en algo propio y, al mismo tiempo, se identifican con el amor que corre detrás de la zanahoria.

Los perfeccionistas neuróticos son esencialmente desdichados porque intentan conseguir objetivos que son inalcanzables. Las personas perfeccionistas están constantemente atemorizadas por la posibilidad de no ser dignos de amor. Todas las mañanas se despiertan y necesitan demostrarse a sí mismos, y al mundo, que merecen amor y respeto. Cualquier logro es vivido como una breve tregua para el temor de no ser amados. Cualquier fallo es un ataque directo a su autoestima. Los niños perfeccionistas que han recibido de sus padres el tipo de amor que persigue la zanahoria se encuentran atrapados en una trampa que han creado sus propios padres y tienen pocas oportunidades de escapar. ¡Imaginen la frustración, la furia y la desesperación que supone perseguir una meta inalcanzable!

La historia de Sarah Devens, una estudiante y atleta de gran talento que asistía a Dartmouth College, constituye una buena lección sobre los peligros del perfeccionismo. Sarah era una deportista brillante, querida y admirada por todos. Parecía tenerlo todo —éxito en los estudios y en el deporte, buenas relaciones familiares y amigos— excepto la felicidad. Tal como lo expresó una amiga íntima: «Sarah simplemente no podía salir a la pista y disfrutar. Tenía que ser genial. Si eres el Diablo (su apodo), la gente espera la perfección». Devens pretendía destacar en todo. Su ex novio explicaba que «ella deseaba ser la mejor novia, la mejor atleta y la mejor alumna». También luchaba por controlar sus emociones. Sus amigas afirmaban que estaba deprimida, aunque Sarah siempre intentaba que su rostro expresara felicidad. Otra de sus amigas comentó: «El caso es que ella era tan buena en todo lo que hacía, como persona y como atleta, que quedó atrapada en este círculo vicioso. Quería complacer a todo el mundo y no podía detenerse». En 1995, cuando tenía veintiún años, Sarah Devens, «con toda certeza la mejor atleta femenina en la historia de Dartmouth College», se suicidó pegándose un tiro. «Quería descansar, y esa fue la única forma que se le ocurrió para conseguirlo», afirma su ex novio.

AMAR DE UNA FORMA SANA

EL AMOR BASADO EN LOS VALORES

El amor debería depender de ciertas condiciones. La mayoría de las cosas importantes de la vida deben ser ganadas, sean valores como la confianza, el respeto y la responsabilidad, o temas sustanciales tal como la educación, la carrera y la consecución de los objetivos. ¿Por qué el amor debería ser diferente? *El amor es el arma más poderosa para ejercer influencia sobre su hijo.*

En vez de ofrecer a sus hijos un amor que depende de los resultados, debería brindarles un amor basado en los valores, lo que significa transmitirles que su cariño depende de que adopten ciertas cualidades esenciales y tengan una conducta social adecuada y ética. Este tipo de amor propicia que el niño adopte valores positivos y una conducta moral, favorece un desarrollo sano y estimula a los niños a conseguir éxito y felicidad. Usted puede transmitir valores como la responsabilidad, la disciplina, el compromiso con el trabajo, la consideración, la madurez emocional y la generosidad, manifestando su desaprobación —es decir, privándolo de su amor— cuando su hijo no los tenga en cuenta, y elogiándolo —o lo que es lo mismo, expresando su amor— cuando el niño demuestre que actúa guiado por ellos. De este modo, aprenderá su importancia y los internalizará como si fueran propios. «Una educación efectiva de los hijos se centra en el amor: un amor que no es permisivo, que no tolera la falta de respeto, pero también un amor que es lo suficientemente sólido como para permitir que los niños cometan errores y conozcan sus consecuencias», afirman el doctor Foster Cline y Jim Fray.

CÓMO CREAR UN SER HUMANO

Su objetivo es educar a su hija para que se convierta en un *ser humano*. Los seres humanos piensan que su propia valía depende de lo que son: los valores que tienen, los esfuerzos que hacen, la forma en que tratan a las demás personas. Los seres humanos se sienten satisfechos y reconocidos cuando, entre otras cosas, son sinceros, considerados y responsables, y tienen un control absoluto sobre todo lo que es esencial para afirmar su autoestima.

Ser un ser humano significa, en parte, aceptar lo más básico de la humanidad, que incluye comprender que nadie es perfecto y que los fallos y errores son necesarios y aceptables como parte de la vida. De esta forma, los fracasos pierden la capacidad de dañar la autoestima. «Ayúdelos a ser personas responsables, queriéndolos por sus errores, comunicándoles que es normal cometerlos, y transmitiéndoles que los seguirá queriendo aunque tiren mermelada sobre la alfombra, suspendan un curso de biología, mojen la cama o cualquier otra cosa que hagan como seres humanos», explica el doctor Wayne Dyer. Cuando su hijo se convierte en un ser humano, su autoestima no resulta amenazada porque no es perfeccionista, no teme el fracaso y tampoco tiene miedo de perder el amor de sus padres.

Esto no significa que el niño se sentirá satisfecho por el mero hecho de sentirse a gusto consigo mismo, ni tampoco que no se propondrá alcanzar ciertos objetivos; por el contrario, convertirse en un ser humano lo libera de los peligros que implica perseguir el éxito, porque ni este ni el fracaso están asociados a su autoestima de un modo determinante. Al no existir esta amenaza, el niño intentará conquistar el éxito desde una perspectiva que le permitirá buscar las mejores oportunidades. No sentirá ninguna presión —de sus padres, o de sí mismo— que pueda interferir en la consecución de sus objetivos.

Irónicamente, el éxito no se debe realmente a lo que el niño hace. En el colegio, en las artes, en los deportes y en otras actividades en las que se aspira a triunfar, nadie tiene el monopolio de las estrategias que fomentan el éxito. Los niños suelen hacer el mismo tipo de cosas. El éxito proviene del ser —es decir, de lo que los niños son, de sus valores, de su ética en relación con el trabajo, de su habilidad para relacionarse y trabajar con los demás.

No obstante, para alcanzar el éxito su hijo no puede limitarse a *ser*. Necesita hacer algo, esforzarse por triunfar. Dichos esfuerzos provienen de su ser, de lo que él, o ella, es. Realizarse como ser humano es muy diferente a realizarse como un hacer humano: los esfuerzos que realiza su hijo por sobresalir están imbuidos de lo que es y de lo que vale. Los niños son seres humanos que encuentran un sentido en los esfuerzos que realizan por alcanzar el éxito, y los asocian con sus pasiones y su compromiso. En un sentido, su compromiso con el éxito se filtra a través de su ser. Como resultado, se empeñan por conseguir sus metas con energía, determinación, confianza y concentración. Los niños que son seres humanos, se sienten alegres cuando se afanan por conseguir sus objetivos porque, gracias a sus esfuerzos, se afirman como personas. Esta relación entre lo que son y lo que hacen los niños es lo que diferencia a los que cosechan excelentes resultados de aquellos que simplemente obtienen resultados aceptables o ninguno en absoluto.

EXPECTATIVAS SANAS DE LOS PADRES

¡Debería ser exigente con su hijo! Sin embargo, esto no quiere decir que deba asumir una actitud negativa o crítica, ni tampoco castigarlo. Nunca debería intentar motivarlo por medio de desvalorizaciones o amenazas que puedan asustarlo. Aunque quizá en un primer momento esto pudiera servir de estímulo para el niño, a largo plazo solo conseguirá hacerlo sufrir. Por ejemplo, si le dice a su hijo (en un tono áspero e implacable): «No admitiré que saques una nota que no sea un sobresaliente. Si no tienes un excelente rendimiento en el colegio, tu madre y yo nos sentiremos muy decepcionados. Quizá hayamos sobrestimado tu capacidad», el niño se sentirá dolido, se enfadará y se asustará, y no llegará a ser una persona feliz y triunfadora.

Ser exigente significa conseguir que su hijo tenga grandes aspiraciones que reflejen los valores y cualidades que asocia con-

sigo mismo, con la familia, la educación, la profesión y la sociedad, para nombrar solamente algunos campos. Su desafío es transmitirle expectativas que lo ayuden a materializar sus objetivos,
internalizar valores esenciales y desarrollar ideas y actitudes que
lo conviertan en un verdadero triunfador. Las expectativas deben
ser positivas y estimular al niño. Por ejemplo, puede comunicarle
(con un tono positivo y confiado): «Es importante que saques
notas altas para poder asistir luego a una buena universidad, lo que
será muy beneficioso para ti. Sabemos que si trabajas con dedicación, puedes conseguir tus objetivos. Te respaldaremos en todo
momento». De este modo, usted le comunica sus expectativas en
un contexto que está centrado en el niño, pone el énfasis en sus
objetivos y le permite desarrollar emociones positivas y su capacidad para tomar decisiones.

A medida que el niño crece, el papel que cumplen los padres
en relación con las expectativas debe ser cada vez menos importante para permitirle comprometerse cada vez más con lo que
hace. En vez de decirle lo que se espera de él, debería preguntarle
qué es lo que él espera de sí mismo. Preguntas como: «¿Por qué
quieres hacer esto?», «¿Qué es lo que esperas obtener de esto?» o
«¿Cómo podría convertirse esto en una gran experiencia para ti?»
pueden ayudar a su hijo a aclarar cuáles son los motivos que tiene
para participar en una actividad específica en la que ambiciona
cosechar éxitos y cuáles son sus objetivos y expectativas. Usted
puede influir en las expectativas de su hijo poniéndolas a prueba,
ofreciendo diferentes perspectivas que pueden ayudarlo a aclararse
y brindándole todo su apoyo por su participación en la actividad
que ha escogido basándose en sus propias expectativas.

Usted debe ser capaz de reconocer sus propias expectativas y
ser consciente de aquellas que le transmite a su hija. El primer
paso para asegurarse que le comunica expectativas sanas implica
tomar conciencia de sus propias ambiciones en relación con los
esfuerzos que realiza para alcanzar el éxito. «Con frecuencia, los
padres tienen una imagen mental idealizada de lo que deberían ser
sus hijos y de su forma de actuar. Sin embargo, es importante
reconocer que ninguno de los modelos, valores y objetivos que
deseamos para nuestros hijos podrá será alcanzado hasta que ellos

mismos se sientan capaces de hacerlo y estén satisfechos consigo mismos», opinan los doctores Dinkmeyer y McKay. Debería comparar sus propias expectativas con las de su hijo y analizar las similitudes y diferencias que hay entre ambas, así como los elementos conflictivos. Si las expectativas de su hijo no coinciden con las suyas, deberían llegar a un consenso para resolver el conflicto, o usted debería respetar sus ideas y permitir que sean sus propias expectativas las que guíen al niño en su compromiso por conquistar el éxito. Por ejemplo, quizá su hijo quiera jugar al béisbol en la Liga Infantil por el mero hecho de estar con sus amigos y no le preocupa demasiado ser un buen jugador. Sin embargo, usted piensa que si va a dedicar tanto tiempo a jugar al béisbol —y usted va a invertir tiempo y dinero—, entonces él debería tomarse más en serio esa actividad. Si le permite jugar a pesar de las opiniones divergentes que ambos tienen respecto de su participación, seguramente surgirá algún conflicto y la experiencia del niño en la liga de béisbol no resultará positiva.

Jon y Myla Kabat-Zinns aconsejan formularse las siguientes preguntas: «¿Son nuestras expectativas realistas y adecuadas para la edad de nuestro hijo? ¿Contribuyen al desarrollo del niño? ¿Son desmedidas o, por el contrario, insuficientes? ¿Estamos exponiendo al niño a una innecesaria tensión y a la posibilidad de fracasar? ¿Fomentan nuestras expectativas la autoestima de nuestro hijo, o la coartan y la limitan? ¿Contribuyen a su bienestar, a que se sienta amado, atendido y aceptado? ¿Promueven importantes valores humanos como la sinceridad, el respeto por los demás y la responsabilidad por los propios actos?

Con estas preguntas en mente debería asegurarse de que únicamente transmite a sus hijos expectativas que están a su alcance. Las expectativas relacionadas con el *esfuerzo* ponen el énfasis en la determinación, la dedicación y la perseverancia que usted espera que el niño invierta en las actividades en las que demuestra una gran habilidad: «Esperamos que siempre te esfuerces al máximo». Si su hijo satisface las expectativas razonables que usted le transmite en relación con su dedicación, aprenderá la relación esencial que existe entre el esfuerzo y el resultado. Si no lo hace, aprenderá la cara negativa de esta relación, pero de cualquier manera habrá aprendido la lección. Quizá se sienta decepcionado, pero también sabrá qué es lo que debe hacer para responder a sus expectativas la próxima vez: trabajar con más empeño. En el futuro tendrá la oportunidad de demostrar que es capaz de hacerlo y podrá experimentar la sensación de que sus logros le pertenecen. Por ejemplo, una expectativa razonable para su hijo puede ser que trabaje con empeño en todas las asignaturas, lo que se traduce en prestar atención y participar en clase, dar más prioridad a las tareas escolares que a sus actividades sociales, ocuparse de corregirlas y asegurarse de que termina sus deberes mucho antes de la fecha de entrega. De este modo, no solamente le estará manifestando claramente sus expectativas en general, sino que también eliminará cualquier ambigüedad relacionada con la forma en que debe cumplirlas. El niño recibirá tres tipos de información en relación con sus expectativas. Usted le hará saber si está cumpliendo con los aspectos prácticos de las expectativas; recibirá información a través de las notas que saque en el colegio; y, por último, será capaz de decidir si ha respondido a lo que se esperaba de él.

Las expectativas que dependen de los *valores* son las que estimulan a su hija a adoptar una conducta que sea coherente con los valores que desea inculcarle, como la sinceridad, la justicia, la responsabilidad, el trabajo, la dedicación, la perseverancia y a ser considerado con los demás. Las expectativas que reflejan valores familiares pueden incluir hacerse cargo de algunas responsabilidades relacionadas con los quehaceres domésticos, cumplir con las actividades que se les asignan y ayudar a los menos afortunados. Responder a las expectativas que se basan en valores es algo que está al alcance del niño y, gracias a ello, tendrá más oportunidades de establecer una relación natural entre el esfuerzo y el resultado, y será capaz de internalizar los valores que enriquecen la vida y de actuar en consecuencia. Por ejemplo, usted puede comunicar a su hijo que todos los miembros de la familia deben manifestar su amor y su respeto mutuo. Esto incluye que él se ocupe de la seguridad y el bienestar de su hermana menor, lo que supone que debe vigilarla cuando jueguen en el patio, ayudarla a hacer la tarea escolar y compartir con ella sus juguetes. Estas expectativas basadas en los valores le comunican con absoluta claridad lo que intenta inculcarle —el amor y el respeto por los miembros de la familia— y qué es lo que puede hacer para estar a la altura de lo que se espera de él.

Incluso las expectativas más sanas tienen poco valor si los padres no tienen la habilidad de reforzarlas. Usted debe transmitir francamente sus expectativas y comunicarle al niño las consecuencias, tanto si las cumple como si las evita. Para que el niño logre comprender el beneficio que le reportará satisfacer dichas expectativas, tendrá que explicarle tanto los motivos que las sustentan como sus consecuencias. Esta explicación contribuye a establecer una comunicación clara entre usted y su hijo y le permite comprender sus intenciones, además de sentar las bases para un diálogo sincero.

Un diálogo típico sobre las expectativas y las consecuencias sería, por ejemplo:

Usted: «Es esencial que tanto tú como nosotros seamos sinceros. Esto significa que debemos decir siempre la verdad, aunque suceda algo malo. ¿Sabes por qué es tan importante ser sincero?».

Su hijo: «Porque siempre podemos creer en todo lo que decimos».

Usted: «Muy bien. Es fundamental que nos tengamos confianza. Nada puede ser tan malo como para que tengas que ocultarlo o mentir. Nosotros siempre te querremos. ¿Por qué crees que es malo mentir?».

Su hijo: «Mentir empeora las cosas. Si mintiera, lo único que conseguiría sería meterme en más problemas».

Usted: «Eso está muy bien. Sin embargo, nadie es perfecto y, en algunas ocasiones, es posible que no seas sincero. Si no lo eres, ¿cuál te parece que podría ser una consecuencia justa?».

Su hijo: «Podrías decirme que no volviera a hacerlo».

Usted: «Quizá no me tomarías en serio si me limitara a decir eso. ¿Y si te prohibiera hacer algo que realmente te gusta durante algunos días?».

Su hijo: «¿Por ejemplo, no salir a jugar con mis amigos durante tres días?».

Usted: «Eso me parece justo. ¿Y a ti?».

Las consecuencias deben tener un sentido para su hijo. El niño necesita corroborar que el hecho de responder a las expectativas de sus padres representa una ventaja para él. Los beneficios externos pueden incluir la aprobación de los padres o recibir una determinada recompensa (por ejemplo, su paga). Un beneficio interno puede ser la satisfacción que experimentará al cumplir con las expectativas que los padres han depositado en él.

Las consecuencias también deben ser razonables: deben estar en proporción con las expectativas. Esta imparcialidad permite a su hijo justificar un castigo que usted le impone cuando no cumple con lo esperado, y lo anima a internalizar las expectativas porque las consecuencias no son tan severas como para que se sienta «forzado» a obedecer. Por ejemplo, a un niño que termina su tarea se lo puede premiar con su postre favorito, pero sería desmesurado invitarlo a ir al centro comercial para comprarle regalos. De un modo similar, si no ayuda a fregar los platos de la comida se le puede prohibir utilizar el teléfono por el resto de la tarde, pero no se lo debería castigar sin salir durante toda una semana. Si usted le explica las razones en las que se basan sus expectativas, impone consecuencias justas —sería ideal que lo hiciera con la ayuda de su hijo— y destaca que él, o ella, tiene la opción de obedecer o desobedecer, será más probable que pueda comprender el valor de las expectativas y aceptarlas como si fueran propias.

Los padres que imponen consecuencias arbitrarias o excesivas se arriesgan a despertar la ira, el resentimiento y la resistencia de sus hijos. Si usted transmite una determinada expectativa y una consecuencia demasiado severa, el niño puede intentar satisfacerla durante un tiempo por el temor de recibir un castigo, pero en algún momento se rebelará; además, no será capaz de internalizarla y aceptarla como propia y, en cuanto se aleje de sus padres, dejará de hacer esfuerzos para cumplir con lo que se espera de él.

Al mismo tiempo, las consecuencias que resultan insuficientes para una determinada transgresión son igualmente ineficaces. En otras palabras, *el castigo debe ser proporcional al delito*. John Rosemond observa: «El hecho es que una transgresión indignante requiere una respuesta igualmente exorbitante. Los padres de hoy en día se niegan a señalar consecuencias demasiado estrictas —y no me refiero a que sean dañinas, crueles o mezquinas— porque algunos charlatanes de la psicología los han intimidado hasta persuadirlos de que una disciplina severa es psicológicamente perjudicial. Las Grandes Consecuencias crean malestar e incomodan a los niños; y esa es, precisamente, la idea. ¿Es verdad que son psicológicamente dañinas? No lo son, a menos que usted piense que mejorar la conducta es algo negativo».

Usted debe adoptar una postura *firme y coherente* en relación con las expectativas que transmite a sus hijos y con las consecuencias que se derivan de ellas. Sin embargo, los padres no siempre tienen esta actitud. Se necesita tiempo y energía para que los padres sean consecuentes a la hora de conseguir que sus hijos respeten las normas que ellos mismos han establecido. Cuando los padres vuelven a casa agotados después de cumplir con su jornada laboral, lo último que desean es tener que imponer sanciones para la mala conducta de sus hijos. Es más fácil disculparlos y advertirles que la próxima vez los castigará. Los niños pueden ser muy persuasivos para conseguir que sus padres omitan las sanciones. A través de sus promesas de portarse mejor en el futuro y de sus demostraciones de amor, pueden seducir a los padres para que los perdonen. Si lo consiguen, creerán que las consecuencias con que los amenazan nunca serán impuestas. Cada vez que se pasan por alto las sanciones de no haber estado a la altura de las expectativas, se pierde el valor de las mismas. ¡Su hijo debe aprender que usted habla en serio!

Finalmente, el mero hecho de formular expectativas no es suficiente para estimular a su hijo para que se esfuerce por tener éxito y ser feliz. Su hijo debe desarrollar también las habilidades necesarias para cumplir con las expectativas. Cuando carece de los instrumentos necesarios para hacerlo, el fracaso será seguro y su capacidad para aprender de estas experiencias será muy limitada. Muchos niños desarrollan problemas porque se espera de ellos un rendimiento para el que carecen de talento —lo que a menudo tiene un origen psicológico y emocional. Así como una maestra jamás debe examinar a los alumnos sin enseñarles primero las lecciones pertinentes, usted debería asegurarse de que su hijo posee la información psicológica o práctica y las habilidades necesarias para cumplir con sus expectativas, antes de comunicárselas. Por ejemplo, no puede esperar que su hijo tenga un buen rendimiento en el colegio si no dispone de los materiales y el apoyo que necesita (es decir, los libros y útiles escolares, la atención y la ayuda de los padres). Tampoco puede esperar que sea responsable si no le enseña a serlo (por ejemplo, al pedirle que ayude a fregar o que limpie su habitación).

Un niño debe poder tener la opción de satisfacer las expectativas de sus padres en relación con su conducta y sus logros. Puede elegir responder a unas expectativas realistas y recoger las recompensas internas y externas que reporta ser un gran triunfador; puede optar por no responder a las expectativas y aceptar como consecuencia la desaprobación de los padres, su bajo rendimiento y su insatisfacción. Al considerar *las expectativas como opciones*, se siente más dispuesto a ser responsable y cumplir con lo que se espera de él, en vez de sentirse obligado a aceptarlas. De este modo, la responsabilidad es solamente suya, y esta sensación de pertenencia lo motiva a que se comporte según lo esperado. Cuando las expectativas son una opción, ofrecen al niño la posibilidad de controlar la forma de responder a ellas, y además fomentan la idea esencial de que sus acciones son importantes.

El objetivo final de crear expectativas sanas es ayudar a su hijo a que sea capaz de determinar sus propias expectativas. A una edad muy temprana, el niño no tendrá la experiencia necesaria, ni una perspectiva suficiente, como para expresar qué es lo que aspira. Usted debe ayudarlo para que sus expectativas resulten coherentes con sus deseos y necesidades. Puede formularle las siguientes preguntas: ¿Cuáles son las actividades en las que puedes destacar que son más importantes para ti? ¿Cuál es la que más te gusta? ¿Cuáles son los objetivos que persigues en dichas actividades? ¿Qué estás dispuesto a hacer para conseguirlos?

A medida que su hijo madure, deberá ofrecerle la libertad de poder enunciar sus propias expectativas. Sin embargo, tendrá que seguir brindándole todo el apoyo y la ayuda que necesita, transmitirle diferentes puntos de vista y corroborar que sus expectativas son coherentes con sus objetivos, su capacidad y su nivel de desarrollo evolutivo para asegurarse de que son razonables.

ELOGIOS Y CASTIGOS SANOS

Los niños aprenden la relación que existe entre sus actos y sus resultados gracias a las consecuencias de su conducta. Usted puede ayudarlo a identificarlas —y a establecer esta asociación— mediante elogios y castigos sanos. Las investigadoras Mueller y Dweck descubrieron que los niños que recibían elogios por sus esfuerzos demostraban más interés por aprender y una mayor perseverancia, disfrutaban más, atribuían sus fracasos a su falta de dedicación (algo que estaban seguros de poder modificar) y se desempeñaban satisfactoriamente en el futuro. Recompensar a los niños por sus esfuerzos también los alentaba a trabajar con más tesón y a buscar nuevos desafíos. La investigadora de la Universidad Clark Wendy Grolnick agrega: «Cuando los padres estimulan a sus hijos para que aprendan estrategias, fomentan el sentido de la responsabilidad —y su capacidad de control— en relación con su rendimiento académico». Basándose en estos descubrimientos, usted podría limitar sus elogios a todo aquello que él tiene la posibilidad de modificar: el esfuerzo, la actitud, el compromiso, la disciplina y la concentración. Usted debería analizar los diferentes aspectos de los logros de su hijo y alabarlo específicamente por aquello que le ha permitido conseguir el éxito y que puede potenciar sus aptitudes (por ejemplo: «Has trabajado con empeño para preparar este examen», «Estabas muy concentrado durante la partida de ajedrez» y «Hoy has dado lo mejor de ti mismo.»

También debería tener en cuenta que no es aconsejable elogiarlo cada vez que triunfa. Alfie Kohn recomienda tres alternativas a los elogios. La primera es no decir nada. Su hija no necesita que la acaricien cada vez que hace una buena acción. Puede experimentar por sí misma la satisfacción de haber alcanzado un objetivo. La segunda alternativa es observarle lo que ve. Un breve comentario exento de juicios (por ejemplo: «Has invertido un montón de tiempo en ese proyecto») le permite saber que usted se interesa por sus esfuerzos y que ha advertido su dedicación. La tercer alternativa es hacer preguntas por medio de las cuales puede descubrir qué es lo que el niño pensó y sintió respecto de la consecución de sus logros (por ejemplo: «¿Qué fue lo más divertido?» y «¿Cómo te sientes en relación con lo que acabas de hacer?»). Al autorizarlo a definir por sus propios medios qué es lo que siente en relación con sus logros, le permite recompensarse a sí mismo por sus buenas acciones y lo estimula a internalizar sus propias observaciones.

La forma de castigar a su hijo por no responder a sus expectativas puede tener un impacto significativo sobre su futura capacidad para triunfar. El uso de la palabra «castigo» parece un poco dura en este contexto, ya que castigar significa ofrecer una respuesta negativa y punitiva por alguna transgresión que cometa el niño, y por la cual tiene que pagar un precio. El término más apropiado es *feedback* *, lo que significa que usted transmite a su hija por qué considera que se ha comportado mal o que su rendimiento ha sido inferior a sus posibilidades.

Kamins y Dweck descubrieron que los niños que recibían «críticas relacionadas con el proceso» —es decir, una información asociada con sus esfuerzos y con las estrategias utilizadas— manifestaban una reacción positiva, atribuían su fracaso a factores que podían controlar (tal como una dedicación insuficiente o el uso de estrategias ineficaces), se atenían a sus expectativas, expresaban pocas emociones, perseveraban más y se desempeñaban mucho mejor en futuras actividades. Igual que el elogio, el «castigo» debe centrarse en fomentar los aspectos que contribuyen a la consecución de los logros y que los niños tienen la posibilidad de controlar. Usted puede, por ejemplo, señalar los factores que han contribuido a su mal rendimiento para que el niño pueda modificarlos en el futuro: «Parece ser que en algunas ocasiones en las que deberías haberte quedado a estudiar, decidiste salir a jugar con tus amigos» o «Nos parece que no estabas prestando atención durante el partido».

El contenido emocional de la información (*feedback*) que ofrece al niño sobre su conducta es fundamental para ejercer influen-

---

* Término utilizado en psicología y que significa la información que se ofrece a un sujeto para que pueda comparar su rendimiento real con el que él había planificado. La información tiene el propósito de evaluar y corregir un determinado acto, evento o proceso, y puede ser negativa, positiva o neutral. (*N. de la T.*)

cia sobre él. Si cuando le impone un castigo su tono de voz es hiriente y está cargado de ira, el niño se centrará en las emociones que subyacen a sus comentarios en vez de comprender el contenido del mensaje, de manera que este habrá sido vano. Su hijo puede también asociar las emociones negativas a la retirada de su amor, lo que puede mermar su autoestima y transmitirle que su amor depende de los resultados que obtenga. Cuando usted reacciona emocionalmente, su hijo puede llegar a preguntarse si usted realmente da prioridad a sus necesidades y actúa en función de sus mejores intereses.

Usted puede sacar más partido del valor de un castigo si lo comunica con un tono de voz sereno y afectuoso y pone el énfasis en cómo puede el niño hacerlo mejor en el futuro, en vez de insistir en lo que ha hecho mal. Con esta actitud colaboradora, su hijo captará fácilmente su mensaje, percibirá el cariño que entraña el mensaje y, aunque no le guste, reconocerá que usted le castiga por su propio bien.

Este enfoque del castigo que tiene en cuenta todo el proceso reporta varios beneficios. Favorece que su hijo asuma la responsabilidad de sus malas actuaciones y fomenta la sensación de pertenencia en relación con su insuficiente rendimiento. «No lo he conseguido porque no hice todo lo necesario para triunfar.» Esta forma de abordar el problema tiene menos connotaciones negativas y permite a su hijo mantener una distancia emocional respecto de lo que considera un fracaso. No hay ninguna necesidad de que el niño se preocupe porque, debido a su mal rendimiento, los padres están disgustados o enfadados; será más constructivo que le ofrezcan una información que pueda utilizar en el futuro para mejorar sus posibilidades de éxito.

ESFORZARSE POR ALCANZAR LA EXCELENCIA

La excelencia es el antídoto del perfeccionista neurótico. La perfección es inalcanzable y, como consecuencia, una búsqueda infructuosa; la excelencia, por el contrario, es un objetivo asequible y que merece la pena alcanzar. Usted debería motivar a sus hijos para que luchen por conquistarla. Defino la excelencia como *la capacidad de conseguir el éxito en el mayor número de ocasiones.*

Esta nueva definición de los niveles aceptables de éxito toma lo mejor del perfeccionismo sano y elimina los aspectos perniciosos del perfeccionismo neurótico. La excelencia requiere, no obstante, que su hijo albergue expectativas con un cierto nivel de exigencia. Lo anima a esforzarse y hacer las cosas de la mejor manera posible. Sin embargo, al mismo tiempo aligera la carga de tener que evitar los errores y el fracaso, alivia la implacable tensión que supone recibir críticas excesivas, elimina el miedo al fracaso porque el niño está seguro de no perder el amor de sus padres y le permite disfrutar de los esfuerzos que hace para materializar sus ambiciones.

Esta forma simple de entender la excelencia reporta varios beneficios esenciales. Es un objetivo que cualquier niño puede conseguir. Con un poco de dedicación al trabajo, el niño puede alcanzar cierto nivel de excelencia, porque no le está vedado cometer errores y fracasar. No solamente no hay ningún problema si el niño fracasa, sino que incluso es algo que se fomenta. Cierto nivel de fracaso es positivo para el niño que se esfuerza por conseguir la excelencia, porque le ofrece valiosas lecciones que lo ayudarán en su cometido. Por ejemplo, su hijo puede sentirse satisfecho por haber aprobado un examen con una calificación de 94 sobre un total de 100. Puede cometer un error en una partida de ajedrez o en un partido de fútbol americano y, sin embargo, estar conforme con su actuación. Puede incluso perder de vez en cuando y estar contento por haber dado lo mejor de sí mismo a pesar de no haber ganado.

La perfección es una enorme carga sobre los hombros de un niño. La escritora Shirley Gould afirma: «Si usted no espera que sus hijos sean perfectos, los ayudará a aceptarse tal cual son y les permitirá actuar de un modo productivo». Luchar por la excelencia elimina la carga de la perfección y la presión de tener que alcanzar lo inalcanzable. Entonces su hija podrá decir con absoluta confianza: «Sí, puedo hacerlo; puedo esforzarme por conquistar la excelencia».

LO QUE LOS PADRES DEBEN Y NO DEBEN HACER

LO QUE DEBEN HACER POR SÍ MISMOS

1. Disfrute indirectamente de los esfuerzos que realiza su hijo, o hija, por conseguir el éxito.
2. Intente pasarlo bien mientras su hijo participa en actividades en las que puede triunfar. Su infelicidad puede provocar que el niño se sienta culpable.
3. Cuando presencie la participación de su hijo en la actividad para la que ha demostrado tener talento, debe mantenerse relajado, sereno, positivo e infundirle energía.
4. Tenga una vida propia que no esté vinculada con la actividad que puede conducir a su hijo hacia al éxito.

LO QUE DEBEN HACER CON OTROS PADRES

1. Relaciónese con otros padres en los eventos en los que interviene su hijo, o hija. De este modo le resultarán mucho más entretenidos.
2. Ofrézcase como voluntario siempre que pueda. Muchas de estas actividades dependen del tiempo y de la energía de los padres que se involucran en ellas.
3. Esté atento a su propia posición: trabaje con otros padres para asegurarse de que todos se desempeñan correctamente en estos eventos.

LO QUE DEBE HACER CON LOS MAESTROS (INSTRUCTORES, ENTRENADORES)

1. Deje que sean los maestros los que se ocupen de enseñar.
2. Ofrézcales el apoyo necesario para ayudarlos a hacer mejor su trabajo.
3. Converse con ellos acerca de su hijo. Tanto ellos como usted tendrán más información sobre el niño.

4. Comuníqueles todas las cosas importantes que sucedan en casa y que puedan afectar a su hijo a la hora de esforzarse por conquistar el éxito.

5. Pregúnteles sobre el progreso del niño en el momento oportuno. Usted tiene el derecho de saber.

6. Consiga que los maestros sean sus aliados.

LO QUE DEBE HACER POR SU HIJO

1. Ofrézcale ayuda, pero no lo obligue ni lo presione a hacer nada en particular.

2. Ayúdelo a fijar objetivos realistas que sea capaz de alcanzar.

3. Destaque la importancia de que se lo pase bien y desarrolle sus habilidades, y de otros beneficios que reporta el hecho de esmerarse por triunfar, tal como la motivación, la confianza, la concentración, la responsabilidad y la capacidad para afrontar la presión.

4. Demuestre su interés por la actividad en la que su hijo tiene grandes posibilidades de destacar: ofrézcale recursos, asista a los eventos en los que participa, hágale preguntas.

5. Anímelo de una manera constante.

6. Ofrézcale una perspectiva sana que lo ayude a comprender lo que significan el éxito y el fracaso.

7. Destaque la importancia del esfuerzo y recompense al niño por su compromiso y entrega en vez de por los resultados.

8. Intervenga cuando la conducta de su hijo sea inaceptable en los eventos en los que participa con la perspectiva de conseguir triunfar.

9. Comprenda que su hijo ocasionalmente puede necesitar un descanso.

10. Ofrézcale un poco de espacio cuando lo necesite. Para convertirse en un gran triunfador debe poder pensar algunas cosas por sí mismo.

11. Conserve el sentido del humor. Si usted se lo pasa bien y se ríe, lo mismo hará su hijo.

12. Usted será un buen modelo para su hijo si su actitud es positiva y relajada y tiene una vida equilibrada.

13. Ofrezca a su hijo un amor basado en los valores: demuéstrele que lo quiere, independientemente de los resultados que consiga.

LO QUE NO DEBE HACER PARA SÍ MISMO

1. No base su propia autoestima en los logros de su hijo, o hija.
2. No se preocupe demasiado por el rendimiento de su hijo.
3. No pierda la perspectiva de la importancia que tienen los éxitos de su hijo.

LO QUE NO DEBE HACER CON OTROS PADRES

1. No tenga enemigos entre los padres de los amigos de su hijo, o hija.
2. No hable sobre los otros padres, hable con ellos —es más constructivo.

LO QUE NO DEBE HACER CON LOS MAESTROS (INSTRUCTORES, ENTRENADORES)

1. No interfiera en la forma que ellos tienen de enseñar.
2. No trabaje en contra de ellos. Asegúrese de que está de acuerdo, tanto a nivel práctico como filosófico, con los motivos por los que su hijo se ha comprometido en una actividad para la que demuestra estar especialmente dotado, y con lo que puede obtener de esa experiencia.

LO QUE NO DEBE HACER POR SU HIJO

1. No tengan mayores expectativas en relación con lo que su hijo, o hija, puede obtener de la actividad en la que se ha comprometido. Será suficiente con que se divierta, se interese por la actividad, se esfuerce por alcanzar la maestría

y aprenda ciertas habilidades que pueden serle útiles para su vida.

2. No le pida a su hijo que hable con usted inmediatamente después de su actuación.

3. No manifieste emociones negativas cuando asista a uno de estos eventos.

4. No haga sentir culpable a su hijo por el tiempo, la energía y el dinero que está gastando y los sacrificios que está haciendo para que intervenga en una actividad que puede convertirlo en un triunfador.

5. No piense que la actividad en la que participa su hijo es una inversión de la que espera obtener ganancias (excepto las que se indican en el número 1).

6. No albergue la esperanza de que su hijo materialice sus propios sueños (ocúpese de conseguirlos usted mismo).

7. No compare el progreso de su hijo con el de otros niños.

8. No moleste, acose ni amenace a su hijo, y tampoco se muestre sarcástico ni apele al miedo para motivarlo. Solo conseguirá desmoralizarlo y despertar en él sentimientos negativos hacia su persona.

9. No espere de su hijo más que una buena conducta y una gran dedicación a la actividad que ha elegido.

10. No haga nada que pueda ocasionar que su hijo tenga un mal concepto de sí mismo o de sus padres.

---

* Taylor J. «What kids really need: How to (positively) push your child to achievement and happiness. Conferenciante invitado, Town School, San Francisco, CA, 27 de febrero de 2001.

CAPÍTULO 3

¿Cuál es mi ser real?

Ser falso frente a ser auténtico

A medida que crecen, los niños descubren su identidad, el desarrollo de su personalidad, quiénes son y en qué se convertirán. Este proceso evolutivo es similar a la construcción de una casa. Los ladrillos y el mortero que forman el ser de un niño incluyen la predisposición genética y las influencias de los diferentes niveles de la sociedad: sus padres y su familia, sus amigos y el mundo social, su colegio y su comunidad, y la cultura de la sociedad a la que tiene acceso a través de la radio, la televisión, los libros, las revistas e Internet.

Sería ideal que, durante el desarrollo evolutivo de un niño, todos los materiales utilizados en «su construcción» fueran de la mejor calidad y se complementaran mutuamente. Este proceso se desarrolla lentamente y de acuerdo con una planificación, y el resultado es una persona completa que, igual que una casa bien construida, es fuerte, estable y resistente a los elementos. No obstante, si surgieran problemas debido a la mala calidad de los materiales, o a una construcción defectuosa, la casa podría no acabarse o tener una estructura débil e inestable que no ofrecería protección cuando se desataran tormentas repentinas. La «mala construcción» de un niño puede estar causada porque sus padres lo estimulan de una forma inadecuada, son demasiado exigentes o, por el contrario, se desentienden de él. El resultado es un niño vulnerable a los elementos de la vida, que en el futuro será incapaz de soportar las inevitables inclemencias del tiempo que imperan en el mundo adulto.

La «construcción» de un niño necesita unos cimientos sólidos que faciliten la creación de un *ser auténtico*, compuesto por materiales que dependen del uso que sus padres hacen del amor basado en los valores, y de la enseñanza de valores, creencias y actitudes que contribuyen al desarrollo de los grandes triunfadores. «La capacidad de ser auténtico, de "ser dueño del propio ser», afirma el doctor Daniel Goleman, «permite actuar de acuerdo con los valores y sentimientos más profundos, independientemente de cuáles sean las consecuencias sociales». El ser auténtico cree en la bondad y el valor de los niños. El ser auténtico ama al niño en el que habita y es verdaderamente feliz. El ser auténtico confía en ser amado y en ser competente y, por tanto, constituye la base de la autoestima. No se ama a sí mismo de una forma condicional; acepta las imperfecciones y los fallos del niño. El ser auténtico libera al niño de la obligación de perseguir sus objetivos y le permite aceptar los éxitos y los fracasos de una forma ecuánime. Las investigaciones han revelado que los niños que cuentan con el apoyo positivo de sus padres experimentan más emociones positivas, se valoran más a sí mismos, tienen más esperanzas y conocen más su auténtico ser.

No obstante, es posible que la construcción del ser auténtico se estanque y surja un *ser falso* en cualquier momento del desarrollo evolutivo de un niño. A medida que sus hijos se comprometen cada vez más con la actividad en la que aspiran conseguir el éxito, existe el peligro de que usted pierda la perspectiva, se involucre demasiado en las ocupaciones de los niños y, en vez de ofrecerle un amor basado en los valores, haga depender su cariño de los resultados. De repente, y de una forma totalmente inconsciente, usted modifica los planes de construcción de su hijo y utiliza diferentes materiales para terminar la casa, que es la identidad de su hijo. Mediante este cambio radical, lo único que conseguirá es que su hijo comience a internalizar ciertas creencias y actitudes destructivas —tal como privilegiar los resultados a los esfuerzos, exigirse a sí mismo un rendimiento perfecto sin conformarse con menos y basar su autoestima en los éxitos o fracasos que consigue, lo que supone un gran peligro para su integridad—, lo que provocará un conflicto con su verdadero ser. En este punto, el niño ya no puede actuar según le dicta su auténtico ser, aunque debe seguir funcionando en el mundo. Finalmente, deberá desarrollar un ser alternativo, un falso ser, que le permitirá satisfacer sus propias necesidades y, además, responder a las exigencias del mundo real que usted ha creado para él. Mediante este falso ser será capaz de sobrevivir en este mundo hostil, pero, lamentablemente, no encontrará paz ni felicidad.

El falso ser considera al niño como una mala persona, inaceptablemente imperfecta, e incapaz de vivir de acuerdo con las expectativas internalizadas de sus padres y de la sociedad. Con el fin de recibir amor —de la sociedad, de sus padres y de sí mismo—, el niño que es dominado por su falso ser debe cumplir con los modelos irrealizables que ha aprendido de sus padres y que ha hecho propios. Como dichos modelos son imposibles de alcanzar, el falso ser consigue que el niño se considere un fracaso y, como consecuencia, se sienta indigno de ser amado. El falso ser no solamente piensa que el ser no merece ser amado, sino que es incapaz de amar, porque lo único que ha recibido de sus padres y de la sociedad es un amor que depende de los resultados. Al no haber experimentado el verdadero amor, el falso ser no puede expresar, ofrecer, ni recibir amor.

El falso ser es codicioso. Cuando responde a sus exigencias, el niño atraviesa periodos fugaces en los que se siente satisfecho. Sin embargo, el falso ser siempre pide más, más y más. El esfuerzo y la excelencia nunca son suficientes. Únicamente la perfección les proporciona pequeños destellos de autovaloración. El falso ser ya no necesita que los padres cuelguen la zanahoria del amor delante del niño; él mismo le ofrece su propia e inalcanzable zanahoria.

Alice Miller, la autora de *The Drama of the Gifted Child*, escribe: «Muchos niños pierden su auténtico ser a una edad muy temprana, porque se enfrentan con una opción que realmente no es tal: pueden permanecer leales a sí mismos y renunciar al amor de sus padres, o aceptar su enfermizo y falso ser para asegurarse de que contarán con el afecto de sus padres. Estos niños reprimen su auténtico ser, con sus puntos de vista positivos y sus sanas necesidades, y se dejan dominar por su ser falso, con sus juicios distorsionados y sus peligrosas prohibiciones.

Los mensajes que la sociedad en su conjunto comunica a los niños pueden mantener un conflicto con su auténtico ser y fortalecer el ser falso. Su hija a menudo no puede evitar internalizar los mensajes negativos que escucha, referidos al poder y la riqueza, a ser guapa o hermosa, o a la necesidad de adelgazar. Si dichos mensajes son coherentes con los que le dan los padres, puede sentirse agobiada por el desarrollo de este falso ser. La necesidad de conquistar el amor de sus padres y de ser aceptada por la sociedad, causa que el auténtico ser sea empujado hacia el fondo de la psique de su hija y permite que el falso ser ocupe el lugar preponderante y ejerza el control.

Es prácticamente imposible que su hija sea capaz de combatir los mensajes negativos que recibe a través de la televisión, las revistas e Internet: la imagen tiene mucha fuerza, se refiere casi en exclusiva al consumo y unos pocos segundos de publicidad son suficientes. Su hija carece de la experiencia, la perspectiva y la madurez necesarias para resistir la tentación. El peligro real reside en que usted se deje seducir por los mensajes de la sociedad y forme parte del problema, reforzándolos. Si usted no protege a su hija, estará construyendo una casa sin tejado. Ella será vulnerable a los elementos de la sociedad y será incapaz de protegerse de los efectos destructivos de los tornados y huracanes de nuestra cultura.

A sus veintiún años, Maryann era una nadadora de talla mundial. Hasta los diez años fue una niña feliz. Sus padres eran cariñosos y ella se divertía jugando con sus amigos, estudiando y practicando diferentes deportes. Cuando cumplió los diez años, su padre, Sam, le enseñó a nadar. Al poco tiempo, Maryann demostró ser toda una promesa y se dedicó por entero a conseguir sus objetivos en la natación. Sam también se involucró en el proyecto.

A los trece años, su carrera de nadadora se aceleró y su desarrollo personal se estancó. Sam no parecía preocuparse por la persona, sino únicamente por la nadadora. Durante los últimos tres años, la niña feliz que había sido Maryann había desaparecido por completo. Los únicos amigos que tenía estaban en el mundo de la natación. Dedicaba todo su tiempo a nadar o a estudiar.

En aquella época, Maryann internalizó las ideas y actitudes de su padre en relación con las competiciones y el éxito. Ganar era lo único importante. El fracaso era inaceptable. Nunca nada parecía ser suficiente. Tenía que hacer siempre lo correcto y dominar en todo momento la situación. Cuando Maryann se convirtió en una adolescente, los mensajes de la sociedad tuvieron cada vez más peso. Debido a su herencia genética, era una niña muy madura, pero con la llegada de la pubertad, su cuerpo comenzó a desarrollarse aún más y pronto se convirtió en toda una mujer. Al mismo tiempo, era bombardeada con mensajes que le transmitían que la delgadez estaba asociada a la belleza y a la velocidad. Si engordaba, sería fea y lenta. Sam (y su entrenador) contribuyeron a que ella internalizara dichos mensajes, comunicándole que tenía que adelgazar para alcanzar sus objetivos. Maryann se sentía acosada por mensajes que se referían a tres temas esenciales para ella —ser delgada, ser veloz y ser amada.

Sam y su entrenador —quien, a pesar de ser respetado en el mundo de la natación, era conocido por ser muy estricto y no preocuparse demasiado por la salud general de sus nadadores— exigieron a Maryann que se pusiera a dieta. Más tarde le comunicaron que había perdido demasiado peso y que eso no era favorable para ganar las competiciones. La sociedad, su padre y su entrenador crearon una situación insostenible para Maryann. Se sentía entrampada —independientemente de lo que hiciera, no lograba complacer a las dos personas más importantes de su vida—, desdichada y deprimida, impotente y fuera de control. Entonces encontró una solución: se convirtió en una adolescente bulímica. Por fin sentía que podía ser dueña de la situación.

Maryann es un ejemplo de los peligros que corre un niño cuando su ser auténtico y su ser falso entran en conflicto. Su auténtico ser no podía satisfacer las exigencias que su padre, su entrenador y la sociedad le requerían. Necesitaba crear un nuevo ser que la ayudara a actuar en un mundo que le exigía que controlara su peso; la única forma que encontró para solucionar este dilema fue aprender a vomitar la comida, aunque para su auténtico ser esta actitud era realmente detestable. Esta forma enfermiza de resolver el conflicto hizo creer a Maryann que tenía el control de la situación y le proporcionó un alivio temporal.

Los niños se ven obligados a asimilar todo tipo de presiones perjudiciales que provienen de los diferentes niveles de la sociedad, y que se transmiten a los sistemas educativos, artísticos y deportivos a través de los medios de comunicación. Sus propios compañeros pueden ser víctimas y, a la vez, portadores de este virus. A menudo, los niños son incapaces de resistirse a estos mensajes y se transforman en víctimas de su propio falso ser. En este caso, agrega la doctora Pipher, «los jóvenes han perdido su auténtico ser. En su ansiedad por complacer a los demás han desarrollado una adicción que destruye su núcleo central. Han vendido su alma».

BANDERAS ROJAS

No resulta sencillo identificar el falso ser cuando se trata de un niño de corta edad. Su desarrollo es lento e implacable y, con el paso del tiempo, absorbe por completo al niño. ¿Cómo puede usted reconocer que su hijo está desarrollando un falso ser? ¿Y cómo puede descubrir si usted es parte del problema? A continuación citaré algunos síntomas que pueden ser indicadores de este proceso.

BANDERA ROJA 1: ODIARSE A SÍ MISMO

¿Cuánto se aprecia su hijo? Si el niño comienza a dejarse dominar por su falso ser, la primera señal será que no esté conforme consigo mismo: «No me gusta mi aspecto». «Soy un idiota.» «No puedo hacer nada bien.» Si pronuncia frases semejantes, usted debe interpretar que en realidad no se odia a sí mismo tanto como parece, aunque ha comenzado a odiar los fallos que comete su falso ser. El niño se encuentra en un estado constante de temor por la sensación de que nunca va a «dar la talla» y no conseguirá ser digno del amor de sus padres ni sentirse a gusto consigo mismo. Y, lo que es aún más grave, se siente totalmente impotente para solucionar esta situación.

Si su hijo ha creado un falso ser, el enfrentamiento entre este y su ser auténtico no será el único conflicto que habrá de afrontar. Tendrá problemas con usted por ser la causa principal de su necesidad de crear un falso ser y, además, porque haber llegado a aborrecerse a sí mismo es una consecuencia de la relación entre ambos. Por lo tanto, en un cierto nivel, lo que su hijo realmente expresa es el odio que siente hacia usted. El niño experimenta intensos sentimientos que se oponen entre sí. Su mayor necesidad es que usted lo quiera, su mayor miedo es no conseguir su amor. Al pensar que usted tiene la culpa de su sufrimiento, niega la profunda necesidad que tiene de su cariño. Como resultado, le queda una sola opción: aborrecerse a sí mismo.

BANDERA ROJA 2: EL AUTOCASTIGO

Para resolver este conflicto, su hijo puede convencerse a sí mismo de que merece su propio desprecio por no ser capaz de responder a los niveles de rendimiento internalizados. Su manera de manifestar la animadversión que siente por su propia persona es criticarse, enfadarse cuando se siente desilusionado consigo mismo, no procurarse experiencias placenteras, proponerse metas que no son razonables, comportarse de acuerdo con valores y creencias que no le permiten desarrollar una conducta productiva, lo hacen sentirse desdichado y le impiden adoptar enfoques más equilibrados.

Este odio hacia su propia persona surge del falso ser y se expresa a través de una dura autocrítica, que puede comenzar por comentarios negativos sobre sus notas, su rendimiento como deportista, su aspecto físico o sus aptitudes sociales. La autocrítica puede ser cada vez más frecuente y severa. Otra forma de reconocer que el falso ser está a punto de emerger es que el niño exprese, aparentemente sin fundamentos, intensas emociones negativas como la frustración, la cólera y la tristeza. Quizá también observe que su hijo ya no disfruta de las cosas que solían darle placer, o que la mayor parte del tiempo se siente desdichado, o que sus notas son cada vez más bajas.

Acaso su hija demuestra menos interés por sus amigos. Otros signos que pueden indicar la aparición del falso ser son una constante tendencia a discutir o pelear, los arrebatos de cólera con sus hermanos o amigos y el aislamiento social. Aunque los conflictos con los amigos y los hermanos forman parte de la evolución normal de un niño, si sus hijos se pelean con frecuencia, esta conducta puede indicar la inminencia de algún problema serio. Usted debe hablar con los maestros, con los instructores y entrenadores, y con los padres de los amigos de su hija, que pueden ofrecerle importante información que le permitirá conocer cómo se siente y se comporta la niña en otros ámbitos.

Estos signos son, en general, expresiones de ira o de depresión. Tal como afirma la doctora Pipher: «Cuando el niño se culpa a sí mismo, o a sus propios fallos, su sufrimiento se manifiesta como depresión. Cuando culpa a otras personas —a sus padres, a sus compañeros, o a la cultura en general—, expresa su dolor a través del enfado. Esta última opción a menudo se confunde con una actitud rebelde, o incluso delictiva. De hecho, la cólera suele enmascarar un profundo rechazo del ser y una intensa sensación de pérdida».

Al castigarse a sí mismo, el niño intenta protegerse del conflicto que padece al sentir que usted es la causa real de su sufrimiento. Cuando se autocastiga en exceso, parece anticiparse al castigo que espera recibir de usted por no haber respondido a sus expectativas. Si se autocastiga severamente, quizá usted considere que ya ha sufrido lo suficiente y no le causará más dolor (o incluso quizá le manifieste su amor). Al justificar de este modo su sufrimiento, su hijo se siente realmente mejor que si tuviera que reconocer que es injusto y no tiene un fundamento real. Esta forma de resolver el conflicto le brinda la falsa sensación de poder controlar sus sentimientos negativos y lo lleva a creer que sufrirá menos si se autocastiga que si recibe un castigo impuesto por sus padres.

El autocastigo persigue tres propósitos fundamentales: su hijo experimenta un alivio transitorio de su sufrimiento; usted está obligado a expresarle su amor, atenderlo y brindarle apoyo; y, finalmente, puede vengarse de usted, que es la verdadera fuente de su sufrimiento, haciéndolo sufrir.

BANDERA ROJA 3: LA AUTODESTRUCCIÓN

En este punto, si su hija ha creado un falso ser, quizá simplemente se sienta desdichada y preocupada. Si no se evita la emergencia de este falso ser y el autocastigo se mantiene, este será cada vez más severo. A medida que el falso ser gane fuerza —y aumente el dolor que experimenta su hijo debido a su incapacidad para satisfacerlo—, el autocastigo asumirá formas cada vez más autodestructivas.

La adicción a las drogas es una de las formas por las que el niño puede anestesiar su dolor. En un estudio sobre jóvenes adictos, la investigadora Lynn Woodhouse descubrió que la mayoría reprimía sus temores y experimentaba emociones intensas como la cólera, el autodesprecio, la depresión o la culpa, lo que les producía un gran sufrimiento. Según el tipo de sustancia utilizada, las drogas pueden atontar al niño para que olvide su padecimiento, o reemplazarlo temporalmente por sensaciones placenteras.

Los trastornos de la alimentación, especialmente frecuentes entre las jovencitas, también son intentos de eliminar su tormento. La sensación aparente de poder controlar lo que comen y cuanto pesan les sirve para aliviar su pena gracias a pequeñas victorias, que «alimentan» su falso ser. Sin embargo, ¡una niña puede no percatarse de que, mientras alimenta a su falso ser, su ser auténtico ayuna!

Estos son temas muy serios y es preciso ocuparse de ellos en cuanto se manifiestan. Los niños que están dominados por su falso ser pueden llegar a sentirse muy desequilibrados y sucumbir a la desesperación, por no sentirse capaces de encontrar su ser auténtico ni de conquistar la felicidad. La idea del suicidio surge como una forma de dar fin al conflicto entre el falso ser y el ser auténtico, que sufre porque no encuentra ninguna salida para la situación. El doctor Darold Treffert observó un aumento de suicidios entre adolescentes que estaban absolutamente entregados a la búsqueda del éxito. Menciona el caso de un alumno que solo sacaba sobresalientes y que al sacar un notable comentó: «Mamá y papá jamás me han obligado a sacar buenas notas. De hecho, nunca hablamos del tema. Estoy convencido de que no desean ni están dispuestos a admitir ningún fallo. Si fracaso en lo que hago, también fracasaré como persona».

CÓMO DESARROLLAR EL SER AUTÉNTICO DE SU HIJO

CONOCER AL AUTÉNTICO SER

Para ayudar a su hijo a resistirse al falso ser debe comenzar por enseñarle a reconocer su ser auténtico e identificarse con él. Su hijo no puede convertirse en su ser auténtico si ignora cuál es. Comprender su ser auténtico y conectarse con él le permite separar claramente sus valores y creencias personales de los valores de la sociedad y de su potencial falso ser. Un ser auténtico correctamente definido posibilita al niño reconocer las malsanas, aunque tentadoras, presiones de la sociedad y generar la fuerza y la resistencia necesarias para oponerse a ellas.

El ser auténtico de su hijo se desarrolla de dos maneras. Usted debe transmitirle los valores esenciales que afirman la vida, tal como la sinceridad, la autenticidad, la integridad, la expresión de sus emociones y la compasión. Si cuando aún es pequeño lo expone a valores, creencias y actitudes que se oponen a los mensajes de la sociedad, y que son coherentes con su ser auténtico, entonces habrá establecido la base sobre la cual puede emerger el ser auténtico del niño.

Más adelante deberá ayudarlo a comprender cómo es su ser auténtico. Esto implica ayudarlo a reconocer qué es lo que lo convierte en un ser singular —sus puntos débiles y sus puntos fuertes—, qué es lo que valora de sí mismo y del mundo, cuáles son las cosas importantes en su vida y qué puede ofrecer a los demás. Debe guiarlo para que sea capaz de establecer diferencias entre lo que le comunica la sociedad y los valores que elige. Este proceso incluye animarlo a reconocer sus puntos de vista, sus creencias y sus sentimientos, especialmente si son diferentes a los que le transmite la sociedad. También significa ayudarlo a desarrollar la sensibilidad necesaria para juzgar de un modo crítico los mensajes sociales y comprender que, a menudo, están en contradicción con sus propios valores. Al mismo tiempo que intenta inculcarle esta actitud, deberá evitar que se transforme en una persona cínica o alienada. Por ejemplo, opinar que las revistas para adolescentes son tontas no significa que toda la sociedad lo sea. Usted debe encontrar la forma de equilibrar los aspectos negativos de la sociedad, haciendo hincapié en las cosas positivas que puede ofrecernos: la democracia, la justicia, la igualdad, la libertad, las oportunidades, etc.

Obviamente, el niño no llega a comprender su auténtico ser de la noche a la mañana. Se trata de un proceso que evoluciona con el paso de los años, mientras el niño madura. Usted debe mantener un diálogo continuo con su hijo, llevar una vida coherente con los valores que predica y animarlo a cultivar su ser auténtico. Estas experiencias sostenidas le ofrecerán perspectivas y recursos que le permitirán crear su propio sistema de valores; además, favorecerán la emergencia del ser auténtico, lo fortalecerán y mantendrán su preponderancia. Al destacar de forma constante la importancia del ser auténtico, conseguirá que el niño lo tenga muy presente y le ayudará a desarrollar la capacidad de sopesar y seleccionar los mensajes que le transmite el medio cultural en el que se mueve. Una de las responsabilidades esenciales de los padres es enseñar a los hijos la diferencia que existe entre los mensajes positivos de nuestra cultura —las conversaciones serias, la buena literatura, las artes, etc.— y la cultura pop —los medios de comunicación que engrandecen la sexualidad y la violencia— y enseñarle a analizar los valores que se ocultan tras los mensajes que recibe a diario. Ayudar a su hijo a tomar conciencia de dichos mensajes para poder separar los mensajes sanos de los perjudiciales es fundamental para crear una persona con la fuerza suficiente como para soportar estas agresiones diarias. La emergencia del ser auténtico —y todo aquello que usted debe hacer para fomentarlo— debe estar siempre presente durante los años de formación de su hijo y usted debe desempeñar un papel activo en su educación.

DECLARAR LA GUERRA AL FALSO SER

Desde muy corta edad, su hijo declara la guerra al desarrollo y al predominio de su falso ser. Desgraciadamente, el enemigo en esta guerra es la sociedad en su conjunto. Los mensajes que nos transmite a través de las revistas y la televisión, las películas, o Internet pueden ser muy destructivos para el desarrollo y la preeminencia del auténtico ser de un niño.

Sin embargo, su hijo no puede librar esta guerra solo. Simplemente carece de la perspectiva, la experiencia y los recursos necesarios para contar con una defensa eficaz contra las armas de la sociedad. El niño alberga una sola esperanza: que usted esté dispuesto a ayudarlo a luchar contra las fuerzas de su enfermizo falso ser. Es bastante improbable que pueda obtener un rotundo triunfo, dada la omnipresencia y el poder de las fuerzas de la sociedad. Sin embargo, usted puede al menos mantener a raya a la sociedad, convirtiéndose en el aliado de su hijo desde el primer momento, y enseñándole enfoques, creencias y habilidades que lo ayudarán a seleccionar acertadamente los mensajes.

Como padre, o madre, puede facilitar estos cambios siempre que usted mismo no sea una víctima de los mensajes perniciosos que nos transmite la sociedad. Esto constituye un verdadero desafío, porque quizá haya desarrollado usted un falso ser que tiene influencia sobre sus ideas y su conducta e, inevitablemente, se lo transmitirá de una forma involuntaria a su hijo. Al establecer una alianza con su hijo para librar la batalla contra el falso ser, debe analizar sus propias creencias y, si descubre que están basadas en su falso ser, debe tomar la determinación de no infectar a su hijo con dichos mensajes, y comunicarle otros más sanos que lo ayudarán a desarrollar su auténtico ser.

Para fomentar el desarrollo del ser auténtico de su hija, debe transmitirle mensajes que contradigan los destructivos mandatos de la sociedad; debe actuar como un modelo para ella, mostrándole que no se deja seducir por el canto de las sirenas de dichos mensajes. Además, puede protegerla de los mensajes negativos, hablando abiertamente de su atractivo pero también de los peligros que entrañan, y ofreciéndole una perspectiva más sana. Por ejemplo, un mensaje común de nuestra sociedad es definir el éxito en términos de posesiones materiales y acumulación de riqueza. Usted puede oponerse a esa posición, definiendo el éxito según sus propios criterios. El mensaje puede ser realmente contundente si usted y su esposa tienen profesiones que reflejan sus valores personales en relación con el éxito. Puede incluso asociar el éxito con conductas alternativas, como, por ejemplo, ayudar a las demás personas o expresar la propia creatividad, y alentarlo a expresar lo que el éxito significa para él. Puede ofrecerle ejemplos de personas que el niño conozca y admire para ilustrar esta nueva definición del éxito, y explicarle por qué opina que los mensajes de la sociedad son destructivos y constituyen un obstáculo para conseguir el verdadero éxito y la felicidad.

Otra forma de alterar los mensajes de nuestra cultura es volver a formularlos en un contexto que refleje mejor los valores que considera fundamentales. Por ejemplo, en vez de aceptar la idea tradicional del éxito —es decir que su objetivo es la acumulación de riqueza en beneficio propio— puede asociarlo con otro tipo de riqueza, tal como la libertad, las oportunidades, los viajes, la educación, la capacidad para compartir y las donaciones para obras de caridad.

El caso de Maryann, la nadadora, tuvo un final feliz. Durante los meses siguientes, su padre empezó a observar que algo iba mal. Maryann ya no nadaba tan velozmente como antes, cada vez estaba más malhumorada, y se había distanciado de sus amigos y de sus compañeros de equipo. Finalmente, una de las integrantes del equipo de natación tuvo la valentía de contarle a Sam que su hija era bulímica. Aunque Maryann se enfadó por esta aparente traición, al mismo tiempo se sintió aliviada por no tener que seguir ocultando su «pequeño y sucio secreto». Como esperaba que su padre se pusiera furioso con ella, se sorprendió y se conmovió por su sincera preocupación, su actitud cariñosa y su apoyo. Por primera vez en su vida, Maryann habló francamente con su padre de todo lo que había sufrido y él reaccionó positivamente. Por fin, una pequeña luz se encendió en la mente de Sam y tomó conciencia de lo que había estado haciendo. Buscó a un psicólogo deportivo que tuviera experiencia en el tratamiento de los trastornos de la alimentación, y juntos tomaron la decisión de modificar los programas de natación, para que Maryann trabajara con un entrenador que era conocido por ser muy sensible a los problemas de salud de los jóvenes nadadores. Al advertir que la salud de su hija estaba amenazada, Sam modificó su actitud. Reconoció que era el aviso que necesitaba para volver a analizar sus motivaciones y su conducta de la última década. Aunque no consiguió revertir el daño que ya le había hecho, se comprometió consigo mismo a no causarle más perjuicios y hacer todo lo que estuviera en sus manos para que su hija recuperara la salud y la felicidad. Se dio cuenta de que la había presionado demasiado por sus propios motivos y no porque eso fuera lo mejor para ella. Tomó conciencia de que había tratado a Maryann como una nadadora que competía para satisfacer *sus* propios objetivos, y que había perdido de vista a la persona. A partir de ese momento, Sam decidió anteponer las necesidades de Maryann a las suyas. Ella era la que tenía que decidir si quería seguir nadando y en qué condiciones, y él apoyaría cualquier decisión que tomara su hija. Su nueva prioridad era hacer todo lo que garantizara la salud y la felicidad de Maryann.

FALSO SER O SER AUTÉNTICO: SU ELECCIÓN

1. La negatividad engendra negatividad.
2. El menosprecio genera desconfianza.
3. Las críticas constantes provocan una actitud defensiva.
4. Las conferencias producen resistencia.
5. Los sermones favorecen la pasividad.
6. Albergar pocas expectativas tiene como consecuencia un rendimiento insuficiente.
7. La falta de fe alimenta la inseguridad.
8. La ira engendra el miedo.

1. El optimismo provoca entusiasmo.
2. Las expectativas positivas fomentan la consecución del éxito.
3. El amor favorece la confianza.
4. La afirmación engendra la motivación.
5. El éxito fomenta la confianza en uno mismo.
6. La participación activa favorece el aprendizaje activo.
7. La fe genera seguridad.

Greene, L. J. (1995): *The life-smart kid: Teaching your child to use good judgement in every situation*, Rocklin, CA, Prima

SEGUNDA PARTE

La sensación de pertenencia

Los grandes triunfadores deben tener una «sensación de pertenencia» respecto de las actividades en las que participan. Esto significa que los niños perciban que tienen una forma propia de participar en la actividad en la que esperan alcanzar el éxito: sus motivaciones, su determinación, sus esfuerzos, sus éxitos y fracasos y sus recompensas les pertenecen. Los grandes triunfadores se interesan profundamente por la actividad que han elegido. Los niños que desarrollan la sensación de pertenencia respecto de una actividad se apasionan por ella y basan su participación únicamente en el valor que tiene para ellos. Al sentir que la tarea «les pertenece», los grandes triunfadores asumen completamente la responsabilidad de todos los esfuerzos que realizan por progresar, porque están *internamente* motivados y convencidos de que pueden controlar tanto los esfuerzos como los resultados.

Si tiene dificultades para conseguir que su hijo abandone la maqueta de avión que está construyendo, la práctica de tiro libre o un buen libro, entonces comprenderá lo que significa la sensación de pertenencia. Pero si su hijo necesita que lo obliguen a ocuparse de sus cosas y nunca desarrolla la energía necesaria para concentrarse en ellas, entonces tendrá que analizar los motivos por los que carece de la sensación de pertenencia. ¿Acaso usted hace algo que le impide desarrollarla? Por ejemplo, ¿se involucra excesivamente en las actividades que él ha elegido, o asume responsabilidades que deberían ser suyas? ¿O, simplemente, su hijo no ha encontrado aún nada que los entusiasme?

La sensación de pertenencia de los grandes triunfadores se manifiesta en dos niveles: uno práctico y otro filosófico. La sensación de pertenencia filosófica se refiere a los sentimientos básicos que el niño experimenta en relación con su compromiso con la actividad que ha escogido y con los motivos por los que participa en ella. La sensación de pertenencia práctica es la aplicación de la sensación de pertenencia filosófica en las actividades para las que el niño tiene especiales aptitudes y también en su vida en general.

Lo que diferencia a los niños que han desarrollado una sensación de pertenencia filosófica de los demás niños es el tipo de satisfacción y de placer que experimentan. Si su hijo carece de ella, probablemente solo se valora a sí mismo cuando obtiene *resultados* positivos en su camino hacia el éxito. Es muy probable que dependa en gran medida de los beneficios externos que le reporta su participación en la actividad elegida, tal como el estatus social, los trofeos y la atención que recibe de sus padres o amigos. También puede suceder que su hijo no tenga ninguna motivación interna para alcanzar sus objetivos y que dependa de factores externos para justificar sus esfuerzos.

En contraste, si su hijo ha desarrollado la sensación de pertenencia filosófica, usted observará que lo que más lo gratifica es el *proceso*. Probablemente disfruta de la rutina, de la repetición aparentemente interminable, y a menudo tediosa, que es necesaria para triunfar en cualquier actividad. Su interés y su entusiasmo por el proceso son igual de importantes (o quizá aún más) que su propio rendimiento y los elogios que pueda recibir. Aunque las recompensas externas son gratificantes, su hijo disfrutará por el mero hecho de perseguir sus objetivos.

La sensación de pertenencia filosófica se desarrolla mejor cuando el niño empieza a participar en una determinada actividad. Usted puede facilitar este proceso de diversas formas. Si actúa como modelo para su hijo, puede mostrarle qué significa la sensación de pertenencia filosófica. Si usted mismo siente que las actividades en las que participa le pertenecen —tal como su carrera y sus *hobbies*—, si se apasiona y disfruta de los esfuerzos que realiza para progresar, será prácticamente imposible que su hijo no adopte una perspectiva similar. Usted puede enseñarle su propia sensación de pertenencia filosófica respecto de su carrera, por ejemplo, comprometiéndose con su trabajo, permitiendo al niño observar la dedicación, la concentración y el esfuerzo que invierte en él, y compartiendo con él sus experiencias laborales para que sepa que usted disfruta de lo que hace.

Usted puede animar a su hijo a desarrollar la sensación de pertenencia filosófica de una forma más directa, destacando que es primordial esforzarse pero también disfrutar del proceso, y restando importancia a los resultados. Si le ayuda a fijarse metas relacionadas con la actividad que ha escogido, contribuirá a que desarrolle la sensación de pertenencia filosófica. Si dichas metas tienen el propósito de enseñarle la relación que existe entre el esfuerzo y los resultados, y se basan en el entusiasmo y la satisfacción que le procura la actividad, su hijo considerará que lo más importante es el proceso. Por ejemplo, si le comenta que su meta debería ser ganar el próximo torneo de ajedrez, le está enseñando que ganar es lo único que cuenta. En contraste, si le sugiere que su objetivo debe ser trabajar con empeño y entrenarse durante las semanas previas al torneo para poder dar lo mejor de sí mismo, y disfrutar de la partida, le transmite que es esencial la preparación, el esfuerzo y la diversión. Paradójicamente, los niños que no se preocupan por ganar, con frecuencia son los que más éxitos cosechan.

También puede fomentar la sensación de pertenencia después de que su hija haya realizado un importante esfuerzo por progresar. Cuando reciba una buena nota en clase, en vez de decirle: «Eres la mejor alumna de la clase. Eres muy inteligente», podría decirle: «Has trabajado mucho para ganar esa nota. Debes sentirte muy contenta al ver que tus esfuerzos han sido recompensados». Si la compara con sus compañeros, le estará hablando de algo que escapa a su control y que, por lo tanto, ella no puede modificar; sin embargo, si pone el énfasis en su dedicación a la tarea y en el placer que ha obtenido gracias a sus esfuerzos, reforzará el valor de la pertenencia.

Si usted no la estimula, su hija tendrá dificultades para desarrollar la sensación de pertenencia filosófica. Si se fija demasiado en los resultados o se apropia de sus actividades, ella se sentirá impotente para modificar la situación. La sensación de pertenencia filosófica es una cualidad que usted proporciona a su hija, no es algo que ella puede obtener fácilmente por sus propios medios.

Los niños que han desarrollado la sensación de pertenencia práctica son los primeros en llegar y los últimos en marcharse. Invierten tiempo y esfuerzos que superan el umbral de lo que simplemente «se espera» de ellos y, a menudo, siguen dedicándose a la actividad elegida aun cuando no estén en clase o no estén entrenando ni estudiando. Los niños que han desarrollado la sensación de pertenencia práctica a menudo aventajan a sus compañeros, debido a que son muy curiosos, demuestran un gran interés por la actividad en la que toman parte y cuidan con esmero sus materiales, sea un instrumento musical o su equipo de deporte.

Los niños que desarrollan la sensación de pertenencia práctica en relación con la actividad en la que participan, trabajan con dedicación y mantienen su concentración durante periodos más prolongados de tiempo. Normalmente, son organizados y supervisan su trabajo cuidadosamente para hacer los mínimos errores y asegurarse de que lo han hecho bien. Por ejemplo, son muy eficaces para organizar el tiempo que han de dedicar al estudio, y revisan diligentemente sus tareas escolares para no cometer ninguna equivocación por descuido. No es necesario preguntar a estos jóvenes triunfadores si han terminado su trabajo. Por voluntad propia, suelen buscar otras fuentes de información para tener un mejor dominio de la actividad. Los niños que han desarrollado la sensación de pertenencia práctica son consumidores voraces de la actividad que despierta su interés, y a menudo se sienten fascinados por los aspectos más esotéricos de la misma y se deleitan con los pequeños detalles —por ejemplo, un joven aficionado a la guitarra lee biografías de grandes guitarristas, como Les Paul y Jimi Hendrix, coleccionan objetos de interés relacionados con este instrumento y disfrutan sacándole lustre.

Usted puede enseñar a su hijo todo lo que incluye la sensación de pertenencia práctica: esforzarse al máximo, consagrar un tiempo adicional a sus lecciones y a la práctica y ser organizado. Hablando con su hijo y actuando como modelo, puede hacer hincapié en estos aspectos funcionales de la pertenencia, animarlo para que avance en esa dirección, destacar la satisfacción y el placer que proporciona el hecho de participar activamente en una actividad y recompensarlo por su sensación de pertenencia práctica.

Evidentemente, los niños son niños, y habrá momentos en los que incluso un crío que ha desarrollado una sensación de pertenencia práctica se distraiga, se aburra o se interese por otro tipo de cosas. En estas circunstancias, si su hijo debe terminar su tarea, puede animarlo a que continúe con su trabajo y ofrecerle una pequeña recompensa cuando termine. Si lo que está haciendo no es urgente, puede ser muy saludable que le dé permiso para descansar y salir a divertirse un rato.

Hace algunos años asistí a una reunión de plantilla de la Academia Burke Mountain, una reputada escuela privada para corredores de esquí en Vermont, de la que soy alumno y miembro del consejo de administración. Durante la reunión, los maestros y entrenadores revisaron el progreso de cada uno de los alumnos —atletas durante el curso escolar. Describieron sus puntos fuertes y las áreas en las que necesitaban mejorar, y discutieron en qué debía concentrarse cada uno de aquellos jóvenes en un futuro próximo. Al hablar de uno de los chicos, un entrenador comentó: «Se siente orgulloso de todo lo que hace». Durante la reunión pensé que aquella era una observación interesante, y decidí investigar qué era lo que quería decir exactamente el entrenador. Hablé con él más tarde para preguntarle qué pretendía dar a entender al hacer aquella afirmación. Después de considerar cuidadosamente el tema, concluí que era el mayor cumplido que puede recibir un muchacho, y que *sentirse orgulloso de lo que uno hace* es el objetivo final de la sensación de pertenencia.

¿Qué significa esta afirmación? Cuando su hija se enorgullece de todo lo que hace, expresa el respeto que siente por sí misma y revela que está profundamente comprometida con todos los aspectos de su vida. Valora los esfuerzos que hace por progresar y por eso trata de hacerlo lo mejor posible. Empeñarse por hacer las cosas bien en todo lo que emprende es un valor fundamental que guía su vida. Si su hija manifiesta esta actitud, seguramente ha comprendido que la vida es, en sí misma, una oportunidad; asume seriamente el desafío, y aprecia y respeta las posibilidades que se le ofrecen, empleándose a fondo para conseguir todos sus cometidos. Su hija reconoce que uno de los verdaderos placeres de la vida es luchar por conseguir sus propios logros. Si lo hace, sabrá aceptar las recompensas del éxito y no pondrá pretextos para sus fracasos por comprender que, en última instancia, *no hay excusas posibles*, únicamente sus esfuerzos y sus resultados.

Sentir orgullo por todo lo que hacen es el objetivo por el que luchan los niños y, al mismo tiempo, es el resultado de sus formidables esfuerzos. Se lo puede considerar como el fin último de *Exigencias constructivas*. Las recomendaciones que se ofrecen en este libro tienen el propósito de fomentar esa sensación de pertenencia que permite al niño enorgullecerse de todo lo que hace. Si lo logra, conseguirá ser todo un triunfador porque siempre dará lo máximo de sí mismo. Y, lo que es más importante, su hijo también será feliz porque sabrá disfrutar de sus propios esfuerzos y se sentirá satisfecho. De esta forma conseguirá ser un gran triunfador.

CAPÍTULO 4

De cualquier modo, ¿de quién es la vida?

Las necesidades de los padres frente a las necesidades del niño

E N un mundo ideal, ser padre es el mayor acto de generosidad que puede realizar una persona. Al tener un hijo, las personas se comprometen a anteponer las necesidades de sus hijos a las propias. Sin embargo, el mundo en que vivimos no es ideal. Los padres a menudo juegan al tira y afloja entre sus propias necesidades y las de sus hijos. Este conflicto generalmente da como resultado una batalla por la propiedad de la vida del niño.

En el núcleo de este conflicto entre las necesidades de los padres y las del niño están los padres insatisfechos que no son capaces de obtener un sentido y un valor para su vida a través de su trabajo, de sus relaciones o de otras actividades. Es bastante común que los padres se sientan disconformes por un matrimonio desdichado, o insatisfechos con un trabajo en el que no se sienten realizados y con el que no pueden satisfacer sus propias necesidades. Si este es su caso, quizá descubra que se vuelca en su mayor apoyo —su hijo— para satisfacerlas. Tal como observan M. y J. Kabat-Zinn: «Los padres y los hijos se puede embarcar de una forma sutil —y completamente inconsciente por parte de los padres— en una relación en la que el niño aprende a sintonizar con las necesidades emocionales de uno de los padres y, a menudo, ni siquiera se pronuncia ni una sola palabra al respecto. En estos casos, en vez de ser uno de los padres el que adopta una actitud empática y compasiva, es el niño el que asume ese papel, y lo que se espera de él es que se identifique con los sentimientos, problemas y tensiones de los padres... Sus propios sentimientos, necesidades y deseos son enterrados».

Quizá, usted simplemente tenga una vida poco gratificante y no encuentre otra salida para satisfacer sus necesidades que proyectarse en su hijo. En otros casos, los padres pueden tener problemas psicológicos o dificultades emocionales serias, como, por ejemplo, sufrir de depresión o de ansiedad, y sus hijos se convierten en instrumentos esenciales para su propia supervivencia (animo a los padres que padecen este tipo de problemas que se sometan a una psicoterapia para ocuparse de sus dificultades y puedan comprender mejor el impacto que tienen sobre sus hijos).

Debido a mi trabajo con familias, he observado que en los casos en que los niños luchan por solucionar temas relacionados con el éxito y la felicidad, a menudo uno de los padres no tiene vida propia (es decir, no se siente satisfecho con su matrimonio, con su profesión ni con sus amistades) y se preocupa exageradamente por la vida del niño, mientras que su cónyuge está totalmente centrado en su propia vida y no se encarga de satisfacer las necesidades del niño. Si es usted esa madre (o ese padre) que no se siente satisfecha con nada de lo que hace, podría estar volcándose en su hijo para que le reporte la satisfacción psicológica y emocional que le falta, incluso sin percatarse de ello. Por otro lado, si su esposo (o esposa) está muy absorbido por su trabajo, acaso esté tan preocupado que ni siquiera se entera de las necesidades del niño. Si su familia tiene estas características, su hijo se encuentra atrapado entre dos actitudes diametralmente opuestas que no son nada recomendables: se sentirá agobiado o desatendido. Sus propias necesidades resultan relegadas y el niño se siente abrumado y frustrado.

¿Antepone usted sus propias necesidades a las de su hijo? ¿Está utilizando la vida del niño para encontrar un sentido a su propia vida y sentirse por fin satisfecho? ¿Está usted robándole la vida?

Los padres que privilegian sus propias necesidades transmiten a sus hijos que no serán capaces de sentir que sus logros, ni su vida, les pertenecen. Alicia Miller afirma: «Los niños que satisfacen los deseos de sus padres, de una forma consciente o inconsciente, son "buenos"; pero en cuanto se niegan a hacerlo, o expresan deseos propios que se oponen a los de sus progenitores, son tildados de egoístas y desconsiderados. No es normal que los padres necesiten a sus hijos para satisfacer sus propios deseos egoístas y los utilicen para este fin».

A los veinticuatro años, Deborah abandonó la universidad para casarse y tener hijos. Su marido, Jason, era vendedor y trabajaba muchas horas, viajaba frecuentemente, rara vez estaba en casa y sentía una constante presión económica para poder sacar adelante a su familia. Deborah se sentía sola, frustrada y deprimida. Desatendida por su marido, le robó la vida a sus dos hijas, Emily (dieciséis años) y Tanya (once años) de muy diversas formas.

Deborah se convirtió en «la mejor amiga» de Emily. Compartían todas las actividades y Deborah le comunicaba sus pensamientos y sus sentimientos más íntimos, incluyendo su sensación de soledad, su tristeza y todo lo que sentía en relación con su marido. Emily advirtió que su madre dependía de ella, e hizo todo lo que estaba en sus manos para hacerla feliz. Sacaba sobresalientes en el colegio, solía quedarse con ella los fines de semana en vez de salir con sus amigas, y decidió asistir a un instituto que quedaba cerca de su casa. Aunque algunas veces se sentía enfadada y un poco resentida, Emily se autocastigada por albergar estos sentimientos, debido a todos los sacrificios que su madre había hecho por ella. Deborah nunca se percató de que Emily no parecía tener muchos amigos, ni de que estaba cada día más triste. Jason parecía contento de que Emily llenara la vida de su esposa cuando él no estaba en casa. Emily tardó años en advertir que era muy desdichada.

Tanya, la hija menor, demostró ser una promesa como cantante desde muy corta edad. Aunque disfrutaba enormemente del canto, había otras cosas que le gustaban más. Sin embargo, su madre decidió que se convertiría en una famosa cantante. Con ese propósito, Deborah se comprometió activamente en la carrera de su hija, aprendiendo todo lo que podía acerca de la voz, contratando a los mejores profesores y asistiendo a todas las clases y recitales de su hija. Jason estaba tan ocupado con su propia vida que no se ocupaba demasiado de lo que hacía Tanya. Se sentía satisfecho porque Deborah estaba entretenida con su hija menor. Tanya llegó a pensar que su padre no la quería. Poco tiempo después comenzó a perder la ilusión por cantar, pero cada vez que lo mencionaba Deborah se echaba a llorar. En cierta ocasión en que Tanya había faltado a una clase de voz, su padre decidió hablar con ella y expresarle su desaprobación. Para Tanya fue maravilloso que Jason expresara su interés por lo que hacía. También comenzó a enfadarse con su madre porque no le permitía abandonar las clases de canto. Tanya aprendió que cuando faltaba a clase y cantaba mal en los recitales, sentía menos cólera hacia su madre (aunque Deborah estaba cada vez más enfadada con ella) y obtenía más atención de su padre. Este tira y afloja se convirtió en un ciclo vicioso de ira y resentimiento mutuos, hasta que llegó un momento en que ninguno de los miembros de la familia se sentía satisfecho.

Su hijo puede ser sorprendentemente astuto para identificar las ocasiones en las que usted no actúa en su beneficio. A un nivel inconsciente, puede percibir en qué momento antepone usted sus propias necesidades, y cuándo actúa motivado por lo que es mejor para usted, en vez de dar prioridad a lo que es positivo para él. Si su hijo piensa que no actúa pensando en su conveniencia, perderá la confianza que ha depositado en usted. Su autoestima se debilitará si concluye que quizá no es digno de que usted se ocupe de sus necesidades y, en ese caso, es muy probable que se enfade por hacerlo sentir mal y le guarde un profundo resentimiento. Este tipo de pensamientos y emociones pueden conducir a su hijo a una vida adulta en la que imperen la insatisfacción, la desconfianza y la desdicha.

SUS PROPIAS NECESIDADES FRENTE A LAS NECESIDADES DE SU HIJO

Las necesidades que lo impulsan a actuar no son diferentes de las que todos experimentamos y pretendemos satisfacer: ser amados, ser valorados, ser competentes, ser capaces de controlar las situaciones, recibir gratificaciones, dar un sentido a nuestra vida. Estas necesidades son una parte normal y sana del ser humano. El problema surge si sus esfuerzos por satisfacerlas son una compensación por no haberlas materializado cuando era niño o si, actualmente, se siente incapaz de hacerlo a través de una interacción positiva con las demás personas. Lo que deberían ser necesidades sanas se convierten entonces en compulsiones que exigen una satisfacción a cualquier precio para poder mantener su equilibrio psicológico y emocional.

También su hijo tiene necesidades básicas que son esenciales para que se convierta en un adulto exitoso y feliz: ser amado, sentirse seguro, sentirse competente, evolucionar, explorar, ser independiente. Desgraciadamente, cuando aún es pequeño tiene una capacidad limitada para satisfacer por sí mismo sus necesidades. Usted debe ofrecerle la libertad que necesita para materializarlas. Si no lo hace, quizá el niño se vea obligado a conseguirlo a cualquier coste. En este caso, buscará formas poco saludables de satisfacer sus necesidades frustradas y recurrirá a otras alternativas —que a veces son destructivas— para retomar el control de su vida.

BANDERAS ROJAS

Quizá el mayor obstáculo para el desarrollo de un niño exitoso y feliz es que usted le «robe» la vida a su hijo con el fin de satisfacer sus propias necesidades. Existen diversas banderas rojas que debería buscar en su propia persona, y en su pareja, para juzgar si está concediendo más importancia a sus propias necesidades que a las de su hija, o si le está robando su vida.

BANDERA ROJA 1: CÓMO ARREGLAR SUS IMPERFECCIONES

Es preciso reconocer los propios defectos, a pesar de lo incómodo que resulta hacerlo. Tomar conciencia de sus imperfecciones puede ser doloroso, puesto que quizá se vea obligado a analizar algunos puntos débiles que ha internalizado de sus padres. Para no enfrentarse con su ser imperfecto, probablemente proyecte sus imperfecciones en su hijo. Esta concesión le procura alivio porque es una forma de no aceptar, ni asumir, los así llamados defectos y, al mismo tiempo, le permite «arreglar» su propio ser imperfecto gracias a sus hijos.

Joanne no se sentía amada ni valorada por su marido, y estaba resentida con él por no responder a sus necesidades. Como él era director de un colegio y ella hacía muchos años que no trabajaba, se sentía tonta e inepta. Proyectaba sus sentimientos en su hija Jessie, a quien expresaba un amor que dependía de los resultados, y la presionaba sin piedad en todas las actividades en las que participaba, para asegurarse de potenciar sus posibilidades y evitar que la niña pudiera llegar a sentirse tan tonta o inútil como ella. Lamentablemente, en sus intentos por arreglar su propio ser imperfecto a través de su hija, Joanne produjo una réplica en vez de reparar sus imperfecciones a través de la vida de la niña.

Lo peor que puede suceder es que proyecte su propia sensación de ineptitud en su hijo, que odie ese aspecto del niño que se parece tanto a usted y luego intente desesperadamente corregir esos defectos. Si este es su caso, en realidad está castigando a su hijo por sus propias imperfecciones. Las expectativas y exigencias irracionales, las expresiones espontáneas de cólera y frustración como respuesta a un fallo o equivocación, una depresión prolongada, la sensación de fracaso y de pérdida, y la incapacidad para tolerar los errores de su hijo, son banderas rojas para los intentos de reparar su ser imperfecto, intentando «arreglar» a su hijo.

BANDERA ROJA 2: FUSIONARSE CON SU HIJO

Arthur había dedicado su vida a estimular el talento para el piano que revelaba su hija menor, Gwen. Aunque Arthur tenía otro hijo, la carrera musical de Gwen se estaba convirtiendo en el centro de las actividades familiares. En varias ocasiones, Arthur modificó la fecha y el destino de las vacaciones familiares para no interferir en la programación de los recitales de Gwen. Lentamente, comenzaron a surgir problemas de celos entre Gwen y su hermano mayor, que se sentía desplazado y desatendido. Arthur acosaba a Gwen para que practicara y, antes de cada recital, la humillaba recordándole que fuera al cuarto de baño. Cada vez que su padre hacía esto, ella dejaba escapar un suspiro de frustración y se enfadaba con él. Como es lógico, su ira a menudo afectaba su forma de tocar el piano.

Gwen estaba cada vez más disgustada con su padre y su ira comenzó a minar la relación. Lo que había comenzado como un vínculo de amor y apoyo para una actividad que le procuraba un gran deleite se convirtió en una fuerza opresiva que la apartaba de algo que valoraba mucho. La relación entre padre e hija terminó por deteriorarse cuando Arthur, indignado porque ella no apreciaba los sacrificios que estaba haciendo, comenzó a expresar su descontento presionándola cada vez más e involucrándose aún más en su carrera. Como ya no podían comunicarse sin que surgieran discusiones, la niña se enfrentó a su padre resistiendo todos sus esfuerzos por motivarla. La relación se convirtió en una lucha por el control de la música y de la vida de Gwen.

Ella intentó controlar la situación poniendo cada vez menos interés en las clases, simulando tener una lesión en la mano y saboteando sus recitales —evitaba el precalentamiento y, como consecuencia, tocaba el piano muy por debajo de sus posibilidades. Pronto comenzó a surgir un ciclo vicioso de presión, resistencia y cólera mutua. Aunque en un momento de su vida lo único que deseaba Gwen era sentarse frente al piano y practicar, ahora le despertaba poco o ningún interés y no le reportaba ningún placer. Esta situación tan destructiva culminó el día que Gwen anunció que abandonaba el piano para siempre.

En su entusiasmo por presenciar los progresos de su hijo, corre el riesgo de involucrarse tanto en la actividad en la que él aspira triunfar, que quizá no distinga entre sus propias necesidades de éxito y las del niño. El investigador de la Universidad de Washington Frank Smoll denomina a este proceso una «trampa de dependencia invertida». Los padres se identifican excesivamente con las experiencias de sus hijos y definen su propia autoestima según los éxitos que obtiene el niño en la actividad en la que espera conseguir éxito. «Sea precavido a la hora de interesarse por las actividades y logros de su hijo para que no poner en juego su propia autoestima. Así como la autoestima de un niño no depende de los éxitos que cosecha, la de un adulto no se basa en los logros de los niños... Su propia autoestima no tiene por qué aumentar ni disminuir de acuerdo con los éxitos y fracasos de su hijo adolescente», escribe Shirley Gould.

Si la actividad se torna más importante para usted que para su hijo, a él pronto dejará de importarle. Este interés excesivo por su parte, en vez de fomentar la participación de su hijo, atenta contra el propio interés del niño y contra la sensación de pertenencia que ha desarrollado en relación con dicha actividad. Su hijo acaso piense que la actividad ya no le pertenece, porque usted parece estar más involucrado en ella que él mismo. En esencia, *usted se fusiona con su hijo* en los esfuerzos que realiza por conquistar sus objetivos.

Al fusionarse con él, asumirá funciones ajenas al ámbito de la educación de los hijos, tal como programar sus actividades sin contar con el niño, hablar demasiado sobre el interés que tiene el niño por conquistar el éxito, asistir a todos los eventos y dirigirlo o entrenarlo personalmente. Un signo temprano que puede indicar que se está fusionando con su hijo es que usted asuma la responsabilidad de sus actos, por ejemplo preguntándole constantemente si ha cumplido con sus obligaciones, si mantiene su equipo en condiciones adecuadas o si está verdaderamente preparado para una inminente actuación.

Otra situación que puede servirle de advertencia para reconocer que se ha fusionado con él es que la actividad en la que se espera que el niño sea un triunfador haya comenzado a dominar la vida familiar. ¿Están planificando sus vacaciones de acuerdo con el programa de actuaciones del niño, o están sacrificando sus propias necesidades y actividades para que progrese más? ¿Están favoreciendo al hijo que tiene más probabilidades de triunfar, hasta el extremo de que sus hermanos consideran que es el favorito y se sienten desplazados?

Fusionarse con un niño que aspira a triunfar es especialmente dañino porque no solo lo perjudica a él, sino también a sus hermanos. Un exceso de amor, atención, energía y recursos puede ocasionar que sus hermanos fracasen precisamente en las áreas en las que él destaca. Sus otros hijos pueden sentir que no son amados, que son inútiles y que usted los ha abandonado. Un favoritismo persistente provocará un conflicto duradero en el seno familiar. Además, muchas de las banderas rojas que hemos analizado —la baja autoestima, la escasa capacidad para conquistar logros y la inmadurez emocional— no solamente se puede manifestar en el niño que promete ser un gran triunfador, sino también en sus otros hijos, que se sienten cada vez más desplazados.

Por último, el signo más claro, y el que más temor despierta, es descubrir que usted habla de las intervenciones de su hijo en términos de lo bien que lo «han» hecho: «Hoy hemos jugado muy bien», «Hoy no ha sido nuestro día» y «Tenemos que trabajar más». Jamás he visto a los padres participar junto a sus hijos en un campo, en un escenario o en el aula. ¿Utiliza usted la palabra «nosotros»? Si la respuesta es afirmativa, esto debería levantar una bandera roja para usted.

BANDERA ROJA 3: COLOCAR SU FELICIDAD SOBRE LOS HOMBROS DE SU HIJO

Uno de los grandes placeres de ser padre es compartir los progresos de su hijo. Es sano y normal que usted se entusiasme por sus logros y se decepcione por sus fracasos. No obstante, *compartir* los éxitos de su hijo no significa *vivir a través de ellos*. Lawrence J. Greene, autor de *The Life-smart Kid*, escribe: «Los padres que intentan vivir indirectamente a través de las conquistas de sus hijos, les imponen una pesada carga emocional; les piden que asuman la responsabilidad de complacerlos... Los niños que aceptan interpretar este guion no pueden evitar sentirse frustrados, insatisfechos, resentidos y enfadados... Se encuentran inmersos en una situación muy comprometida... Su respuesta a este dilema emocionalmente desgarrador puede ser el retraimiento y la depresión o expresar su ira de una forma contraproducente».

Hay una sutil pero importante diferencia entre compartir los logros del niño y vivir indirectamente a través de él. Cuando usted comparte las experiencias de su hijo, él es el centro de su atención. Lo más importante es lo que la experiencia significa para él —las emociones que experimenta, las lecciones que aprende y los beneficios que le reporta. Cuando su hijo triunfa, usted se emociona; cuando fracasa, presiente su tristeza. Cuando se trata de compartir, *lo esencial es su hijo.* Si, por el contrario, usted vive indirectamente a través de él, se está centrando en su propia persona: en sus propias emociones, en lo que la experiencia de su hijo significa para usted y en los beneficios que obtiene. Si el niño tiene éxito, usted siente que ha triunfado. Si el niño fracasa, es usted quien ha fallado. Al vivir indirectamente a través de su hijo, *usted únicamente se ocupa de sí mismo.*

En nuestros días es muy difícil ser niño. Su hijo tiene demasiadas responsabilidades: el colegio, la familia, la vida social, los deportes y las actividades artísticas y religiosas. Quizá esté llenando de actividades su vida y no le deje tiempo libre para ser simplemente un niño. Todas estas tareas son suficientes para agobiarlo, aunque quizá añada usted la responsabilidad de hacerlo feliz.

Si no se encuentra satisfecho con su propia vida, para la que no encuentra ningún sentido, y espera que su hijo sea la fuente esencial de gratificación para su ego, su autoestima dependerá de los éxitos del niño. ¡Y él lo sabe!

¡Imaginen la carga que supone esta actitud para el niño! Cada vez que su hijo participe en alguna actividad llevará el peso de su felicidad y su bienestar sobre los hombros. Si triunfa, usted se sentirá feliz, aunque solamente hasta su próxima actuación. Si fracasa, usted se sentirá desdichado hasta que mejore su rendimiento.

La primera bandera roja que puede indicar que usted ha colocado el peso de su felicidad sobre los hombros de sus hijos se relaciona con la intensidad de sus emociones, en comparación con las de su hijo. ¿Las emociones que le generan las actividades en las que espera que su hijo triunfe son más intensas que las del niño? ¿Se pone usted más nervioso que él, o ella, antes de una actuación? ¿Se entusiasma más que él cuando triunfa y se desilusiona más cuando no rinde según sus expectativas?

La segunda indicación de peligro es la duración de estas emociones. ¿Persisten durante un intervalo de tiempo prolongado? ¿Se siente deprimido durante varios días después de una mala actuación de su hijo? ¿Acaso estas emociones dominan su vida y es incapaz de ocultarlas? ¿Interfieren en sus actividades diarias, en vez de olvidarse de ellas y seguir con su propia vida?

El tercer indicador del conflicto es que preste más atención a lo que *usted* siente y se preocupe menos por lo que siente *el niño* respecto de su rendimiento. Cuando el niño participa en una de las actividades en las que espera destacar, ¿se convierte en el tema central de su conversación? ¿Evalúa su rendimiento y le comunica lo que ha significado para usted? ¿Está tan pendiente de sus propios sentimientos que no advierte las impresiones o sentimientos del niño en relación con su participación y ni siquiera le pregunta cómo se siente?

La cuarta bandera roja es que usted se preocupe más por los resultados —el prestigio, la clasificación, las notas y las puntuaciones de las pruebas— que por los beneficios que la actividad puede reportar para el desarrollo del niño. ¿Qué es lo primero que le pregunta después de una actuación? «¿Cuál ha sido el resultado?» Si privilegia los resultados en lugar de interesarse por el proceso global —por ejemplo, al preguntarle si se lo ha pasado bien, o qué es lo que ha aprendido de la experiencia—, acaso esté colocando su felicidad sobre los hombros de su hijo.

Hace algunos años un profesor de danza me solicitó que trabajara con una joven bailarina, Danielle. El profesor pensó con buen criterio que me ocuparía en primer lugar de la madre, Karen, ya que los problemas de Danielle parecían provenir de su relación con ella. Pronto me percaté de que ella condicionaba su propia felicidad a los logros de su hija. Se sentía tremendamente culpable porque su hijo mayor tenía graves problemas. Su marido había contribuido a aumentar su sensación de culpa al responsabilizarla por las dificultades de su hijo. Karen luchaba contra la idea de que era una mala madre que había arruinado la vida de su hijo. Su única vía de redención posible era educar correctamente a Danielle, demostrando a su marido y al mundo, y en especial a sí misma, que era una buena madre.

Con este fin, dedicaba toda su energía a asegurarse que Danielle sería una verdadera triunfadora. Lamentablemente, sus esfuerzos tenían precisamente el efecto contrario. Su hija se enfadaba con ella, le expresaba su resentimiento y oponía una firme resistencia a sus esfuerzos. La relación se deterioró y la carrera de bailarina de Danielle también resultó afectada. El mayor miedo de Karen —comprobar que era realmente esa madre horrorosa que todos creían que era— se estaba convirtiendo en realidad.

BANDERA ROJA 4: PERDER LA PERSPECTIVA

Muchas de las actividades que pueden potenciar el desarrollo de los niños son muy tentadoras. La fama y la fortuna derivadas del buen rendimiento en el colegio, del éxito en los deportes o en el arte de la interpretación parecen estar esperando a su hijo si tiene el talento y la determinación necesarias para llegar hasta ese nivel. Este sueño puede ocasionar que pierda usted la perspectiva respecto del valor intrínseco del éxito. Su hijo tiene un punto de vista limitado porque carece de experiencia, percibe al mundo de una forma parcial y únicamente tiene en cuenta el futuro inmediato. Puede sentirse fácilmente atraída por el eslogan, la imagen o el aspecto del caldero lleno de oro que hay al final del arco iris de los éxitos. Rara vez será capaz de percibir todo lo que implica llegar hasta allí, ni las pocas probabilidades que tiene de materializar ese sueño. Un estudio indica, por ejemplo, que el setenta por ciento de los chicos que habitan en las zonas urbanas deprimidas albergan la esperanza de ser deportistas profesionales cuando, en realidad, sus oportunidades de llegar a serlo es de 1 entre 10.000.

Si usted espera que se concrete esta perspectiva tan poco realista e invierte su energía en esa ilusión, estará preparando un fracaso para su hijo y una decepción para sí mismo. Si se deja seducir por este punto de vista ingenuo y lo anima a esforzarse por llegar a esa meta, le infligirá un daño potencial que, a largo plazo, será irreparable. Quizá ambos piensen únicamente en la cara buena del éxito, y probablemente no tengan conciencia de su precio: los sacrificios, las limitaciones, la soledad y los peajes físicos, sociales y emocionales que hay que pagar por él. Si pudiera anticipar la parte negativa del éxito, quizá reconsideraría el valor que tiene proponerle a su hijo una meta tan poco realista y singular.

Las posibilidades de conquistar la grandeza son infinitesimalmente pequeñas. ¿Cuántos Pavarottis, Hawkings, Navratilovas emergen en cada generación? ¿Cuál es la probabilidad de poder rentabilizar su inversión en forma de fama y fortuna? Muy remota. Si ni usted ni su hijo piensan en la cara amarga del éxito, no advertirán que están invirtiendo sus energías en algo imposible de conseguir. Si cree que la forma de sacar a su hijo del gueto es convertirlo en el próximo Michael Jordan, las posibilidades de que no lo consiga son de 999.999 sobre 1.000.000.

No hay mejor ejemplo para ilustrar lo que significa perder la perspectiva que el escándalo que se produjo en la Liga Infantil Mundial de 2001. Un lanzador de béisbol del Bronx, Nueva York, logró superar al bateador con un juego perfecto y condujo a su equipo hasta el tercer puesto del torneo —el niño consiguió convertirse en un héroe nacional. Una investigación ulterior reveló que tenía catorce años y no doce, es decir, no reunía las condiciones exigidas por la federación. Su padre había modificado su partida de nacimiento para que pudiera jugar. Aunque la razón del engaño aún no ha sido aclarada, lo que se especula es que el padre del niño quería catapultarlo a las ligas más importantes. Resulta irónico pensar que solamente veintiún jugadores han conseguido jugar en las ligas principales en los cincuenta y tres años de historia de la Liga Infantil Mundial.

BANDERA ROJA 5: EXPONER AL NIÑO A SITUACIONES QUE SUPERAN SUS POSIBILIDADES

En su celo por estimular el desarrollo de su hijo, corre el riesgo de exigirle demasiado con el fin de que alcance niveles cada vez mayores de éxito, aunque quizá no esté preparado para hacerlo. Por ejemplo, los padres de un jugador de ajedrez pueden apuntarlo en torneos cada vez más competitivos, o los de un percursionista pueden obligarlo a participar en una orquesta de mejor nivel. El doctor T. Berry Brazelton, autor de *What Every Baby Knows*, observa que «hoy en día, los padres parecen estar muy preocupados, e incluso un poco ansiosos, por los primeros años de aprendizaje de sus hijos. Cuando el niño tiene dificultades al comenzar el colegio, la ansiedad de los padres por demostrar que no tiene ningún problema puede conducirlos a obligar al niño a realizar determinadas cosas para las que aún no está preparado... Cuando los padres ejercen mucha presión sobre sus hijos, los educarán en un ambiente tirante y falto de alegría... En el futuro, los niños tendrán muchas dificultades para responder a las exigencias de nuestra complicada sociedad». Al expresarle a su hijo expectativas para las que no está preparado, conseguirá únicamente inhibir su aprendizaje en vez de facilitar su rendimiento, promover su interés y enseñarle a disfrutar de la actividad en la que participa.

La pregunta esencial es: ¿Por qué coloca usted a su hijo en una situación para la que no está preparado? Uno de los motivos puede ser que sobrestime sus capacidades, o que no tenga una opinión realista de sus posibilidades de triunfar en una determinada actividad. Es posible que lo compare con sus compañeros para expresar sus juicios. Acaso piense: «Mi hija es mucho mejor en matemáticas que la hija de mi vecina, de modo que está preparada para ir a una clase más avanzada». Su propio ego y sus necesidades de éxito pueden ser el motivo por el que le exige demasiado. Debido a todo lo que ha invertido en su hijo, a nivel emocional, quizá le resulte difícil admitir que no es ni el más brillante ni el que más talento tiene. Si usted proyecta su propio ser imperfecto en su hijo, puede intentar exorcizar las imperfecciones del niño cuanto antes, presionándolo para que aspire a un nivel de éxitos cada vez más alto.

El deseo de «acelerar» el desarrollo del niño es otra de las razones por las que se le exige un rendimiento que supera sus posibilidades. En nuestra sociedad, que tanto valora y recompensa el éxito y la competencia, usted puede sentirse obligado a ayudarlo a coger el atajo hacia el éxito. Esta urgencia se pone de manifiesto cuando usted se empeña en que el niño tome clases privadas innecesarias, intervenga en programas destinados a los niños de inteligencia superior, contrate profesores particulares y lo obligue a realizar otras actividades. También puede sentir la necesidad de «que se mantenga al mismo nivel que el hijo de los Jones». Acaso piense que no está haciendo por su hijo tanto como otros padres y que él sufrirá las consecuencias de su «falta de atención». Desgraciadamente, quizá no se percate de que es imposible adelantar su desarrollo; es preciso invertir en él el tiempo y el esfuerzo necesarios y permitirle avanzar según su propio ritmo.

El doctor Benjamin Bloom, autor de *Developing Talent in Young People,* estima que cuando se presiona a los niños para que asciendan rápidamente por la escalera del desarrollo evolutivo, en realidad solo se consigue demorar su progreso. Describe la etapa inicial del desarrollo como un periodo en el que se debe destacar la importancia del juego, de la diversión y la exploración. En ese momento, los niños aprenden las habilidades fundamentales y comienzan a interesarse por las actividades que le permitirán desarrollar sus aptitudes. El doctor Bloom descubrió que cuando los padres se empeñaban en que los niños progresaran más rápidamente, dificultaban el descubrimiento de aquellas áreas para las que estaban especialmente dotados y los privaban de la motivación y las actividades que podían ayudarlos a triunfar en el futuro.

El mismo niño puede ser responsable de que le exijan algo para lo que aún no está preparado. Quizá se sienta motivado a intentar superar sus posibilidades porque percibe la presión de sus padres, o porque desea estar al mismo nivel que sus compañeros, o a la altura de los modelos que recibe a través de los medios de comunicación. Lo que el niño ignora es que este deseo en realidad representa un obstáculo para su desarrollo. Debería usted comunicarle un punto de vista apropiado y guiarlo para que pueda evolucionar a su propio ritmo.

El renombrado psicólogo de la Universidad de Chicago, Mihalyi Csikszentmihalyi desarrolló una simple y elegante teoría de la motivación y el progreso que señala los peligros que implica exigir a los niños determinados objetivos para los que no están preparados. Si la capacidad del niño sobrepasa las exigencias de la situación, probablemente se aburrirá y perderá interés. Esto es muy común entre los alumnos brillantes, para los que las lecciones escolares no suponen ningún reto. Sin embargo, si los requisitos de la situación superan con creces las posibilidades del niño, se sentirá frustrado y probablemente fracasará de un modo rotundo.

Si somete a su hijo a una situación en la que se siente muy abrumado, existe el peligro real de que no demuestre ningún interés y pierda toda motivación para intervenir en una actividad que puede potenciar su capacidad.

La forma en que usted reacciona cuando su hijo no rinde según lo esperado debido a que la situación excede sus posibilidades, puede lograr que se sienta frustrado. En vez de comprender que sus dificultades son una consecuencia de sus exigencias, se arriesga a culpabilizarlo por sus «fallos.» Si no comprende que él no está a la altura de esa situación, puede llegar a creer que es torpe o inepto y transmitirle esa opinión de una forma sutil, aunque no sea esa su intención. Exponerlo de forma constante a circunstancias que superan sus habilidades le hará sentirse incompetente. Si estas experiencias son frecuentes, su sensación de ser un inútil puede llegar a afectar su autoestima y creer que es una persona totalmente inepta.

Recientemente asistí a un torneo de tenis que congregaba a jugadores de un nivel bastante alto. Había sido organizado de manera que cada jugador tuviera que disputar al menos tres partidos en dos días. Cuando llegué al club de tenis, vi en la pista a un padre ayudando a su hija durante el precalentamiento. Era evidente que esta joven jugadora no hacía demasiado tiempo que competía y, aparentemente, no era muy diestra. En su primer partido perdió 6-0, 6-0 y solo consiguió ganar unos pocos puntos. Abandonó la pista llorando y, aunque su padre le mostró su apoyo y su aliento, era obvio que también él estaba decepcionado. Los dos partidos siguientes terminaron de una forma similar. No consiguió ganar nada más que algunos puntos y ningún juego. Después de disputar cada partido se sentía francamente mal y, mientras las otras chicas hablaban o jugaban a las cartas, ella permanecía en un rincón junto a su padre, y era evidente que estaba muy afligida. Lo interesante es que las chicas que la habían vencido no parecían alegrarse de su victoria. La jugadora con la cual yo estaba trabajando estuvo a punto de llorar cuando abandonó la pista, porque se sentía fatal por haberla vencido tan rotundamente. No me asombré al no volver a ver a esa niña en los torneos de aquel verano.

BANDERA ROJA 6: LA GUERRA DE VOLUNTADES

Quizá la bandera roja que más salta a la vista surge cuando usted y su hijo libran una guerra de voluntades por controlar la vida del niño. Es natural que existan algunos conflictos en la relación padre-hijo, pero si usted y su hijo están constantemente en desacuerdo, discuten y se enfadan con más frecuencia de lo que se expresan su cariño mutuo, la relación puede convertirse en un tira y afloja en el que no hay una victoria clara y ambos se convierten en víctimas.

Al comienzo de esta lucha por el poder acaso piense que puede dominar la situación porque, por ser el padre (o la madre), puede evaluar sus necesidades mejor que él. No obstante, es probable que ese control aparente no sea más que una ilusión. La realidad es que, si participa en una guerra de voluntades, usted será automáticamente vencido, y su hijo y la relación que mantiene con él serán las víctimas de la guerra.

La guerra de voluntades puede comenzar a muy temprana edad cuando, por ejemplo, usted intenta obligar a su hijo a comer algo, a obedecerlo, o a comportarse correctamente en público. El niño puede tomar represalias y oponerse a sus órdenes, por ejemplo, apelando a una rabieta para avergonzarlo en público. De este modo, cada uno habrá tomado su decisión y puede existir el riesgo de que se produzca una escalada de la guerra.

La guerra de voluntades normalmente se produce cuando usted comienza a educar a su hijo permitiéndole que asuma el control. Usted le cede el poder cuando no es capaz de mantenerse firme, cuando claudica ante la conducta de su hijo y le permite actuar como le plazca. En este caso, habrá perdido la guerra porque su hijo pronto aprende todo lo que necesita saber para salirse con la suya. También le cede el control cuando reacciona como si usted mismo fuera un niño, por ejemplo, con una rabieta. Su hijo también resultará vencedor si intenta sobornarlo para conseguir que se comporte como usted desea. En todos los casos, él aprende que puede dominarlo.

Otro modo de declarar la guerra de voluntades puede tener lugar durante la adolescencia, cuando su hijo inicia la transición de la niñez al estado adulto. En el proceso de separación que su hijo debe atravesar para convertirse en un adulto independiente es natural que existan algunos conflictos. Su hijo empezará a probar sus límites, comenzará a experimentar con esta novedad denominada adultez y «sacará pecho». Como sucede en toda guerra de voluntades, usted debe mantenerse firme a la hora de hacerle respetar límites razonables y, al mismo tiempo, debe prestar mucha atención para que sean apropiados a su edad.

Desgraciadamente, si usted está más preocupado por satisfacer sus propias necesidades que las de su hijo —por ejemplo, su necesidad de ser amado, de recibir apoyo, de ser reconocido—, quizá no se muestre muy dispuesto a darle más libertad. La única respuesta posible del niño será la resistencia, y este conflicto puede desembocar en una batalla campal de voluntades que aspiran conquistar el control de la vida del niño, en vez de expresarse a través de las peleas normales y sanas que tienen lugar entre padres e hijos. En este punto, cada uno define su posición y el campo de batalla puede extenderse hasta abarcar todos los aspectos de la vida del niño, incluidos la familia, el colegio, los amigos, su forma de vestir, sus límites y sus actividades.

Esta lucha de poder continuará en tanto usted se resista a aceptar la floreciente independencia del niño. Esto solo puede dar como resultado un mal final para ambos. Pero, en última instancia, su hijo será el vencedor porque, en cuanto se transforme en un adulto, tendrá el control de su propia vida y, si así lo decide, se alejará de usted. En ese caso, habrá perdido la batalla porque se habrá privado del amor y del apoyo de sus padres. Pero usted será un completo perdedor, porque habrá perdido la batalla por el control de la vida de su hijo y acaso también lo haya perdido a él para siempre.

DAR PRIORIDAD A LAS NECESIDADES DE SU HIJO

Su mayor responsabilidad es anteponer las necesidades de su hijo a las suyas. Del mismo modo que el niño puede percibir que usted privilegia sus propios intereses, también será consciente cuando usted dé prioridad a las necesidades que él tiene. Su hijo puede «oler» sus intenciones. Si son interesadas, probablemente se opondrá a sus sugerencias. Por el contrario, si usted tiene voluntad de ayudarlo, lo más probable es que se muestre muy colaborador. Al niño no siempre le gusta lo que usted hace, pero si le comunica que lo hace por un buen motivo —es decir, porque a largo plazo será mejor para él— será más probable que acepte sus instrucciones y actúe en concordancia con ellas.

RECONOCER LAS PROPIAS NECESIDADES

Es preciso que se plantee el importante desafío de reconocer sus propias necesidades en relación con las actividades que pueden potenciar el talento de su hijo. Lo que dificulta el proceso es que, a menudo, las personas se dejan llevar por necesidades de las que tienen muy poca conciencia y que, por lo tanto, no son capaces de controlar. Dichas necesidades pueden estar basadas en experiencias y percepciones de la infancia reforzadas durante años. Su capacidad para reconocer sus necesidades y comprender que pueden hacer sufrir a su hijo es una de las tareas más importantes para ayudarlo a convertirse en un gran triunfador.

En este proceso de reconocimiento, el primer paso es ser capaz de «mirarse en el espejo» y analizar su maravilloso, aunque imperfecto, ser. Es necesario admitir que el proceso puede ser complicado, sin embargo, quizá sea determinante para que su hijo consiga el éxito y la felicidad. Con la ayuda de un psicoterapeuta, de su esposa o de un amigo, o por cualquier otro medio, puede analizar los aspectos que no le gustan de sí mismo y de qué forma puede estar proyectándose en su hijo. Una forma de poder identificar su ser imperfecto es reconocer los momentos en los que experimenta reacciones emocionales exageradas o inadecuadas ante una determinada situación: ira, decepción o aflicción. Quizá advierta que le ocurre con especial intensidad cuando su hijo no tiene un buen rendimiento en la actividad que ha elegido.

Pregúntese: ¿Cuál es el origen de estas emociones? ¿Qué parte de usted reacciona ante la situación en la que se encuentra su hija? Probablemente descubra que la causa se encuentra en las dolorosas emociones que experimentó cuando era niño —sentirse inútil, inseguro, temeroso— como respuesta a las reacciones que sus propios padres manifestaban respecto de sus esfuerzos por conseguir el éxito.

Al tomar conciencia de los motivos que lo impulsan a reaccionar de ese modo podrá comprender cuáles son las reacciones más beneficiosas para su hija. La próxima vez que deba enfrentarse a una situación que le provoque una reacción similar deberá reconocerlo, mantener una perspectiva sana y modificar su actitud en beneficio de los mejores intereses de su hija —y no de los suyos. Este proceso de cambio no será sencillo —requerirá tiempo y un considerable esfuerzo—, aunque valdrá la pena tomar la valiente decisión de anteponer las necesidades del niño a las propias, ya que de ello depende que pueda convertirse en una persona exitosa y feliz.

CONSIDERAR LA VERDADERA DIMENSIÓN DE LAS COSAS Y ATENERSE A ELLA

No debería permitir que su hijo intervenga en una actividad para la que tiene aptitudes especiales, a menos que tenga una opinión favorable en cuanto a su participación y rendimiento. Sin esta actitud, estará preparando al niño para el fracaso y se estará condenando a sí mismo a la desilusión. Debe hacerse algunas preguntas, como, por ejemplo: ¿Por qué quiero que mi hijo participe en esta actividad? ¿Que obtendrá de la experiencia? ¿Cuáles son mis expectativas? ¿Qué obstáculos pueden interferir en esta experiencia? ¿Cuáles son los inconvenientes potenciales de su participación? ¿Cuáles son las posibles ventajas?

Quizá la perspectiva más simple y sana que puede usted adoptar se resume como sigue: el propósito esencial de la participación de mi hijo en esta actividad es aprender lecciones que serán útiles para su vida y obtener beneficios sociales, emocionales, psicológicos (y posiblemente físicos) que incluyen, aunque no se limitan a, la diversión, el amor por una actividad específica y la conquista de la maestría, la motivación, el compromiso, la confianza, la concentración, la madurez emocional, la capacidad para tolerar la competencia y la presión, la responsabilidad, la disciplina, la cooperación, el liderazgo, el trabajo en equipo y la habilidad para administrar el tiempo; todas ellas cualidades que lo beneficiarán en el futuro. Cualquier otra cosa —por ejemplo, un gran éxito, la fama y la fortuna— será simplemente la guinda para el pastel.

Otra ventaja que supone mantener una perspectiva favorable incluye someter a prueba sus propias percepciones. Incluso con la mejor de las intenciones, es difícil sustraerse al encanto que tiene una actividad destinada a conquistar el éxito, particularmente si es muy popular (por ejemplo, los deportes profesionales, la interpretación) o si el niño ha demostrado tener un talento precoz para ella. Si su hijo comienza a participar en una nueva actividad, y usted fantasea con que conseguirá un éxito absoluto porque confía en su talento, deberá someter su presunción a la prueba de la realidad. En primer lugar, debería considerar de inmediato cuál es la perspectiva sana de la que ya hemos hablado (puede apuntarlo en un papel y colocarlo en la puerta de la nevera hasta que su hijo esté en edad de ir al instituto).

Luego, a medida que su hijo se comprometa cada vez más con su actividad, deberá poner a prueba su capacidad. A menos que tenga experiencia en la actividad en cuestión (si ha participado alguna vez en ella, o ha sido maestro, instructor o entrenador), usted no está en situación de juzgar adecuadamente las habilidades de su hijo ni sus posibilidades futuras. Es muy probable que sus impresiones estén distorsionadas, y sería aconsejable que consultara con algún experto que pueda evaluar positivamente la capacidad del niño.

Que el niño realmente no tenga capacidad para ser un gran triunfador no significa que no deba intentarlo enérgicamente. Si le gusta la actividad y está decidido a participar en ella, será capaz de alcanzar cierto nivel de éxito y, volviendo a la perspectiva, podrá aprender lecciones muy valiosas para su vida, que le serán muy útiles en el futuro. En cierta ocasión le comenté al padre de un joven atleta con una destreza limitada: «Su hijo puede no destacar en este deporte, pero, con toda seguridad, conseguirá triunfar en *algo*».

Recuerde que predecir el éxito futuro es una tarea incierta. Piense en todos los «fenómenos» y en todos los niños «ganadores» que nunca llegaron a ser lo que se esperaba de ellos y, en realidad, terminaron perdiendo. Y recuerden a aquellos que simplemente «no reunían los requisitos necesarios» y, sin embargo, se convirtieron en «estrellas». No se debería evaluar las habilidades del niño con el fin de determinar el apoyo y el ánimo que es preciso darle, ni para poner límites a sus sueños y objetivos. En una ocasión alguien dijo: «Si no aspiras a alcanzar las estrellas, nunca llegarás ni siquiera a la cima de la montaña». Usted debería considerar objetivamente la capacidad que tiene el niño para mantener una perspectiva realista y centrarse en lo que puede hacer para ofrecerle su ayuda y apoyo.

Con una perspectiva sana y razonable usted estará en posición de brindarle su apoyo y estimular a su hijo para que satisfaga sus propias necesidades, y no las suyas. Independientemente de la habilidad que tenga el niño, o de que sea una futura promesa, usted estará haciendo lo que él necesita para alcanzar el mayor nivel de acuerdo con sus posibilidades y obtener los mayores beneficios de su participación en una actividad que le reportará beneficios en todo lo que emprenda en el futuro.

COMPRENDER LAS NECESIDADES DE SU HIJO

Comprender las necesidades de su hijo es aún más importante que anteponerlas a las propias. Quizá la mejor forma de juzgar cuáles son las necesidades de un niño es observarlo, para descubrir qué es lo que más le gusta de la actividad en la que participa, qué es lo que le causa más placer y cuáles son sus objetivos. El mero hecho de observar cómo se desenvuelve un niño puede decirle mucho sobre sus necesidades.

También puede hablar con los maestros, instructores y entrenadores, para conocer las necesidades del niño. Como ellos comparten con él más tiempo que usted en la actividad elegida (suponiendo que ya existe esa actividad, aunque quizá esté aún en el proceso de descubrirla), a menudo están más capacitados para decir cómo se siente el niño. Esta información es valiosa porque el niño puede comportarse de una forma diferente cuando usted está presente —con el fin de complacerlo— y desenvolverse más espontáneamente cuando está con otras personas. En dichas ocasiones, los niños a menudo demuestran lo que realmente sienten en relación con sus obligaciones. Quizá descubra usted una faceta de su hijo que ignoraba por completo pero que es esencial que conozca. Además, puede preguntarle al niño cuáles son sus necesidades para conocer directamente a través de él qué es lo que le gustaría hacer. Alicia Miller escribe: «Muchos padres no comprenden a sus hijos, a pesar de sus mejores intenciones, porque están influenciados por la experiencia que han tenido con sus propios padres. Es fundamental que los padres respeten los sentimientos de sus hijos, aunque no sean capaces de comprenderlos».

EVITAR LA GUERRA DE VOLUNTADES

Lo que su hijo no sabe, pero usted sí debe comprender, es que la única forma en que puede llegar a ser independiente y asumir el verdadero control de su vida es que usted se haga cargo de ella durante sus primeros años de existencia. Si es capaz de hacerse con el control desde el primer enfrentamiento antes de que comience una verdadera guerra, logrará crear un ambiente de amor y seguridad y establecer los límites dentro de los cuales el niño puede sentirse a salvo para explorar su mundo y sus habilidades, y conquistar de una forma lenta pero segura el poder sobre su propia vida.

Para evitar esta guerra de voluntades, debe transmitirle el mensaje claro de que es usted quien manda, y que lo será hasta que él sea lo suficientemente maduro para tomar las riendas de su vida. Evite la guerra de voluntades comportándose usted mismo como un adulto. Si lo hace —es decir, si se comporta de una forma madura, controlada, serena, positiva y enérgica—, habrá ganado la primera batalla y habrá evitado descender hasta el nivel de su hijo, hablando en términos de emociones o conductas. Si actúa como debe hacerlo un padre que aspira lo mejor para su hijo, conseguirá neutralizar la lucha por el poder. Asumir el papel de padre significa establecer expectativas claras y consecuencias indiscutibles, obligar a su hijo a atenerse a dichas expectativas y reforzar las consecuencias de una forma firme, cariñosa y constante.

Más adelante, cuando su hijo sea un adolescente y necesite separarse de sus padres para seguir adelante con su desarrollo, surgirá una segunda guerra de voluntades. Es él quien tiene que ganar esta contienda —y usted debe permitírselo—, pues es la única forma de que se convierta en un adulto maduro e independiente. Para evitar que los conflictos normales que existen entre usted y su hijo se conviertan en una guerra de voluntades, deberá encontrar un equilibrio entre su obligación de estar al mando de la situación con el fin de ejercer el control suficiente como para garantizar su seguridad y la necesidad de cederle el control de su vida progresivamente, teniendo siempre en cuenta su edad, para que sea capaz de tomar decisiones, fijar sus propios límites y ser libre.

Antes de que comience este proceso, puede ofrecerle a su hijo pequeñas «victorias» para que sienta que puede controlar algunos aspectos su vida, por ejemplo, elegir la ropa que se va a poner, la música que quiere escuchar; sin embargo, al mismo tiempo, deberá seguir haciéndose cargo de los aspectos «importantes», tal como el rendimiento en la escuela, la hora a la que debe volver a casa y el tipo de actividades sociales en las que puede participar. Más adelante, durante el proceso de separación, usted deberá confiar en que ha hecho un buen trabajo y considerar que su hijo es suficientemente maduro como para tomar decisiones y asumir la responsabilidad de su vida. En última instancia, todos los temas que aborda este libro tienen como objetivo ayudar a los padres a mantener el equilibrio entre el control y la libertad, evitar la guerra de voluntades, que es potencialmente destructiva, y hacer todo aquello que resulte provechoso para sus hijos.

UN DESAFÍO PARA SU HIJO

La consecución del éxito es un proceso constituido por pequeños pasos y no por grandes saltos. Tal como lo expresa un entrenador, «el éxito es un maratón y no una carrera corta». Un error común que cometen los padres es presionar a sus hijos para que den pasos para los que no están preparados. A pesar de las intenciones de los padres, cuando los niños intentan dar pasos tan grandes solo consiguen retrasar su progreso.

Usted debe hacer todo lo que está en sus manos para garantizar que el niño siga interesado en la actividad que ha elegido y se sienta motivado para mantener un progreso constante con el fin de cumplir sus objetivos. Csikszentmihalyi sugiere que será más probable que lo haga si las exigencias de la actividad exceden ligeramente su capacidad. Esta situación representa un estímulo para el niño y, al mismo tiempo, un desafío que le ofrece la oportunidad de comprobar que si se esfuerza por superar sus posibilidades y persevera en su intento de responder a estas exigencias, conseguirá el éxito.

Como padre puede desempeñar un papel fundamental en este proceso si tiene en cuenta dos cosas. En primer lugar, debe comprender cuál es el nivel de desarrollo del niño en la actividad para la que tiene condiciones. ¿Cuál es su nivel actual? ¿Qué progreso ha hecho? ¿Cuál es el siguiente paso que sería razonable que diera el niño? ¿Qué tipo de exigencias se puede esperar una vez dado el próximo paso?

En segundo lugar, debe evaluar la capacidad del niño en su nivel actual de desarrollo. ¿Cuáles son sus habilidades actuales? ¿Qué es lo que necesita para seguir avanzando en su desarrollo? ¿Cuál es la mejor forma de que aprenda y desarrolle sus aptitudes? Conocer las cualidades del niño le ayudará a definir lo que tiene que aprender su hijo para superar el siguiente nivel de dificultad.

Para obtener respuestas para todas estas preguntas, debe transformarse en un consumidor informado y recoger toda la información necesaria para satisfacer las necesidades del niño y potenciar las experiencias que puedan contribuir a su progreso. Los maestros, instructores, entrenadores y otros padres más experimentados que usted pueden ayudarlo a educar a su hijo y a crear el escenario ideal para conquistar el éxito que ha descrito Csikszentmihalyi.

EL TEMA DE LOS HERMANOS

Si tiene varios hijos, habrá observado que el temperamento, los intereses, las motivaciones y la capacidad de cada uno de ellos pueden ser muy diferentes. Es muy común que en una familia uno de los hijos demuestre tener más motivación y habilidad que sus hermanos. Si usted dedica la mayor parte de su atención al niño que tiene más posibilidades de triunfar, toda la familia se verá afectada, en especial los hermanos, que, a menudo, se sienten excluidos. Si antepone las necesidades del niño que demuestra tener más talento a las de sus hermanos, que quizá aún intentan descubrir cuáles son las áreas especiales en las que pueden destacar, transmitirá a todos sus hijos un mensaje negativo: que el amor y la atención se ganan a través de la consecución del éxito. Y, además, les comunicará que si uno de ellos demuestra tener menos talento que otro, no será digno de ser amado y sus necesidades serán consideradas menos importantes.

Para evitar esta situación, debe tomar conciencia del tiempo, la atención, los recursos y el afecto que ofrece a sus hijos y ser especialmente receptivo a las necesidades de los que demuestran tener menos aptitudes. Usted deberá estar muy atento a cómo distribuye su energía, puesto que el niño que tiene más posibilidades de triunfar requerirá más atención y tiempo que los demás. No obstante, sus otros hijos también merecen su amor y su atención, y aunque quizá hasta el momento no han demostrado su capacidad, sus sueños y sus objetivos son igualmente importantes. Necesitan su apoyo y su motivación para beneficiarse de las actividades que elijan, para poder aprender las lecciones que luego podrán aplicar en su vida, y conquistar así el nivel de éxito por el que luchan, cualquiera que sea ese nivel.

Acaso el aspecto más importante de la relación con los otros hijos sea ayudarlos a encontrar una actividad que los entusiasme, animarlos a participar en ella y ofrecerles el tiempo y la atención necesarios para que se sientan amados y valorados. De acuerdo con mi enfoque del amor condicional, su objetivo es asegurarse de que cada niño se siente querido y respetado por lo que es, independientemente de sus resultados.

A un nivel práctico, adoptar este enfoque equilibrado con sus hijos implica dedicarles a todos el mismo tiempo y la misma energía cuando se trata de jugar con ellos, ayudarlos con sus tareas escolares y expresar su interés por todos los esfuerzos que realizan para triunfar. También significa que les asigne responsabilidades a todos por igual, que imponga la disciplina y que haga cumplir las consecuencias que ha establecido para sus actos, sin favoritismos. Como regla general, debe tratar a todos sus hijos por igual y no preocuparse por su talento ni por sus logros.

TENER UNA VIDA PROPIA

Este capítulo concluye con un consejo que se reitera a lo largo de todo el libro: *¡TENER UNA VIDA PROPIA!* Este consejo puede parecer un poco severo, pero no es más que una forma un tanto dura de expresarle mi afecto. Significa que para su hijo sea un niño exitoso y feliz, usted debe tener una vida propia que le reporte satisfacciones y le ofrezca la gratificación y la valoración necesarias para sentirse feliz y productivo. Si su vida le brinda algo más que la recompensa real, aunque insuficiente, de ser un buen padre, o una buena madre, entonces no intentará vivir a través de su hijo. No sentirá la necesidad de fusionarse con él, ni de colocar su felicidad sobre los hombros del niño. Si tiene una vida propia, podrá alentarlo para que tenga, a su vez, su propia vida. Este es uno de los regalos más importantes que puede ofrecerle.

CONTROL* FRENTE A MOTIVACIÓN

CONTROL	MOTIVACIÓN
1. *Chantaje emocional*: «Haz lo que yo quiero, de lo contrario me enfadaré y no seré capaz de controlarme».	1. *Intercambio emocional*: «Vamos a pensar qué es lo mejor para ambos, y así tú estarás contento y yo también.

---

* Dobson, J. C. (1987), *Parenting isn't for cowards: Dealing confidently with the frustrations of child-rearing*, Waco, TX, World Books.

CONTROL

2. *El viaje del compromiso*: «Me pregunto por qué razón ya no estás interesado en lo que hacías y qué es lo que puedes hacer para recuperar tu interés».
3. *Dar ánimos*: «Inténtalo y dime cómo te sientes. Creo que podría gustarte».
4. *En nombre del amor y la justicia*: «Creo que deberías hacer esto porque te quiero y me parece que te lo pasarías muy bien. Pero eres tú quien debe decidir».
5. *La afirmación*: «Prueba a hacer esto; apuesto a que te sentirás fenomenal».

MOTIVACIÓN

2. *El viaje de la culpa*: «¿Cómo puedes hacerme esto después de todo lo que hecho por ti?».
3. *El soborno*: «Haz lo que te digo y conseguiré que merezca la pena haber invertido tu tiempo en ello».
4. *En nombre del poder y de la fuerza*: «Cierra la boca y haz lo que te digo».
5. *La humillación*: «Haz lo que yo quiero o te haré pasar vergüenza en casa y en la calle».

CAPÍTULO 5

¿Quién manda aquí?

Participación impuesta frente a participación guiada

E L viaje de educar a su hijo para que se convierta en un gran triunfador comienza con su participación en las actividades que pueden potenciar su capacidad y que estimula su interés, sus deseos de investigar y su motivación para triunfar. Mediante su intervención en la actividad se inicia el proceso de aprender los valores necesarios para convertirse en un gran triunfador. Al tomar parte en una tarea específica el niño podrá conocer el placer y la satisfacción que reporta el hecho de participar y comprometerse con una actividad. Es muy positivo que el niño pruebe diversas actividades para descubrir cuáles son las que le gustan, las que pueden dar lugar a un compromiso más profundo y que, en el futuro, pueden convertirse en una vocación o un pasatiempo. Cuando el niño interviene en una actividad que elige libremente, tiene la oportunidad de experimentar la sensación de pertenencia.

El desafío de los padres será mantener un delicado equilibrio desde la primera ocasión en que su hijo participe en una actividad para la que tiene dotes especiales. Este equilibrio supone ofrecerle el impulso necesario para que pruebe nuevas actividades el tiempo suficiente como para poder decidir si quiere o no seguir adelante con ellas y evitar presionarla demasiado para no sofocar su interés y su motivación, ni interferir en el desarrollo de la sensación de pertenencia. Esta es la diferencia que existe entre la participación impuesta y la participación guiada.

LA PARTICIPACIÓN IMPUESTA

«La paradoja es que *los padres que intentan asegurar el éxito de sus hijos, a menudo educan niños que no son capaces de triunfar*. Sin embargo, los padres cariñosos que se preocupan por sus hijos y son tolerantes con el fracaso suelen tener hijos que cosechan éxitos», escribieron Foster Cline y Jim Fay. Obligar a su hijo a participar en una actividad que puede ayudarlo a progresar, favorece la aparición de una amplia gama de dificultades. La reacción más común de un niño al que se insta a participar en algo en contra de su voluntad es el enfado, el resentimiento y la oposición a todo lo que digan los padres. Esta reacción aumentará a medida que el niño crezca y comience a independizarse. Es natural que en la adolescencia surjan sentimientos negativos en relación con los padres, pero cuando dichos sentimientos se vinculan estrictamente con un campo específico, son inusualmente intensos y persistentes. Y las emociones negativas pueden llegar a ser destructivas y duraderas.

Si usted obliga a su hijo a participar en una determinada actividad, él puede expresar su descontento esforzándose poco o manifestando poco interés. Puede sabotear su participación destruyendo su equipo, enfadándose con la profesora o el entrenador o mediante un bajo rendimiento. Si se trata de un deporte, quizá juegue bien pero tenga rabietas frecuentes, un comportamiento que deja mucho que desear, y una conducta antideportiva. Puede sabotear sus propias actuaciones desempeñándose intencionadamente por debajo de su nivel. Si usted se ha involucrado mucho en la actividad que ha elegido el niño, quizá sus acciones estén destinadas a avergonzarlo y enfadarlo con el fin de vengarse por haberlo forzado a participar en ella.

Imponer a su hijo que participe en una actividad por la que manifiesta poco interés atenta contra su capacidad de triunfar y progresar en cualquier tarea, porque genera una conducta inadecuada y pensamientos y sentimientos negativos que el niño asocia con la consecución del éxito. La participación impuesta elimina también la oportunidad de que el niño desarrolle la sensación de pertenencia respecto de la actividad en cuestión, porque él está allí por la voluntad de sus padres. La ira y el resentimiento impiden que el niño disfrute de la actividad y llegue a conquistar el éxito en el futuro. El doctor Ron Taffel ha observado que «cuanto más trate usted de moldear a su hijo en contra de su temperamento, más rebelde será cuando llegue el momento de la escolarización. Usted no conseguirá lo que quiere y la relación con su hijo se resentirá».

¿Por qué motivo podría obligar usted a su hijo a participar en una actividad? Existen muchas razones, algunas bien intencionadas y otras poco meditadas y dañinas para cualquier niño. Quizá considere que una determinada actividad puede ser el camino por el cual su hijo llegará a triunfar. Por ejemplo, puede obligarlo a apuntarse en un cursillo en el colegio, o a practicar un deporte en especial, porque está seguro de que alcanzará un alto nivel de éxitos. Desgraciadamente, acaso no tenga en cuenta —o quizá no le preocupe— que el camino que ha elegido para su hijo y que le obliga a seguir, puede no ser el que él desea.

Conozco una pareja apasionada por el esquí que constituye un buen ejemplo de lo que significa la participación impuesta. El padre, Tim, era un esquiador fanático, y tanto para él como para su mujer, Sara, la práctica del esquí era una parte central de sus vidas. Después de ver a Bill Johnson ganar la Medalla de Oro Olímpica de 1984, Tim decidió que su hijo sería un campeón de esquí. Trevor comenzó a esquiar antes de andar y ya era un excelente esquiador a los siete años. Sus padres lo apuntaron por primera vez en una competición cuando tenía ocho años e inmediatamente demostró ser toda una promesa.

Tim entrenaba a Trevor y le proporcionaba todas las oportunidades que podían contribuir a su éxito, incluyendo enviarlo a campos de entrenamiento en Europa durante sus vacaciones. Trevor no podía afirmar si realmente le gustaban las competiciones de esquí porque había crecido en ese ambiente y esquiar era lo más importante para su padre. Cuando Trevor tenía trece años, Tim le prohibió que practicara otros deportes, y el niño dedicaba tanto tiempo a esquiar que comenzó a perder contacto con sus amigos. Trevor estaba comenzando a enfadarse, pero cada vez que intentaba hablar con su padre, Tim insistía en que no conseguiría destacar en ningún otro deporte y le repetía una y otra vez que tenía muy buenos amigos en el mundo del esquí. El niño estaba cada vez más furioso por sentirse obligado a participar en las competiciones y, como no tenía ninguna forma efectiva de expresarlo, comenzó a oponer resistencia a los esfuerzos que su padre invertía en su carrera de esquiador.

Dejó de ocuparse de su equipo y cada vez se esforzaba menos en sus entrenamientos. Su padre estaba muy contrariado por la «pereza» de su hijo. La relación entre ambos comenzó a deteriorarse y, finalmente, Trevor decidió comunicar a su padre que odiaba ese deporte y que jamás volvería a ponerse un par de esquís. Y no lo ha hecho.

LA PARTICIPACIÓN GUIADA

«El mayor poder que tienen los padres es el de guiar a sus hijos», ha escrito el doctor John Gray. Educar a un gran triunfador implica *guiar* a su hijo a lo largo del camino que conduce al éxito y a la felicidad y no *obligarlo* a seguir el que usted ha elegido. La participación guiada ofrece al niño el apoyo que necesita para superar los diversos desafíos que deberá afrontar. También le brinda la libertad para elegir la forma en que intentará conquistar el éxito y la felicidad.

La participación guiada ofrece al niño el impulso inicial para progresar, pero, lo que es más importante, le permite desarrollar la sensación de pertenencia en relación con la actividad que puede conducirlo al éxito, y que potencia su motivación y su deseo de triunfar. Usted debe encontrar el equilibrio y ser capaz de dar a su hijo el primer empujón —en términos de orientación, oportunidades y recursos— y luego dar un paso atrás para que él, o ella, sea capaz de encontrar su propio vínculo con la actividad en la que participa. Usted debe, en principio, *orientarlo y guiarlo* y luego *animarlo y darle libertad*, y su compromiso debe ser cada vez menor a medida que pasa el tiempo. «Jamás le ordeno [a Tiger] que haga algo; me limito a darle información y luego dejo que él decida lo que quiere hacer», reflexiona Earl Woods. A medida que usted se involucre menos en las actividades de su hijo, aumentarán las oportunidades y el espacio que su hijo necesita para desarrollar su sensación de pertenencia.

BANDERAS ROJAS

BANDERA ROJA 1: EL NIÑO NO SE DIVIERTE

Puede estar seguro de que el niño no conseguirá desarrollar la sensación de pertenencia respecto de la actividad en la cual participa *si no se divierte*. Nada resulta más perjudicial para la motivación, el deseo y el entusiasmo de un niño que la actividad en la que espera cosechar éxitos se transforme en una tarea tediosa, falta de alegría y estresante. Cuando el niño no se divierte es muy común que pierda el interés por progresar.

Como el camino hacia el éxito es un proceso a largo plazo en el que las mayores recompensas no siempre son inmediatas, su hijo necesita pasárselo bien para mantener vivos su interés y su motivación. Si no se entretiene, pronto encontrará pocos motivos para continuar tomando parte en dicha actividad, que se convertirá en un trabajo, en una carga que usted lo obliga a llevar. La participación del niño se convierte así en algo terriblemente monótono que no solo no le hace ninguna ilusión, sino que le produce terror.

Esta idea de que la consecución de sus objetivos es un trabajo normalmente se desarrolla debido a las actitudes que asumen los padres respecto de la actividad en la que participan los niños. Si usted lo presiona demasiado y su hijo siente que la tarea que realiza es una carga, perderá de vista los beneficios intrínsecos de su participación y comenzará a actuar movido por motivos extrínsecos.

Si los padres lo presionan para que se comprometa con sus obligaciones, quizá logren que obedezca durante un breve periodo de tiempo, pero las consecuencias inmediatas y a largo plazo serán importantes. A corto plazo, el niño puede no sentirse motivado y conseguir solo los logros suficientes como para apaciguar a sus padres. En el futuro, ante la primera oportunidad en la que usted ya no tenga ningún control sobre su participación, abandonará la actividad y encontrará otras que lo diviertan más y que le ofrezcan una gratificación intrínseca.

BANDERA ROJA 2: PÉRDIDA DE LA MOTIVACIÓN

La bandera roja más obvia de la participación impuesta es la pérdida de motivación. Esto se puede manifestar como la incapacidad del niño para realizar un esfuerzo sostenido en la actividad que ha elegido. Es posible que se distraiga fácilmente con otras actividades, o acaso claudique ante el menor obstáculo. Sus esfuerzos pueden deteriorarse de forma sustancial o, simplemente, el niño puede manifestar su deseo de abandonar la actividad.

Cuando los padres me piden que trabaje con sus hijos, las preguntas más comunes son: «¿Por qué razón no está motivado?» y «¿Qué puede hacer usted para motivarlo?». Los padres no advierten que no están formulando las preguntas correctas. El tema no es por qué el niño no se siente motivado, ya que esto plantea la posibilidad de que el niño carezca de las habilidades y los intereses necesarios para triunfar. La pregunta adecuada es: «¿Qué es lo que impide que mi hijo esté motivado?», que transmite la idea de que el niño tiene capacidad para estar motivado, pero algo, o alguien, lo perturba.

Yo parto de la base que su hijo desea alcanzar el éxito y disfrutar de todo lo que hace, sea alumno, atleta, artista, tenga o no un talento especial, o simplemente se apasione por lo que hace. Sin embargo, el niño puede avanzar en la dirección opuesta de lo que a usted le gustaría. Una pérdida de motivación es a menudo una señal de que su hijo se siente forzado a participar en una actividad, no siente que esta le pertenezca, o no obtiene ninguna satisfacción por los esfuerzos que realiza.

ENCONTRAR LA FORMA DE DIVERTIRSE OTRA VEZ

No se puede enseñar al niño a pasárselo bien. Él necesita simplemente divertirse y sentirse satisfecho con su participación en la actividad elegida. Usted no puede conseguir que le resulte entretenida; todo lo que puede hacer es despejar los obstáculos que le impiden divertirse para que el niño pueda *volver a encontrar la forma de disfrutar de lo que hace.*

Si observa que el niño experimenta poca alegría o placer, es probable que ya no considere que su participación sea una experiencia positiva. En este caso, debería usted averiguar los motivos por los que ya no se divierte, especialmente si lo ha visto disfrutar con esa actividad. Acaso el niño demuestre un rendimiento inferior a sus posibilidades, tenga conflictos con el instructor o con sus compañeros, o se haya producido alguna otra dificultad que podría ser la causa de que ya no disfrute. Debe mirarse en el espejo y pensar de qué forma puede usted estar afectando la experiencia de su hijo. ¿Se interesa exageradamente por lo que el niño hace y se involucra demasiado en la experiencia? ¿Lo está presionando en exceso o de una forma inadecuada? ¿De qué manera podría estar contribuyendo a que el niño no se divierta? Earl Woods afirma: «A través de las clases, los entrenamientos y la preparación, lo que siempre he pretendido transmitirle a Tiger es que el golf es un deporte divertido».

Si la actividad ya no le reporta al niño ninguna alegría porque se ha convertido en algo tedioso, o porque siente que se está perdiendo otras actividades que también le interesan, quizá puedan solucionar el problema introduciendo algunos cambios. Por ejemplo, puede permitirle reducir el número de lecciones semanales para que la actividad no se convierta en algo terriblemente monótono y le deje tiempo para hacer otras cosas. Quizá usted sienta que si modifica algo puede provocar que el niño no progrese; sin embargo, es preferible que avance más lentamente a que abandone completamente la actividad y su desarrollo se estanque.

Si su hijo afronta algunas dificultades especiales —por ejemplo, no le gusta el instructor, o no se lleva bien con sus compañeros de equipo—, puede aprovechar esta oportunidad para enseñarle a comunicarse con los demás y resolver sus conflictos. También puede hablar con el instructor para comunicarle el problema y solicitarle que le ayude a resolverlo. Si no es posible solucionar estos contratiempos, pero su hijo sigue interesado por la actividad y disfruta con ella, quizá pueda apuntarlo en algún otro sitio o en otro programa (si existe esta opción).

Usted es el modelo más importante para su hijo, por consiguiente, su propio enfoque de una determinada actividad a menudo será determinante para el concepto que tenga el niño de la misma. Si usted se toma las cosas muy en serio, él pensará que será mejor que asuma la misma actitud. En este caso, le transmitirá el mensaje de que la actividad es un trabajo y que su participación no es un divertimento, sino algo importante. Si usted se muestra alegre, positivo, entusiasta, risueño, y se lo pasa bien cuando interviene en la actividad de su hijo, lo estimulará para que él también adopte la misma postura y para que su principal objetivo sea disfrutar de lo que hace.

Un comentario final sobre el éxito y la diversión: en realidad, el camino hacia el éxito no siempre es entretenido, a veces puede ser reiterativo, monótono, agotador y doloroso. Usted puede enseñar a su hijo una importante lección, y es que la verdadera diversión depende de los diferentes aspectos que jalonan el camino hacia el éxito. Algunas veces, el proceso real de comprometerse en una actividad resulta divertido. En otras ocasiones, el niño se siente satisfecho por los progresos que realiza gracias a sus esfuerzos. Finalmente, puede sentir un gran placer al conseguir los objetivos que se ha propuesto. También puede transmitir al niño que triunfar es divertido. Si es capaz de enseñarle esta lección, cuando el proceso de aprendizaje se torne difícil y no resulte recreativo, él seguirá trabajando con ahínco para conseguir sus objetivos porque buscará la diversión en otras áreas.

RECUPERAR LA MOTIVACIÓN

Una vez que el niño pierde la motivación, ¿puede recuperarla? Posiblemente, aunque será una tarea difícil porque ya habrá establecido una relación entre la actividad en la que participa y sus sentimientos negativos; como consecuencia, la habrá definido como una mala experiencia. Igual que sucede con la diversión, la motivación no es algo que usted pueda ofrecer a su hijo —al menos no puede proporcionarle una motivación interna sana. Será el propio niño quien debe encontrarla dentro de sí mismo. Que sea capaz de recuperarla dependerá de la causa que ha originado su falta de motivación y de lo que usted pueda hacer para eliminar los obstáculos que han conducido al niño a ese estado.

Para resucitar la motivación de su hijo, debe encontrar el motivo por el que la ha perdido. Puede intentar hablar directamente con él pero si cree que lo que usted espera es que no abandone la actividad, que lo decepcionará o lo enfadará si le dice la verdad, lo más probable es que no sea sincero. Quizá pueda abordar indirectamente el tema, preguntándole cómo le van las cosas en general, qué es lo que más le gusta y lo que menos le gusta de la actividad que ha elegido, qué opinión tiene de su profesor (instructor, entrenador) y de sus compañeros, o si ha tenido algún problema últimamente. También debería hablar con aquellas personas que pudieran ofrecerle alguna información importante sobre la pérdida de motivación de su hijo. Los profesores (instructores o entrenadores), y quizá otras personas que han observado su desenvolvimiento, puedan ofrecerle una información de primera mano. También puede hablar con los padres de los compañeros de su hijo, cuyos comentarios acaso puedan resultarle útiles.

Debería analizar su propia actitud respecto de los esfuerzos que realiza su hijo por progresar y preguntarse si ha podido contribuir a la pérdida de interés del niño. Algunas preguntas útiles incluyen: ¿Cuán comprometido está usted en la actividad en la que participa su hijo? ¿Cómo se sentiría si la abandonara? ¿Qué deseos satisface el niño mediante su participación, los suyos o los de sus padres? Lo más importante es que usted comprenda las razones por las cuales su hijo ha perdido la motivación, y que actúe pensando en lo que más le conviene al niño.

Si descubre la causa de la falta de motivación de su hijo, quizá pueda conseguir que recupere el interés y resuelva el problema. Los niños pierden la motivación por varias razones. Algunas veces, sus preocupaciones son razonables: un profesor que abusa de los alumnos, la falta de diversión, el niño carece de tiempo para hacer otras cosas o sus padres lo presionan demasiado. Usted deberá juzgar si la pérdida de motivación de su hijo es legítima y, en este caso, debería permitirle abandonar la actividad. Debe ayudarlo a comprender las dificultades con las que se ha enfrentado, las lecciones que ha aprendido de esta experiencia y de qué forma puede impedir que vuelvan a repetirse en el futuro. Una vez que comprenda la situación, el niño podrá desistir de participar en la actividad después de haber obtenido algunos beneficios por su intervención. Usted debe dejar claro que puede abandonar la actividad, con la condición de que elija otra —no tiene la opción de no dedicarse a ninguna otra tarea.

En otros momentos, los motivos de su hijo pueden ser menos convincentes —se ha desilusionado, no se lleva bien con sus compañeros, simplemente ha perdido el interés. Usted deberá decidir si es mejor presionarlo para que siga adelante, con la esperanza de que vuelva a sentirse motivado. Esta decisión debe tomarla en colaboración con el niño para que él siga sintiendo que la actividad le pertenece. Puede ayudarlo a comprender su falta de interés y, quizá, ayudarlo a que vuelva a interesarse por lo que hace. Algunas preguntas importantes son: ¿Qué es lo que echabas de menos de esta actividad? ¿Qué es lo que no echabas de menos? ¿Cuáles son los beneficios de continuar con la actividad? ¿Cómo se pueden solucionar tus dificultades actuales? Si se resuelven, ¿desearías seguir adelante? ¿Qué harías si abandonaras esta actividad? ¿Desearías continuar durante un tiempo más para ver si puedes recuperar el interés?

La pérdida de motivación de su hijo puede no estar relacionada con la actividad en sí misma. Tal vez tiene otro tipo de problemas; se ha peleado con un amigo que participa en la misma actividad; tiene dificultades con otros compañeros, por ejemplo, intenta evitar al matón de la clase. Usted debe tener en cuenta que hay muchos aspectos de su vida que pueden distraerlo y socavar su compromiso con una actividad que puede potenciar sus aptitudes.

En última instancia, es usted quien tiene que decidir si su hijo debe continuar con la actividad o abandonarla. Tendrá que basar su decisión en varios temas de capital importancia. ¿Qué daño puede infligirle a su hijo si lo presiona para que siga adelante? ¿Qué lecciones puede aprender el niño si continúa participando? ¿Es irreparable lo que siente su hijo en relación con la actividad? ¿Cuál es la probabilidad de que el niño vuelva a sentirse motivado? ¿Está dispuesto a seguir participando durante un tiempo más? Yo no puedo ofrecerle ninguna sugerencia para que tome la mejor decisión. Únicamente podrá hacerlo si analiza cuidadosamente todos los aspectos de la situación, si reúne la información relevante, si formula las preguntas correctas, si observa las reacciones del niño respecto de la actividad que desarrolla, si conoce su temperamento, si cuenta con él a la hora de tomar decisiones y, lo más importante, si confía en su propia intuición.

Si usted decide que el niño debe seguir participando en la actividad en cuestión, deberá encontrar una forma adecuada de «presionarlo» para que acepte su decisión con el fin de que su reacción sea positiva. Lo ideal es que tomen juntos la decisión. El mejor enfoque es explicarle las razones en las que se ha basado y los beneficios que le reportará seguir tomando parte en la actividad por la que ha perdido interés y comunicarle que si continúa participando, probablemente más adelante descubrirá que esta decisión le ha ofrecido una oportunidad para vencer las adversidades. Evidentemente, este es el mejor resultado posible en el caso de que el niño decida no abandonar una actividad que se ha transformado en una tarea ardua. También puede animar a su hijo a que tome una decisión basándose en sus propios criterios y en lo que piensa que será mejor para él a largo plazo. Con el fin de transferirle el mayor control posible sobre su vida, le recomiendo que le diga que esta decisión no es irreversible y que ambos pueden volver a valorar la situación en un futuro no muy lejano, por ejemplo al cabo de un mes. Si su hijo recupera la motivación, sabrá que la decisión ha sido buena. Si, por el contrario, sigue desinteresado, comprobará que esa actividad no era para él y podrá buscar otra que se adapte mejor a sus intereses. Si usted le brinda su apoyo, se muestra sereno y optimista y lo anima a abordar estos temas, podrá ayudarlo a considerar esta decisión desde un punto de vista más positivo.

EL PROCESO DE LA PARTICIPACIÓN GUIADA

EXPONGA A SU HIJO A ACTIVIDADES EN LAS QUE PUEDE ASPIRAR AL ÉXITO

El proceso de la participación guiada comienza cuando usted expone a su hijo a una variedad de actividades con la esperanza de que alguna de ellas despierte su interés, sea una fuente de satisfacción y placer para el niño y, posiblemente, se convierta en una avenida que en el futuro lo conducirá al éxito. Los padres generalmente comienzan por apuntar a sus hijos a actividades que son las que le gustan a ellos. Es raro que un niño se convierta en un músico clásico si sus padres nunca lo han llevado a un concierto, o que alguien se apasione por un deporte que sus padres no hayan practicado.

Sin embargo, no debería limitar a su hijo a que intervenga en actividades en las que usted tiene experiencia. Asumir que lo que es bueno para usted también será positivo para el niño es presuntuoso y potencialmente restrictivo, como si un abogado pudiera decidir que su hijo también debe serlo y lo obligara a realizar actividades que lo conducirán directamente a la Universidad de Derecho. «Es natural que los padres se basen en su propia experiencia de la vida para afirmar que son más competentes que sus hijos para planificar su futuro. Sin embargo, pueden pasar por alto las luchas internas de sus hijos adolescentes o asumir que, como padres, ellos siempre sabrán lo que es mejor para sus hijos», observa Shirley Gould. Uno de sus grandes retos es no imponer sus propios intereses y necesidades a las de su hijo, sino *ayudarlo a reconocer los suyos.*

El primer paso de la participación guiada se refiere a que usted reconozca los intereses de su hijo y permita que él lo guíe, del mismo modo que usted lo guía a él. La participación guiada animará al niño a probar muchas actividades y descubrir cuáles son las que más le atraen y cuáles son las más convenientes para su talento y temperamento, así como también para sus propios desafíos e intereses. Su hijo tiene una gran capacidad para comunicar lo que le gusta y lo que le disgusta. Usted debe escuchar sus mensajes y responder teniendo en cuenta los mejores intereses de su hijo, y nunca los suyos. Si le ofrece oportunidades para experimentar diferentes experiencias y luego le permite elegir su propio camino, le demostrará de una forma contundente el respeto que siente por su verdadero ser y por su deseo de autodeterminación.

ADMINISTRAR EL TIEMPO

Si expone a su hija a varias actividades que pueden potenciar sus aptitudes, le recomiendo que no sean más de dos o tres por vez. En los últimos diez años ha tenido lugar un fenómeno ubicuo —y desafortunado— que es llenar la vida del niño con actividades. Los niños de hoy en día a menudo asisten a clases de *ballet*, juegan al fútbol, actúan en las representaciones escolares, tienen clases particulares en casa, y además deben ocuparse de las obligaciones normales del colegio. Estas vidas ambiciosas son más perjudiciales que beneficiosas para toda la familia. El niño está sobrecargado de trabajo, se siente agobiado por la falta de tiempo y tiene pocos ratos libres para disfrutar de sus juegos, de su creatividad y de ser simplemente un niño. Una vida excesivamente planificada no solamente no fomenta la consecución del éxito y de la felicidad, sino que atenta contra ellos. Con tantas cosas para hacer, los niños tienen un tiempo limitado para dedicarse a una o a lo sumo dos actividades, concentrarse en ellas y descubrir si le gustan lo suficiente como para seguir participando en ellas.

Los padres también están sobrecargados intentando organizar las actividades de uno o más niños, se sienten agotados y nerviosos porque tienen que hacer malabarismos para responder a todas estas exigencias y para poder «mantenerse al mismo nivel que los Jones». Además, tienen poco tiempo libre para estar con su familia, y mucho menos para sí mismos y su pareja. Se someten a esta presión con la intención de estar a la altura de la imagen que la sociedad nos ofrece de los «buenos padres» y pierden de vista lo que esto realmente significa.

Conozco una pareja que tiene tres niños. La madre es una actriz reconocida a nivel mundial y el padre es un atleta de élite. Ambos tienen mucho éxito en sus profesiones. Son grandes triunfadores que quieren que sus hijos adopten valores similares a los suyos. A continuación expongo una lista de las actividades que tienen los niños. El hijo mayor: tenis y piano. El hijo del medio: baloncesto, fútbol, béisbol y guitarra. El hijo menor: carrera a campo traviesa, béisbol y tenis. Los tres niños asisten a dos campamentos cada verano. La madre manifiesta que los deportes se juegan en diferentes temporadas y que no tienen la ambición de que sus hijos se conviertan en concertistas sino, simplemente, que aprendan los conocimientos básicos musicales que ya no se enseñan en los colegios. También observa que se enfrentan a una tarea difícil, porque ambos tienen que repartirse entre la vida familiar y sus respectivas profesiones. «Esto es lo que vuelve locos a los padres», afirma la madre.

Aunque no puedo indicarle exactamente cómo debe organizar la vida de su hijo, creo que puedo ofrecerle algunas sugerencias razonables. El niño no debería tener más de dos actividades extraescolares por mes y solo debería participar en una de ellas cada día. La programación de sus actividades no debería impedir que su hijo duerma bien por las noches o haga tres comidas sanas por día —las comidas rápidas en el coche mientras se dirigen de una actividad a la otra deberían ser una bandera roja para usted. Todos los miembros de la familia tendrían que cenar juntos la mayor cantidad de veces por semana. Su hijo debería terminar su tarea mucho antes de la hora de irse a la cama y retirarse a dormir a una hora razonable. Es necesario que tenga tiempo, al menos varios días por semana, para jugar fuera de casa durante el día y en casa por las noches. Varias veces por semana la familia debería tener un tiempo libre para hacer algo —o nada— juntos. Todos los miembros de la familia tendrían que compartir una actividad, como mínimo, dos veces por mes —por ejemplo, salir a dar un paseo, visitar un museo o asistir a un espectáculo de danza. Usted debería tener ocasión de leer el periódico o un libro, ver algún programa interesante en televisión o compartir una conversación relajada, y que no se refiera a los niños, con su pareja casi todas las noches. Debería, tener tiempo para salir a cenar con amigos una o dos veces al mes. Debería disponer de al menos dos fines de semana libres al mes para dedicar a cualquier actividad que no esté organizada de antemano. Estas son instrucciones muy generales. La motivación de su hijo, sus valores y las exigencias de las actividades en las que participa, en muchas ocasiones los obligarán a modificar estas sugerencias. Por ejemplo, muchas competiciones deportivas tienen lugar los fines de semana, y para dominar un instrumento musical se necesitan muchas horas de práctica por semana. En última instancia, usted es el mejor juez para decidir en qué momento el niño tiene demasiadas actividades. Confío en que sabrá distinguir cuándo ya es suficiente, aunque quizá no esté dispuesto a fiarse de sus opiniones por el temor de que lo tilden de «mal padre» —en realidad, otros padres sentirán envidia de usted.

Tengo un amigo que es padre de dos niños pequeños y que recomienda a los padres que elijan una actividad de la que pueda disfrutar toda la familia. Mi amigo y su mujer han elegido el esquí porque, cuando era joven, él era uno de los mejores corredores de esquí a nivel nacional, y ella es una gran aficionada a este deporte. Él cree que una actividad en la que los padres se vuelcan con entusiasmo y que pueden compartir con sus hijos es lo más indicado para toda la familia. Durante los fines de semana de invierno viajan juntos hasta las pistas de esquí locales. Por las mañanas, los niños reciben clases y sus padres disfrutan del deporte juntos; por las tardes, toda la familia sale a esquiar. Cuando hay competiciones, los padres se deleitan viendo participar a sus hijos y luego pueden esquiar juntos. Consideran que esto es mucho mejor que apuntar a los niños en una actividad en las que tendrían un papel más pasivo: llevarlos en coche a un determinado evento, observarlos participar y luego regresar a casa. El padre daba el ejemplo de un torneo de ajedrez al que había llevado a uno de sus hijos y que se prolongó durante tres días. Tuvo que conducir durante cinco horas para llegar a la localidad donde se celebraba; su hijo jugó tres partidas en tres días, el resto del tiempo lo dedicó a mirar las partidas de los demás y a ir al centro comercial después del torneo. Aunque el padre disfrutó acompañando a su hijo y viéndolo competir, y el hijo se sintió satisfecho con la competición, no fue realmente una experiencia muy gratificante, ni tampoco aprovecharon muy bien el tiempo. Tal como el padre me comentó: «Aunque el torneo estuvo muy bien, en general los dos nos aburrimos bastante».

Para terminar, a menudo los padres me preguntan mi opinión sobre los videojuegos y la televisión. Aunque quizá no soy demasiado realista, dada la popularidad que tienen ambos entre los niños, creo que ofrecen muy pocos beneficios para sus hijos. ¿Qué propósito cumplen los videojuegos y la televisión en la vida de su hijo? Lo entretienen. Lo mantienen alejado de usted por un tiempo. Usted se siente aliviado por no tener que divertirlos y ellos están distraídos y no arman bulla. Hasta aquí, todo lo que he dicho se refiere a los intereses de los padres, pero no a los de los niños.

¿Qué valor real tienen los videojuegos y la televisión en la vida de su hija? Yo diría que muy poco. Aunque, evidentemente, hay videojuegos educativos y programas de televisión didácticos que, si se usan juiciosamente y con ciertas restricciones, pueden resultar beneficiosos, lo más probable es que los vídeojuegos con que se divierte su hijo y los programas televisivos que elige tengan muy poco valor o ninguno en absoluto. Mi opinión es que no tienen prácticamente nada a su favor, no consiguen fomentar un desarrollo intelectual, emocional y moral sano y proponen a su hijo una vida sedentaria, en un momento en que la obesidad infantil se está convirtiendo en una epidemia genereal. Pero no solamente no le ofrecen ningún beneficio, sino que también pueden ser perniciosos por fomentar la violencia y el sexo gratuitos, y por elevar a la categoría de héroes a personajes decididamente poco heroicos y realzar comportamientos que distan mucho de ser adecuados. Considerando todas las lecciones importantes y las habilidades que su hijo necesitará para convertirse en un gran triunfador, y todas las grandes alegrías que el mundo tiene para ofrecer, los videojuegos y la televisión son una manera muy desaconsejable de utilizar el precioso tiempo de la vida de su hijo.

EL ÍMPETU INICIAL

Lo ideal es que usted apunte a su hijo en una actividad que puede potenciar sus habilidades y por la que demuestra interés.

Cuando el niño está motivado para intervenir en una actividad, mi mejor consejo es «¡Apártese de su camino!». Todo lo que debe hacer es ofrecerle los recursos y el apoyo que necesita, y él se ocupará del resto. Sin embargo, no todas las actividades pueden motivarlo de inmediato. Ofrecerle al niño la oportunidad de experimentar diferentes actividades para descubrir cuál le gusta, a veces lo obliga a participar en tareas que no parecen interesarlo, o por las que no siente una afinidad instantánea —vienen a mi mente las clases de piano y de baile. Pero si no lo expone a este tipo de actividades, puede privarlo de encontrar una que pueda convertirse en una verdadera pasión a lo largo de toda su vida. Usted debería basar su decisión en sus valores e intereses y en su impresión de que la actividad en cuestión puede ofrecerle al niño experiencias nuevas y enriquecedoras.

El desafío es cómo conseguir que el niño pruebe la actividad para la que no parece sentirse inclinado. Los padres a menudo me preguntan: «¿Debería sobornar a mi hijo para que participe en una actividad que puede ser importante para su desarrollo?». Esta es una pregunta tramposa para la que los padres, los expertos en educación y los investigadores ofrecen muchas respuestas conflictivas.

Algunos padres y muchos expertos juran que el «soborno» es una herramienta necesaria para motivar a los hijos. Sin embargo, las investigaciones recomiendan no utilizar recompensas externas para sobornar a los niños e indican que, en realidad, esa actitud atenta contra la motivación. No obstante, esas mismas investigaciones sugieren que existen determinadas condiciones en las que una recompensa externa puede potenciar la motivación. Es esencial saber diferenciar entre las actividades que son interesantes y aquellas que son aburridas. Las investigaciones concluyen que no es aconsejable recompensar a los niños por aquellas actividades que les resultan interesantes y en las que se divierten. Es evidente que esta táctica disminuye su motivación intrínseca.

Sin embargo, utilizar recompensas externas para sobornar a su hijo con el propósito de que continúe participando en una actividad para la que revela tener condiciones, aunque ya no se encuentre motivado, puede ser efectivo —hasta cierto punto. Aunque no existen reglas fijas, puedo hacerle algunas recomendaciones sobre cómo utilizar las recompensas externas en beneficio de su hijo. El objetivo de utilizar dichas recompensas es no obligar al niño a participar en una actividad cuando es evidente que no la disfruta ni le interesa. Las recompensas externas no sirven al propósito de conseguir una motivación duradera, ofrecen al niño un ímpetu inicial para probar una actividad y descubrir si puede llegar a despertarle interés. Si, tras un breve plazo, el niño descubre que se entretiene y se siente a gusto, puede recompensarlo tal como habían acordado, porque un trato es un trato. Si, por el contrario, después de un tiempo razonable el niño no considera que la actividad sea estimulante, entonces debería respetar el acuerdo y buscar juntos otra actividad en la que el niño pueda disfrutar.

La pregunta clave es: ¿Qué clase de recompensa externa podría ofrecerle? Tiene que ser lo suficientemente tentadora como para motivarlo a aceptar la oferta, pero no tan importante como para distraerlo del valor intrínseco de la actividad. No existen reglas fijas y debería usted apelar a su propio juicio para decidir lo que es justo y razonable. Debería empezar por preguntar a su hijo cuál sería para él una buena recompensa. «Me parece que no estás demasiado mentalizado para participar en esta actividad, pero pensamos que quizá podrías pasarlo bien y nos gustaría que lo intentaras. ¿Cuál crees que sería una buena recompensa si lo pruebas durante un mes?» Puede pedirle a su hija que le dé ideas y luego basar su decisión en lo que considera más adecuado. Las recompensas deben ser algo que el niño desee, y también algo que usted quiera que él tenga; deben representar una compensación; hay que descartar la comida basura, los videojuegos violentos y la ropa cara. Debería explicarle el propósito de la recompensa y destacar que tiene la esperanza de que llegue a disfrutar de la actividad por sus propios méritos. Puede incluso recompensarlo ofreciéndole otra oportunidad de triunfar —por ejemplo, regalarle un par de esquís o entradas para un concierto o permitirle practicar escalada en roca.

Un aspecto importante de las recompensas externas es lo que significan por sí mismas. No serán efectivas si le transmiten falta de idoneidad o de fe, cólera, voluntad de control o coacción (por ejemplo, «la única forma que puedo conseguir para que hagas algo es sobornándote»). Las recompensas externas son más efectivas cuando transmiten al niño que es competente, y que los padres creen en él y lo valoran (por ejemplo: «Te queremos y vamos a darte una recompensa por tu sinceridad y tus esfuerzos»). Si las recompensas externas se combinan con el amor, los elogios, el estímulo y el afecto físico, usted le transmitirá a su hijo el mensaje correcto y le dará «un pequeño empujón» para que descubra si realmente le gusta participar en la actividad que ha elegido.

OFRECER RECURSOS

El paso siguiente en la participación guiada será ofrecer al niño los recursos que le aseguran que sus experiencias iniciales en la actividad en la que participa son positivas. Este proceso implica crear un ambiente físico y psicológico que permita al niño explorar al máximo la actividad y decidir por sus propios medios si desea seguir adelante o abandonarla. Estos recursos incluyen los materiales que necesita: un ordenador, instrumentos musicales, equipos de deporte, clases o un entrenamiento que fomenten la maestría, una atmósfera estimulante y divertida que lo anime a participar y una «caja de herramientas» con las habilidades que le facilitarán el éxito.

Una advertencia: la cantidad de recursos que ofrezca a su hijo debe aumentar progresivamente según los esfuerzos que invierta en la actividad para la que parece estar dotado. Existe el peligro de que inicialmente se muestre interesado por la actividad, usted gaste un montón dinero para comprar los materiales necesarios y luego el niño pierda rápidamente el interés. Usted no podrá evitar enfadarse y expresarle sus sentimientos. Él puede sentirse culpable y continuar con la actividad a pesar de que no le interesa, y también puede sentir temor de expresar interés por ninguna otra cosa en el futuro. Por ejemplo, si su hijo parece interesado en tocar la guitarra, no debería comprarle una Fender Stratocaster. Lo aconsejable es que compre algunos CD de música de guitarra, que elija algunas partituras y le permita tomar clases, alquilando una guitarra antes de invertir dinero sin saber si el niño seguirá realmente interesado por este instrumento. Más adelante, si expresa su deseo de continuar, puede comprarle una guitarra o ayudarlo a ganar dinero para que él mismo la compre.

Lo más importante de estos recursos es la caja de herramientas en la que el niño coloca todos los conocimientos esenciales que adquiere. Dichas herramientas son las habilidades que serán útiles para la vida —la maestría emocional, la capacidad de tomar decisiones, la comunicación, las habilidades sociales— que no solamente serán provechosas en su actividad actual, sino en todo lo que emprenda en el futuro. Una parte importante del desarrollo evolutivo es agregar a esa caja herramientas que contribuirán a que se convierta en un gran triunfador. Este libro está destinado a mostrarle cómo puede ayudar a su hijo a llenar esta caja con las herramientas más importantes.

Cuando el niño comienza una nueva actividad para la que parece tener inclinación, debe considerar cuáles son los recursos que precisa para potenciar la experiencia. Es preciso hacer una lista de los materiales necesarios, de las oportunidades de aprendizaje disponibles y de las herramientas que le ayudarán a conocer y seleccionar los recursos que le permitirán explorar un campo determinado y apreciar la experiencia que puede conducirlo al éxito.

EL COMPROMISO

La importancia del compromiso es una lección que su hijo debe aprender para poder desarrollar la sensación de pertenencia respecto de una actividad que potencia su capacidad y puede convertirlo en un gran triunfador. Cuando el niño expresa por primera vez su deseo de participar en una determinada actividad, usted tiene la oportunidad de enseñarle la importancia del compromiso como valor y como herramienta práctica.

Dos de las cualidades más esenciales asociadas con el compromiso son la dedicación al trabajo y la perseverancia. La realidad es que hay pocos campos que requieran dotes especiales. Quizá sean necesarias cualidades específicas para convertirse en un atleta profesional, un concertista o un físico cuántico. Sin embargo, para la mayoría de las ocupaciones es suficiente con que un niño trabaje con empeño y sea perseverante para conseguir un nivel razonable de competencia y éxito.

El doctor Anders Ericsson, un investigador de la Universidad del Estado de Florida, ofrece algunos datos específicos. Ha descubierto que las habilidades innatas no son necesarias para predecir si un niño conseguirá destacar en un deporte, en la danza, en el ajedrez, en la física, en la medicina o en la música. Según sus descubrimientos, existen dos factores que pueden predecir mejor el éxito: cuánto tiempo dedica a la actividad y cuánto practica. El doctor Ericsson ha establecido una regla general para llegar a ser un experto en un determinado campo —«diez años y diez mil horas»—, lo que significa que se necesitan diez años y diez mil horas de práctica para convertirse en una persona de éxito (y eso quiere decir mil horas al año o veinte horas por semana).

Cuando el niño empieza a participar en una actividad que le gusta, es posible que al principio, mientras aprende los conocimientos básicos necesarios, se sienta considerablemente frustrado y desalentado. En ese momento es probable que su sensación de malestar supere con creces los beneficios y la diversión que le reporta su participación. Estos comienzos difíciles pueden ocasionar que el niño abandone la tarea porque no la encuentra divertida ni gratificante. En este punto, usted debe persuadirlo de una forma positiva para que siga adelante hasta que empiece a disfrutar de lo que está haciendo, o hasta que sea evidente que el niño nunca se sentirá a gusto en esa actividad.

Si le permite retirarse en cuanto aparecen las primeras dificultades, no aprenderá los valores de la dedicación y la perseverancia, que son esenciales para su compromiso con la actividad elegida y la consecución del éxito. Si lo autoriza a renunciar a su participación, le estará enseñando que cada vez que algo no le guste, o le resulte difícil, puede abandonarlo. Otra consecuencia es que usted habrá invertido tiempo y dinero, y el niño no habrá apreciado su esfuerzo ni se habrá beneficiado de él.

La mayoría de nosotros recordamos algunos momentos de nuestra infancia en los que nuestros padres nos obligaron a hacer algo que no nos gustaba. En dichas ocasiones podían suceder dos cosas: nos resultaba tan tedioso y poco placentero que dejábamos de hacerlo en cuanto teníamos oportunidad —y luego quizá como adultos, nos arrepentimos de haberlo hecho. O finalmente superábamos las dificultades, descubríamos el placer y la recompensa que nos reportaba la actividad y terminábamos por agradecer a nuestros padres que nos obligaran a participar en ella.

Durante un viaje reciente estaba esperando mi vuelo junto a la puerta de embarque, cuando pasó junto a mí una mujer seguida por sus tres hijas; cada una de ellas llevaba un estuche de violín. Durante la hora de espera, la madre les pidió que practicaran con sus instrumentos, lo que cada una de las niñas hizo de acuerdo con su propio nivel. Estaba intrigado por saber por qué había elegido el violín para las tres niñas y cómo había logrado que se comprometieran con una actividad tan rigurosa siendo tan pequeñas (las niñas tenían entre seis y diez años de edad). Finalmente, decidí preguntárselo y me contó que había sido la abuela quien había motivado a la hija mayor para que tocara este instrumento y, para no complicarse la vida ni la de su marido, ella había animado a las dos hijas pequeñas a tocar también el violín. Las niñas habían aceptado de buen grado su sugerencia. La madre me comentó que tenía pocas aspiraciones —simplemente albergaba la esperanza de que pudieran tocar en la orquesta de la iglesia—, pero se mantuvo firme en su intención de que todas sus hijas siguieran tocando el violín mientras vivieran con ellos. Señaló que quería que las niñas aprendieran el significado del compromiso para que luego pudieran aplicarlo en su propia vida. Pregunté a las niñas si les gustaba tocar el violín. Haciendo una mueca, respondieron: «No siempre». En respuesta a mi pregunta y a la contestación de las niñas, la madre comentó que además practicaban deportes que les proporcionaban mucho placer. Ella y su marido tenían una norma: «Haz algo que nos guste a nosotros y algo que te guste a ti».

Cuando su hijo se compromete con alguna actividad, debe seguir participando en ella —excepto en circunstancias extremas (por ejemplo, cuando su intervención podría resultar perjudicial)—, del mismo modo que usted debe atenerse a lo acordado. Imagine cómo puede sentirse un niño si está disfrutando enormemente de sus lecciones de música y usted decide suspenderlas. Se sentirá decepcionado y deprimido. Usted sentiría algo parecido si él abandonara la actividad elegida, y no debería permitirle incumplir el pacto que han hecho.

El compromiso no es una decisión irreversible, sino una serie de pequeños pasos específicos que aumentan progresivamente y fomentan una mayor entrega a la actividad que puede potenciar las aptitudes del niño. Debería pedirle a su hijo que se dedique a la actividad, aunque sin perder de vista el grado de compromiso de que es capaz de acuerdo con su edad. Debe establecer un periodo de tiempo razonable, como, por ejemplo, un curso escolar, un cierto número de lecciones, una temporada de deportes o simplemente un periodo de tiempo que le parezca adecuado para que él pueda experimentar los beneficios de la actividad. El niño debe seguir participando en ella durante el periodo acordado. Al finalizar ese plazo, pueden volver a valorar juntos su participación y decidir si va a continuar o va a probar una nueva actividad. Este acuerdo debe estar relacionado con alguna consecuencia, por ejemplo, suspender otra actividad que al niño le interese si decide faltar a su palabra. De este modo, aprenderá que todo compromiso tiene una consecuencia.

Usted puede facilitar que el niño comprenda lo que significa el compromiso mostrándole que se aplica tanto a él como a usted. Puede servirle de modelo enseñándole que cuando él se compromete con una actividad, usted también lo hace. Debería dejar claro que usted se ha comprometido en términos de dinero, energía y tiempo, y comunicarle que espera una conducta similar por su parte. Usted se compromete a pagar la actividad, a suministrarle el equipo y los materiales necesarios, a buscar las mejores oportunidades de aprendizaje, a ofrecerle apoyo logístico, a llevarlo y traerlo, y a darle apoyo emocional, en términos de interés y aliento. A su vez, el compromiso del niño incluye esforzarse al máximo, prestar atención a sus profesores, dedicar el tiempo necesario a la actividad, ser respetuoso con sus compañeros y apreciar sus oportunidades.

DEFINIR LOS OBJETIVOS

Su hijo puede aprender algo más acerca del compromiso si lo ayuda a definir sus objetivos en la actividad que participa. Eso le servirá como una guía para comprender qué es lo que desea conseguir y qué es lo que debe hacer para conquistar los objetivos que se ha fijado. Es una valiosa herramienta que puede aprender y más tarde guardar en su caja de herramientas para que le sirva de ayuda durante toda su vida.

Definir los objetivos es fundamental para que el niño aprenda los valores esenciales relacionados con el compromiso y la sensación de pertenencia. Le enseña que necesita planificar el futuro y trabajar con esmero para conseguir lo que aspira. Establecer objetivos ayuda al niño a comprender la relación que existe entre sus acciones y los resultados positivos y negativos. El niño aprenderá que cuando se esfuerza por conseguir sus metas, normalmente será capaz de alcanzarlas, y que cuando no se aplique lo suficiente, lo más probable es que no pueda materializar sus objetivos. También aprenderá que sus resultados provienen de las acciones que realiza para conseguir sus metas, un aspecto clave de la sensación de pertenencia. Además, conseguirá apreciar la satisfacción que le reporta fijar sus objetivos, trabajar duro para conseguirlos y, finalmente, llegar a materializarlos.

Aunque este proceso es aparentemente inocuo, ayudar a sus hijos a establecer objetivos resulta complicado por diversos factores. Lo más probable, en particular cuando son muy pequeños o cuando se trata de una actividad en la que el niño tiene poca experiencia, es que no tengan la capacidad de fijar sus propios objetivos, de modo que deben fiarse de usted. Como padre, debe servirle de guía en vez de adoptar una actitud imperativa, y tener cuidado de no imponer sus propias necesidades y objetivos. Por ejemplo, si su hija expresa que quiere tocar la flauta, no empiece a pensar en el día que formará parte de la filarmónica. Además, si usted tiene poco conocimiento de su actividad, no estará en posición de discriminar cuáles pueden ser objetivos razonables para ella. Fijar los objetivos es un proceso que comienza siendo muy simple y aumenta en detalles y en complejidad a medida que el compromiso del niño sea cada vez mayor. Por otra parte, desde el primer momento debería conversar con su hijo para decidir juntos los objetivos (sin olvidar que deben ser apropiados para su edad) y ocuparse de definirlos explícitamente.

Cuando su hijo comience a participar en la actividad, usted debe ayudarlo a establecer tres objetivos. El más importante es que *se divierta*. Disfrutar de la experiencia es lo que más motiva a un niño cuando comienza a participar en una actividad. Si se lo pasa bien, usted no necesitará motivarlo para que siga adelante.

El segundo objetivo es el *compromiso*. Si su hijo decide tomar parte en una actividad —y usted se compromete a apoyarlo—, él deberá asumir la responsabilidad de intervenir en ella todo el tiempo que dure. Este objetivo le enseña los valores de la paciencia y de la perseverancia.

El tercer objetivo es *esforzarse al máximo*. Tal como destaco a lo largo del libro, una de las lecciones más importantes que puede aprender su hijo es el valor del esfuerzo, porque es algo que puede controlar (en tanto que, por ejemplo, no puede controlar su talento). Cuando el niño esté en las primeras etapas de la actividad para la que demuestra buena disposición, evite mencionar ningún objetivo que se base en los resultados. Si pone demasiado énfasis en ellos cuando su hijo es muy pequeño, lo más probable es que le porque ansiedad. Sin embargo, los objetivos que privilegian el esfuerzo le enseñan la importancia que tiene trabajar con dedicación y lo ayudan a desarrollar una ética sana.

Puede iniciar un diálogo sobre los objetivos que sea adecuado a la edad de su hijo. Debería comenzar esta conversación explicándole qué son los objetivos para asegurarse de que el niño comprende el concepto (por ejemplo: «Los objetivos son cosas que tú quieres y que aspiras a conseguir mediante tu propio trabajo»). Posteriormente puede explicarle las razones fundamentales en las que se basan estos tres objetivos (por ejemplo: «La posibilidad de conseguirlos depende de ti»). Finalmente, puede ofrecerle ejemplos prácticos sobre cómo puede alcanzar sus objetivos (por ejemplo: «Puedes pasártelo muy bien en compañía de tus amigos, disfrutar al esmerarte por hacer un buen trabajo y sin claudicar jamás»).

Estos tres objetivos representan la base para la futura participación del niño en una actividad que puede depararle logros, porque asegura el desarrollo de la sensación de pertenencia. Estos objetivos son fáciles de alcanzar porque el niño tiene un control total sobre ellos. También le ofrecen las habilidades necesarias para la vida que lo ayudarán a conquistar el éxito y disfrutar de lo que hace, lo que le reportará muchos beneficios cuando se esfuerce por triunfar.

A medida que el niño se involucra más plenamente en la actividad que puede potenciar su desarrollo, los objetivos son cada vez más específicos y más relevantes para su rendimiento. La siguiente etapa de este proceso debería poner el énfasis en la adquisición de habilidades y en mejorar el rendimiento (por ejemplo, conocer los acordes mayores y menores, dominar los golpes básicos del tenis). Únicamente cuando su hijo se comprometa a largo plazo con la actividad que ha elegido y decida aprovechar al máximo sus habilidades deberían empezar a formar parte del proceso los objetivos basados en los resultados.

Usted debería reconocer sus propias limitaciones para ayudar a su hijo a fijarse objetivos a largo plazo. A menos que tenga un profundo conocimiento de la actividad en la que participa el niño, quizá resulte más perjudicial que beneficioso intentar establecer los objetivos del niño. Lo más sensato en este punto es buscar la opinión de los expertos, tal como los profesores, entrenadores o instructores, que pueden orientarlo en relación con los objetivos a que puede aspirar su hijo.

Dichos objetivos deben ser *realistas y, simultáneamente, estar al alcance del niño*, que debe poder alcanzar sus objetivos, pero únicamente gracias a un esfuerzo importante. Los objetivos que se consiguen muy fácilmente tendrán poco o ningún impacto positivo en el niño, porque no habrá necesitado demasiado esfuerzo ni compromiso para conseguir el éxito; lo conquistará sin disfrutar demasiado del proceso y no llegará a sentir que el resultado se debe a sus propios esfuerzos. Por el contrario, los objetivos que son demasiado difíciles de conseguir tendrán un efecto negativo en el niño porque, a pesar de invertir un considerable esfuerzo y compromiso, se sentirá frustrado, la experiencia no le reportará placer y no conseguirá cumplir con sus metas.

Se debería poner el énfasis en *el nivel de logros* en vez de privilegiar un logro absoluto. Es inevitable que en el proceso de fijar objetivos el niño no sea capaz de conseguir todos los que se proponga, ya que no es posible juzgar con precisión de antemano si son realistas. Si usted y su hijo se plantean solamente cumplir un objetivo, el niño se puede considerar un fracaso si no es capaz de conseguirlo. Esta respuesta, invariablemente, disminuye su motivación en vez de fomentarla. Usted debería destacar los aspectos del objetivo propuesto que el niño ha sido capaz de conseguir, en vez de preocuparse porque no ha conseguido cumplirlo totalmente. Aunque su hijo sea incapaz de conseguir todos los objetivos que se ha planteado, casi siempre podrá mejorar su actuación. Desde esta perspectiva, si no consigue materializar uno de sus propósitos, pero ha mejorado su participación en un 50 %, será más probable que sienta que ha triunfado, y su compromiso, su esfuerzo y el goce que le produce la actividad pronto se verán recompensados. Por ejemplo: el objetivo de su hijo es aumentar su nota de lengua de aprobado a sobresaliente, pero la calificación final es un notable; aunque no ha conseguido su objetivo, ha mejorado la nota, y esto ya debería resultar gratificante. Otro ejemplo es que su hijo aspire a pasar del trigésimoquinto al decimoquinto puesto del *ranking* nacional de tenis el próximo año. Al final del año consigue llegar al vigésimo primer puesto. Aunque no ha conseguido su meta, ha avanzado catorce puestos en el *ranking* y esto debería ser suficiente para sentirse orgulloso y tener confianza en sí mismo.

Su hijo debería recibir una información constante que le permita reflexionar sobre sus objetivos. Esto sirve a varios propósitos. Mantiene al niño centrado en sus objetivos y empeñado en esforzarse por cumplir con su compromiso y con las metas que se ha fijado. La información debe destacar el progreso que hace en pro de sus objetivos y recompensar su compromiso y sus esfuerzos. También debe poner el énfasis en la relación que existe entre el esfuerzo y la consecución del éxito, relacionando sus objetivos con el progreso. La información puede provenir de usted, de los instructores, del mismo niño o directamente de las experiencias que le han procurado éxito.

ANIMAR CONSTANTEMENTE AL NIÑO

A lo largo del proceso puede hacerle un valioso regalo a su hijo: animarlo constantemente. Cuando la mayoría de las personas se detienen a pensar lo que significa dar ánimos, lo que viene a su mente son los tópicos como «Buen trabajo» o «Así se hace». Pero dar ánimos es algo mucho más sustancial y tiene un propósito muy definido. Cuando usted es consciente de lo que está comunicando a su hijo, puede ejercer un impacto significativo sobre los puntos de vista, actitudes y reacciones que él manifiesta respecto de la actividad que puede recompensarlo con el éxito.

Dar ánimos tiene varias funciones. Fomentar que el niño preste atención a valores importantes asociados con su participación. Por ejemplo, comentarios simples como: «Has hecho un gran esfuerzo», «Realmente aguantaste muy bien cuando las cosas se pusieron difíciles» y «Debes sentirte fenomenal por haber dado lo mejor de ti» comunican con total claridad el valor del esfuerzo y la perseverancia, necesarios para que su hijo se convierta en un gran triunfador.

Alentar al niño también refuerza el motivo de su participación. Cuando usted lo anima destacando que lo ha visto disfrutar («Parecías estar pasándotelo en grande»), haciendo hincapié en su maestría («Estás mejorando mucho»), en la cooperación («Es genial trabajar en equipo, ¿verdad?») y en la competencia («Es fantástico competir y dar lo mejor de uno mismo») facilita que el niño perciba la sensación de pertenencia respecto de la actividad en la que participa.

Cuando se anima al niño de la forma adecuada, él consigue comprender que el logro es completamente suyo, y que no depende de una valoración externa (la de sus padres). Cuando su hijo hace algo bien, usted no lo ayudará si le dice: «Estamos orgullosos de ti», «Te queremos mucho», «Te mereces una recompensa», a pesar de que estas frases puedan sonar muy apropiadas. Independientemente de lo bien intencionadas que sean las expresiones de amor o las recompensas materiales, el niño puede asociar su logro con causas externas, como, por ejemplo, su cariño o algún aliciente material. Pero no es esto lo que usted pretende; su aspiración es que relacione su éxito con los beneficios derivados de su participación, como la diversión, la maestría, la consecución de los objetivos y las relaciones sociales. «Has conseguido llevar adelante tu plan de juego a pesar de ir por detrás en el marcador. ¡Eso requiere tener agallas!», es un buen ejemplo.

LA LIBERTAD

La libertad es uno de los mayores regalos que puede hacerle a su hijo. En el momento oportuno, usted deberá distanciarse de sus logros, tanto en un sentido literal como figurado —tal como tendrá que hacerlo cuando inicie la transición hacia la adolescencia—, para permitirle encontrar su propio camino. Esto significa dejarla experimentar el éxito y el fracaso, la alegría y la pena, y brindarle la oportunidad de afrontar dichas experiencias y aprovecharlas para madurar. Únicamente ofreciéndole esta libertad, su hijo podrá desarrollar la sensación de pertenencia por lo que hace y construir una relación personal con la actividad que puede depararle éxitos. Usted alberga la esperanza de que llegue a apasionarse por esa actividad y disfrute de la experiencia y de las recompensas derivadas de su participación y su compromiso.

Esto no significa desentenderse del niño. Es esencial que continúe existiendo unas intensa relación entre usted y su hijo mientras él amplía sus límites, porque le proporciona confianza para investigar el mundo exterior y también su propio mundo interior, y le ofrece un paraíso seguro al que puede retornar. Además, su participación en una actividad que puede potenciar sus habilidades es una excelente oportunidad para que ambos compartan sus experiencias y su desarrollo. Al ofrecerle esta libertad, no hace más que fortalecer la relación entre ambos. Si lo deja tomar sus propias decisiones, él no se sentirá agobiado y tendrá la libertad necesaria como para poder actuar según su criterio.

LA ÚLTIMA DECISIÓN CORRESPONDE AL NIÑO

Casi todos los niños con los que trabajo quieren conseguir el éxito. Muchos desean obtener metas muy elevadas. Algunos invierten un considerable esfuerzo para cumplir sus sueños. Sin embargo, pocos son los que llegan a materializar completamente sus aspiraciones. Para decirlo simplemente, la mayoría de los padres y de los niños no llegan a comprender realmente el nivel de compromiso que es necesario para convertirse en un gran triunfador. Quizá consideran que para poder realizar sus sueños y objetivos lo único que necesitan es un compromiso a tiempo parcial, o presumen que es algo que se puede conseguir cuando tienen tiempo, energía e inclinación para una determinada actividad. Sin embargo, desgraciadamente esto no es suficiente.

No es posible convertirse en un gran triunfador de la noche a la mañana, ni tampoco dedicándose a una o dos cosas en la vida. El niño no llega a serlo por casualidad, ni por un golpe de suerte. Solamente podrá desarrollar la capacidad necesaria para triunfar si los padres se ocupan de motivarlo y le ofrecen una buena educación. Usted debe fomentar los atributos de su hijo de diversas formas y, cuando madure, deberá decidir *si quiere consagrar su vida a convertirse en un gran triunfador.*

El niño puede expresar que ha elegido ese estilo de vida al invertir todos sus esfuerzos en una actividad para la que tiene aptitudes especiales y dedicar todo su tiempo, esfuerzo y energía a conquistar la excelencia. Gracias a esta singular devoción puede llegar a ser un verdadero experto en su campo; podrá convertirse en un ejecutivo, un músico o un atleta profesional, o reunir las más preciosas obras de arte del mundo. O puede decidir que, en la búsqueda de la excelencia, intentará encontrar el equilibrio desempeñándose en diversas áreas en las que quizá no sea el mejor, pero en las que conseguirá un éxito sustancial: podría llegar a ser la propietaria de una librería del vecindario, la presidenta de la sede local de la PTA * y la excelente madre de dos niños.

Al final del proceso de la participación guiada, el niño se enfrenta a una opción: ¿Quiero dedicar parte de mi vida a convertirme en un gran triunfador? Si usted ha comprendido y aplicado el proceso de la participación guiada, esto no representará ningún problema. Por el contrario, su hijo tendrá todas las probabilidades de haber interiorizado eficazmente un estilo de vida propio de los triunfadores, porque habrá aprendido sus beneficios y sus valores. Como consecuencia, gozará de la sensación de pertenencia y de-

---

* National PTA es la mayor organización sin fines de lucro en defensa de los niños de los EE. UU., en la que intervienen padres, educadores, estudiantes y otros ciudadanos en sus respectivos colegios y comunidades. (*N. de la T.*)

seará comprometer su vida en la búsqueda del éxito para aprovecharse de los beneficios que puede reportarle.

SUGERENCIAS PARA QUE LOS NIÑOS PUEDAN CONVERTIRSE EN GRANDES TRIUNFADORES

1. Evite presionar a su hijo para que gane en todo lo que hace.
2. No lo obligue a practicar.
3. Ponga el énfasis en que el niño se divierta.
4. Anímelo y transmítale optimismo y esperanza, siempre que sea necesario.
5. Fomente otros intereses.
6. Apóyelo para que confíe en sí mismo y acepte la responsabilidad de tomar decisiones.
7. No interfiera en la labor del profesor, instructor o entrenador del niño.
8. Ayúdelo a desarrollar y mantener una perspectiva sana.
9. Anímelo para que lo consiga por sí mismo —y no por usted ni por ninguna otra persona.
10. Permítale establecer sus propios niveles de excelencia.
11. Establezca la diferencia entre la incapacidad para conseguir el éxito y el fracaso personal.

---

* Rotella, R. J., & Bunker, L. K. (1987): *Parenting your superstar: How to help your child get the most out of sports,* Champaign, IL, Leisure Press.

CAPÍTULO 6

¿Por qué no me dejas crecer?

Niños dependientes frente a niños independientes

E<small>L</small> camino que haya elegido al leer los capítulos 4 y 5 dará como conclusión que su hijo, o hija, sea dependiente o independiente. Lo que determina la dirección que elegirá el niño dependerá de la capacidad de los padres para definir, comprender y satisfacer sus necesidades, y de que le hayan ofrecido la libertad para buscar y participar en actividades que puedan potenciarlo a nivel personal.

Obviamente, cuando el niño aún es pequeño depende mucho de los padres. Necesita que lo alimenten y lo limpien e, indefectiblemente, debe contar con ellos para moverse. A medida que crece puede empezar a ocuparse de estas necesidades básicas, pero sigue dependiendo de su amor, de su protección, de su guía y de su apoyo. Cuando llega a la adolescencia e inicia su camino hacia el estado adulto, empieza a ganar cada vez más independencia en todos los aspectos. Este proceso de separación lo preparará para las exigencias de la vida adulta.

Esta evolución hacia la independencia a menudo se convierte en un tira y afloja entre los niños, que naturalmente desean separarse de sus padres, y los padres, que pretenden que los hijos sigan subordinados a ellos. Esta lucha se hace particularmente evidente en una familia en la que los padres animan a su hijo a perseguir el éxito fomentando su dependencia. Por ejemplo: el padre de un joven golfista lo acompañaba a cada uno de los torneos, hacía sus maletas, localizaba la parte del campo de golf diseñado para practicar tiros de salida, le servía de *caddie*, controlaba la puntuación y constantemente le ofrecía la información técnica y táctica, esencial para su juego. En otras palabras, lo había entrenado para que dependiera absolutamente de él. Cuando llegó el momento en que el muchacho tuvo que asistir a los torneos solo, o con un grupo de jugadores, no estaba preparado para desenvolverse por sus propios medios, por carecer de las herramientas prácticas, tácticas, técnicas, psicológicas y emocionales, necesarias para obtener el éxito por sí mismo.

Los niños dependientes no son capaces de convertirse en grandes triunfadores porque, a pesar de que pueden conseguir cierto nivel de éxito, su dependencia les impide ser adultos felices que pueden desenvolverse perfectamente solos. En contraste, los niños independientes han desarrollado la sensación de pertenencia y las capacidades que los ayudan a convertirse en adultos felices y exitosos.

LOS NIÑOS DEPENDIENTES

El motivo por el cual los niños son dependientes es la imagen que tienen de sí mismos. Necesitan que otras personas los valoren para mantener su autoestima y pueden descorazonarse si no reciben la aprobación que necesitan para sentirse a gusto consigo mismos. Si usted es el padre, o la madre, de un niño dependiente, quizá tome como rehén la autoestima de su hijo, en pro de sus propios intereses. Algunos padres deciden fomentar la dependencia en sus hijos y actúan según sus propias necesidades de poder, utilizando el control y la coerción para seguir siendo la fuerza dominante en la vida de los niños. Para fomentar la dependencia, este tipo de padres ofrece a sus hijos un amor condicionado a los resultados, y les retiran su cariño cuando el niño más lo necesita y cuando está dispuesto a hacer cualquier cosa para merecerlo.

Los niños dependientes no son capaces de tomar ninguna determinación. Los padres de estos niños los educan tomando decisiones unilaterales. Si su hijo es dependiente, usted seguramente se aferra a la idea de que siempre sabrá qué es lo mejor para él y decide en su nombre sin pedirle su opinión. Como consecuencia, su hijo jamás aprenderá a tomar decisiones efectivas, ya que no tendrá confianza en su capacidad para hacerlo. Debido a que depende excesivamente de usted, tendrá muchas dificultades para confiar en su propio criterio y esperará que otros le digan lo que tiene que hacer. Al dejar sus decisiones en manos de otras personas —en especial en usted—, el niño queda absuelto de toda responsabilidad y evita cometer errores. Desgraciadamente, los niños dependientes no solamente renuncian a tomar decisiones, sino también a la posibilidad de modificarlas.

Los niños dependientes son aquellos que necesitan que los demás les proporcionen los incentivos que necesitan para triunfar. Nunca consiguen desarrollar la sensación de pertenencia cuando participan en una actividad que puede depararles logros, porque no intervienen en ella por propia decisión, y la mayoría de los beneficios que obtienen son externos. Las recompensas extrínsecas, tal como el amor, el dinero, los regalos, los trofeos, la aprobación de los padres y el reconocimiento, siempre llegan del exterior. Si usted le ofrece a su hijo este tipo de recompensas —sea emocionales o materiales—, él jamás aprenderá a sentirse satisfecho por la actividad en sí misma e, invariablemente, buscará en el mundo exterior los motivos que lo animen a participar en una determinada actividad. Las recompensas extrínsecas producen niños que solo se sienten motivados cuando existen dichas recompensas y se esfuerzan con el único fin de obtenerlas.

Los niños dependientes también necesitan de los demás para ser felices. Si su hijo no ha desarrollado la sensación de pertenencia respecto de las actividades en las que participa, tampoco lo hará en relación consigo mismo; no se sentirá demasiado responsable de sus pensamientos, emociones ni acciones, y tampoco conseguirá ser feliz por sus propios medios. No se sentirá a gusto en su búsqueda del éxito ni interiormente; solamente se sentirá valorado y reconocido cuando reciba recompensas externas. Los niños dependientes identifican los sentimientos positivos que experimentan cuando se les ofrece una recompensa externa, con la felicidad. Sin embargo, esa felicidad es superficial y evanescente.

Cuando los padres son cariñosos pero no comprenden la sutileza de una recompensa adecuada, el niño se convierte en una persona dependiente. Si usted no le ofrece límites razonables y lo recompensa con frecuencia, independientemente de sus actos, jamás aprenderá la relación fundamental que existe entre los actos y los resultados. Creerá que siempre puede obtener «buenos resultados» haga lo que haga, gracias a usted.

En las primeras etapas de la educación del niño, el uso de recompensas externas ofrece el tentador beneficio de obtener un resultado inmediato: «Si haces tus deberes, puedes comer algunas galletas». Pero algunas veces los niños dependientes no completan la tarea y, de cualquier modo, reciben las galletas prometidas. Cuando la relación causa-efecto no está clara, los niños no llegan a comprender el verdadero valor de una recompensa: lograr que el niño se comprometa con una tarea y aprenda a ser perseverante.

Los padres a menudo ofrecen recompensas por acciones inadecuadas. Acaso debido a que valora excesivamente el éxito, usted recompensa a sus hijos por los resultados —tal como las notas en el colegio, las victorias deportivas o los logros artísticos— en vez de premiarlo por sus esfuerzos. Al hacerlo, le transmite el mensaje de que lo único que cuenta son los resultados. Como consecuencia, el niño comienza a centrarse en ellos en vez de dar prioridad a sus esfuerzos. Usted debe tomar conciencia de los peligros que entraña el uso de las recompensas para controlar a su hijo, en vez de emplearlas como reconocimiento de sus méritos. Si las utiliza como un medio para afirmar su poder sobre su hijo, no hará más que fomentar su dependencia.

Si ha estado recompensando a su hijo por los resultados y no por sus esfuerzos, es probable que observe que el niño pierde motivación y que sus progresos se estancan o disminuyen. Quizá, inconscientemente, usted haya reaccionado ante esa aparente merma de sus intereses del mismo modo que lo hizo al principio y que le pareció efectivo: aumentando las recompensas de un modo caprichoso, por ejemplo, premiándolo por una tarea escolar a medio hacer. Sin embargo, esto atenta contra la motivación de su hijo y favorece su dependencia. Si ha utilizado de forma regular recompensas externas con su hijo, estas pueden actuar como una droga a la que su hijo se ha «enganchado». Si su hijo es dependiente, y se acostumbra a un cierto nivel de reforzamiento externo, con el paso del tiempo le exigirá cada vez más recompensas para mantener su nivel de rendimiento.

Quizá usted haya empezado a premiarlo con la mejor intención, y con el fin de ofrecerle un ímpetu inicial para que progrese, pero pronto descubrirá que se ha convertido en un «camello» de las recompensas extrínsecas. Si la dependencia continúa, ¡el niño puede terminar teniendo un control absoluto sobre usted! Si se ha acostumbrado a la gratificación que le reportan los logros de su hijo, y ha mantenido esta situación a base de recompensas, quizá se resista a abandonar su posición. Si le resulta incluso difícil imaginar la posibilidad de no volver a recompensarlo según estos criterios, será mejor que advierta que lo ha convertido en un adicto y que lo que realmente le produce temor es lo que puede suponer privarlo de la «droga».

LOS NIÑOS INDEPENDIENTES

Los niños independientes se distinguen de los dependientes en algunas cuestiones muy importantes. Si su hijo es independiente, usted le habrá transmitido la idea de que es competente y que puede cuidarse a sí mismo. Le habrá ofrecido el apoyo necesario para encontrar actividades que le proporcionan satisfacción y que son importantes para él. Finalmente, le habrá dado libertad para que experimente la vida en todas sus facetas y para aprender sus importantes lecciones. A partir de estas oportunidades, los niños independientes aprenden a reconocer los pensamientos, emociones, comportamientos y actividades que les sirven de recompensa, y son capaces de desenvolverse activamente en busca de experiencias que afirmen la idea que tienen de sí mismos. Estos niños aprenden a valorar su autoestima y a procurarse felicidad.

Los niños independientes son capaces de tener en cuenta diversas opciones, aclararse y tomar sus propias decisiones. Si su hijo es independiente, lo habrá preparado usted desde muy temprana edad para que sea capaz de elegir entre diferentes opciones basándose en sus propios criterios; le habrá enseñado el proceso necesario para hacerlo, y habrá contado con él a la hora de tomar una decisión importante, teniendo siempre en cuenta su edad. En la adolescencia, su hijo será una persona con determinación que confiará en sus propios juicios.

Si ha educado usted a un niño independiente, con toda seguridad su hijo se sentirá intrínsecamente motivado, porque le habrá ayudado a descubrir cuáles son sus motivos personales para intentar conseguir el éxito. Le habrá dado usted las oportunidades y la ayuda necesarias para profundizar en las actividades que él mismo ha elegido. Le habrá permitido descubrir por sí mismo las razones por las que disfruta de una actividad en particular y decidir si quiere seguir participando en ella.

Existe una gran cantidad de razones intrínsecas para aspirar al éxito. Su hijo desea participar porque se entretiene, disfruta del proceso, le satisface comprobar que sus esfuerzos son fructíferos o desea alcanzar algunos objetivos específicos que ha definido por sí mismo. Existen también otras razones intrínsecas más tangibles que pueden motivar a su hijo a progresar, como, por ejemplo, la sensación de maestría que puede experimentar cuando aprende algo nuevo, las oportunidades sociales que surgen cuando los triunfadores aúnan sus esfuerzos, o simplemente la consecución de un objetivo personal. En el corazón de la motivación intrínseca hay una gran pasión por la actividad elegida y un goce enorme por participar en ella. Esto proporciona al niño la motivación intrínseca que lo conducirá al éxito.

Si usted desea que su hijo sea independiente, acaso piense que es natural utilizar ciertas recompensas externas para alentarlo a que continúe participando en la actividad que ha escogido. Sin embargo, a diferencia de los padres de niños dependientes, usted desea saber con claridad cuál es el verdadero propósito de las recompensas, cuáles son efectivas, qué conductas deben ser premiadas y durante cuánto tiempo es oportuno ofrecerlas.

Deseará adoptar una actitud de colaboración y no una función de control; es decir, una conducta que fomente una separación sana del niño y sus padres y favorezca su independencia. Por ejemplo, querrá conversar con su hijo sobre algunos temas, pedirle su opinión y estimularlo para que tome sus propias decisiones, ofreciéndole opciones que sean adecuadas a su edad. Si descubre que una determinada situación requiere que usted tome una decisión unilateral, seguramente explicará a su hijo sus razones y le prometerá que, en el futuro, será él quien se haga cargo de sus propias decisiones. También deseará fomentar una relación en la que ambos ganen, incluso aunque en determinadas ocasiones él gane muy poco, o realmente no pueda ganar hasta que pase el tiempo.

Si usted se limita a ofrecerle su apoyo, ambos mantendrán una relación sana durante toda la infancia, e incluso cuando el niño se haga mayor. Al ofrecerle su ayuda y, más adelante, la libertad para elegir su propio camino, no tendrá que pasar por esa lucha de poder que, a menudo, tiene lugar entre padres e hijos, y evitará el enfado y el resentimiento, característicos de un niño dependiente. Habrá menos conflictos, menos batallas, menos «derramamientos de sangre» emocionales y no habrá víctimas. Su hijo independiente no necesita «reaccionar» con frustración, ira o dolor; él «responde» al amor, al apoyo y al aliento que recibe de sus padres.

RESPONSABILIDADES DE LOS PADRES Y DE LOS HIJOS

Es esencial que comprenda cuáles son las responsabilidades más importantes que usted y su hijo deben aceptar, independientemente de que sea un niño dependiente o independiente. La ley de Taylor (¡Ese soy yo!) de las Responsabilidades Familiares establece que si cada uno de los miembros de la familia satisface sus propias responsabilidades y no se hace cargo de las de los demás, los niños se convertirán en personas independientes y en grandes triunfadores y todo el mundo estará contento. Los problemas surgen cuando los padres se ocupan de las obligaciones de sus hijos y les impiden asumir la responsabilidad de sus propios actos. De este modo, los padres usurpan sus responsabilidades y con ello se apropian de la vida de sus hijos.

LAS RESPONSABILIDADES DE LOS PADRES

Sus responsabilidades se basan fundamentalmente en ofrecer a su hija las oportunidades, los medios y el apoyo que necesita para esforzarse por materializar sus objetivos cuando participa en una actividad que puede potenciarla y proporcionarle éxito. Los medios psicológicos incluyen manifestarle su amor y su guía y darle ánimos por los esfuerzos que realiza. Los medios prácticos se refieren a que el niño disponga de los materiales que necesita, de las instrucciones correctas, o del transporte, entre otras preocupaciones logísticas.

LAS RESPONSABILIDADES DE LOS HIJOS

Las responsabilidades de su hijo se relacionan con hacer todo lo necesario por potenciar las oportunidades que usted le ha ofrecido. Las responsabilidades relacionadas con su sensación de pertenencia filosófica incluyen ser motivado, ofrecer lo mejor de sí mismo, asumir las responsabilidades que le corresponden, ser disciplinado, mantener su compromiso con la actividad en la que participa y aprovechar las oportunidades de éxito. La sensación de pertenencia práctica supone completar todas las tareas y ejercicios, beneficiarse al máximo del aprendizaje, tener una actitud de cooperación y expresar su aprecio y su gratitud por los esfuerzos de los demás.

BANDERAS ROJAS

Para poder modificar la conducta de su hijo y aprender a educarlo con el fin de que se convierta en una persona independiente, es realmente importante que usted reconozca la posibilidad de estar criando a un niño dependiente. He definido cinco tipos de niños dependientes: el niño complaciente, el niño que decepciona, el niño rebelde, el niño que frustra y el niño que rechaza. Todos ellos han sido criados de un modo similar. Los padres les han expresado un amor basado en los resultados y expectativas inadecuadas, les han ofrecido recompensas y castigos poco apropiados o inoportunos y han empleado otras estrategias incorrectas, de las que ya he hablado. Los niños desarrollan un estilo particular de dependencia según sea su temperamento y el de sus padres. Sus dificultades reflejan las creencias, las emociones y el comportamiento que les han enseñado.

Los niños dependientes no salen indemnes de ese tipo de educación. La dependencia supone un alto precio que deberán pagar a lo largo de toda su infancia y, lo que es aún más doloroso, también durante su vida adulta. Si cae en la trampa de criar a un niño dependiente, todos pierden. Usted pierde porque la relación con su hijo puede resultar gravemente afectada y el niño no conseguirá el éxito ni la felicidad hacia los que usted lo ha «empujado». El niño pierde porque usted lo ha privado de su amor y él ya no se fía de usted; posiblemente nunca se convierta en una persona independiente, exitosa y feliz. Lea cuidadosamente las próximas banderas rojas y, si se reconoce en alguna de ellas o identifica a su hijo, considere la posibilidad de modificar la forma de educarlo.

BANDERA ROJA 1: LOS NIÑOS COMPLACIENTES

La droga del niño complaciente es el amor y la atención de sus padres. A menudo son percibidos como niños modélicos, excepcionalmente generosos y que ofrecen su apoyo a los demás. Están más preocupados por las necesidades de las otras personas que por las propias. Los niños complacientes, por ejemplo, modificarán su programa de actividades para acomodarse a las necesidades de otra persona en detrimento de las suyas.

Los padres producen niños complacientes cuando los someten a un amor que se basa en los resultados, al perfeccionismo y al control. Si su hijo se esmera por complacer a los demás, usted seguramente habrá establecido normas claras e inflexibles en relación con lo que significa una conducta adecuada, y le ofrece o retira su amor con la intención de mantener su dominio y fomentar su dependencia. Los niños complacientes aprenden muy tempranamente lo que necesitan hacer para conquistar el amor de los padres y se aseguran de cumplir las normas que les han impuesto.

Estos niños se convierten en personas que rinden más de lo esperado, pues necesitan recibir recompensas explícitas para mantener el más mínimo nivel de autovaloración. Los niños complacientes tienen un rendimiento excelente y parecen ser niños ideales: obtienen sobresalientes en el colegio, destacan en los deportes, muestran una gran aptitud para las artes. Sin embargo, casi nunca están satisfechos consigo mismos. Aunque su tendencia perfeccionista les permite obtener parte del amor y la atención de sus padres que tanto ansían, también se convierte en un peso insoportable. Siempre encuentran un fallo en lo que hacen y son incapaces de ser felices y sentirse satisfechos con sus propios esfuerzos.

Los niños complacientes no sienten que sus logros les pertenezcan y, si triunfan, en general piensan que ha sido un golpe de suerte. También creen que sus éxitos son transitorios y fugaces. Esto los somete a un constante estado de temor que los impulsa hacia niveles superiores de rendimiento que pueden proporcionarles la sensación de paz y la realización que buscan desesperadamente. Esta compulsión a conquistar la atención y el amor de los padres los somete a una extrema presión que puede forzarlos a tomar decisiones poco saludables El doctor James C. Dobson, autor de *Parenting Isn't for Cowards,* observa: «Se cree que tanto la anorexia como la bulimia... representan un deseo de *control*. El paciente anoréxico típico es una mujer que está en los últimos años de la adolescencia o en las primeras etapas de la edad adulta. Normalmente, es una persona que se adecua a los deseos de los demás y que siempre ha sido "una niña buena". Se adapta a las expectativas de los padres, aunque en muchas ocasiones experimenta hacia ellos un resentimiento que no verbaliza. Reprime la ira y la frustración que le produce sentirse impotente durante todos los años de su desarrollo. Entonces, un buen día, su necesidad de control se manifiesta en un grave trastorno de la alimentación. Por fin ha encontrado un campo en el que ella puede ser el jefe».

En un punto, los niños complacientes pueden advertir que dan demasiado pero reciben poco —*se sienten estafados.* Es en ese momento cuando comienzan a ocuparse de sus propias necesidades, a menudo asumiendo una actitud agresiva. Se sienten descontentos por lo que consideran una injusticia y reaccionan de un modo violento contra usted. Repentinamente, sabotean todo lo que han creado mientras intentaban complacer a los demás y atentan contra el progreso y el éxito que usted tanto anhela. Esta tentativa por tener el control de su propia vida y reafirmar sus necesidades puede causar que se evadan de su realidad, apelando en ocasiones al consumo de drogas y alcohol, o adoptando una conducta delictiva, y en casos extremos pueden llegar al suicidio.

Los padres de los niños complacientes se preguntan: «¿Qué ha pasado con mi hijo perfecto?».

BANDERA ROJA 2:
LOS NIÑOS QUE DECEPCIONAN A SUS PADRES

El segundo tipo de niños dependientes son los que decepcionan a sus padres porque nunca cumplen sus expectativas. En vez de responder positivamente a las presiones a las que son sometidos para que progresen, estos niños hacen caso omiso de ellas y no ofrecen a sus padres lo que ellos más desean: un rendimiento superior.

Estos niños no consiguen materializar sus logros. Normalmente son inteligentes y demuestran tener aptitudes en una variedad de áreas —por ejemplo, a menudo tienen un CI alto y consiguen grandes resultados en los tests de inteligencia—; sin embargo, rara vez se comprometen con alguna actividad. Sus exiguos intentos de progresar se combinan con actos de autosabotaje relacionados con el conflicto fundamental que tienen con sus padres. Dependen de su amor y de su reconocimiento para autovalorarse, de manera que expresan el deseo de triunfar con el único fin de ser dignos de ese amor. Al mismo tiempo, temen dar lo mejor de sí mismos, porque si fracasan a pesar de sus esfuerzos, no tendrán ninguna excusa y, con toda certeza, perderán su amor.

Los niños que decepcionan a sus padres expresan su conflicto de forma tal que les permite evitar la responsabilidad de sus fracasos. Esto se puede manifestar a través de una conducta pasiva-agresiva sutil, por ejemplo, abandonarse a sí mismos, no esforzarse, evitar la actividad que puede proporcionarle éxito, o puede convertirse en un grave problema, tal como la adicción a las drogas o una conducta delictiva. Una actitud semejante ofrece el beneficio de esgrimir excusas para sus fallos (por ejemplo: «Lo hubiera conseguido si me hubiera esmerado», «Tengo muchos problemas») y lo libera de la presión de tener que triunfar. De este modo, consigue desviar la atención de los padres, que se despreocupan de sus fallos para ocuparse de otros trastornos más graves de conducta.

BANDERA ROJA 3: LOS NIÑOS REBELDES

El tercer tipo de niños dependientes son los rebeldes. A diferencia de los complacientes, que hacen todo lo que sus padres desean, y de los niños que decepcionan a sus padres, que parecen tener muy poca influencia en su comportamiento, los niños que se rebelan hacen exactamente lo contrario de lo que sus padres aspiran. Ellos interpretan a menudo la conducta de sus hijos como un gesto de independencia, pero, en realidad, estos niños son tremendamente dependientes de sus padres, aunque de un modo bastante paradójico.

Este tipo de niños dependientes se sienten controlados por sus padres e impotentes para afirmarse y oponerse a sus coacciones. Esta sensación de impotencia provoca ira y resentimiento y los lleva a encontrar medios para asumir el control de su vida. Si usted es el padre, o la madre, de un niño que expresa su rebeldía, acaso fomente inconscientemente su conducta al imponerle una determinada dirección y un objetivo. Los niños rebeldes esperan a ver qué es lo que usted pretende que hagan para luego hacer algo que se oponga definitivamente a sus deseos. Consideran que ya se han separado de los padres y creen que toman sus decisiones guiados por su propio criterio, aunque, en realidad, tienen poca capacidad para considerar sus opciones e inclinarse por una de ellas sin su ayuda. Esta conducta reactiva normalmente se manifiesta a través de una forma de vestir inconformista, notas bajas, amigos «inaceptables» y, posiblemente, por el consumo de drogas y alcohol.

Los niños rebeldes, igual que otros niños que reciben muchas presiones, sienten un profundo y arraigado resentimiento hacia sus progenitores. Los niños resentidos suelen sabotear la actividad en la que esperan triunfar y que antes los entusiasmaba. Dejan de esforzarse, faltan el respeto a sus instructores, se comportan incorrectamente y rinden por debajo de sus posibilidades. En cierta ocasión tuve un cliente que era uno de los mejores en el deporte que practicaba; este joven atleta me comentó: «Creo que el motivo por el que no conseguí mis objetivos —o mejor dicho los de mi padre— es que, a medida que me hice más independiente, empecé a odiar el deporte que practicaba. Antes me encantaba jugar; sin embargo, ahora lo aborrezco porque no me ha reportado más que tristeza. ¿Cómo podría conquistar el éxito en algo que detesto tanto?».

Los niños rebeldes a veces comienzan por complacer o decepcionar a sus padres, pero, al no poder reprimir su ira por más tiempo, terminan por manifestar su rebeldía. Debido a su prolongada historia de dependencia, no comprenden qué es realmente la independencia. Hacen lo contrario de lo que los padres desean, creyendo que actúan de acuerdo con sus propios intereses. Quizá esta aparente autonomía personal sea una fachada detrás de la que se ocultan.

Estos niños confunden su necesidad de desafiar a los padres con sus verdaderas aspiraciones y, a menudo, terminan por perjudicarse a sí mismos. Rebelarse es más importante que satisfacer las propias necesidades. Parecen decirse a sí mismos: «Prefiero vengarme de mis padres que hacer lo que es más conveniente para mí».

BANDERA ROJA 4:
LOS NIÑOS QUE FRUSTRAN A SUS PADRES

El cuarto tipo de niños dependientes son los que frustran a sus padres; y eso es, precisamente, lo que los padres sienten respecto de ellos: frustración. No son «malos chicos» y casi nunca se meten en problemas. Les va aceptablemente bien en el colegio y en otras actividades en las que pueden conquistar logros importantes, sin embargo a menudo son considerados como niños que no rinden a la medida de sus posibilidades.

Estos niños parecen tener relaciones de amor-odio con sus padres. Generalmente se llevan bien con ellos, aunque a menudo manifiestan su ira y su resistencia, porque también ellos se sienten frustrados e intentan liberarse de esa sensación con sus padres. Suelen expresar sus emociones negativas de modos muy sutiles, a menudo comprometiéndose poco con sus actividades y revelando escasa motivación por conseguir sus metas. Un niño que frustra a sus padres puede conformarse con un notable en vez de esforzarse un poco para obtener un sobresaliente, o puede ser nombrado músico suplente en un recital de música, o perder ajustadamente una competición deportiva. Si su hijo adopta esta actitud, usted no puede enfadarse con él por su bajo rendimiento, porque, en general, se desempeña bien. No obstante, usted se sentirá frustrado al intentar comprender por qué no demuestra interés por conquistar la excelencia. A veces parece como si estos niños estuvieran torturando sutilmente a sus padres, al estar siempre a punto de conseguir un gran éxito, pero sin llegar a obtenerlo nunca.

Los niños que frustran a sus padres tienen alguna de las características de los niños complacientes, de los niños que decepcionan a sus padres y de los rebeldes. Sin embargo, este tipo de niños son los más conflictivos porque no pueden comprometerse definitivamente con ninguna acción. Están atrapados en un forcejeo interno de deseos, necesidades y motivaciones contradictorios. Igual que los niños complacientes, tienen una gran necesidad de amor y son muy dependientes del afecto de sus padres, de manera que muchas veces adoptan una conducta que busca complacer a los demás. Tal como les sucede a los niños que decepcionan a sus padres, jamás llegan a destacar en las actividades para las que tienen talento. Aunque se sienten demasiado controlados por sus padres, carecen de la seguridad necesaria como para actuar de un modo tan extremo como los niños rebeldes.

Si se ha sentido frustrado por su hijo, quizá haya contratado tutores o entrenadores con la intención de ofrecerle la oportunidad para que dé ese paso adicional que necesita para convertirse en un verdadero triunfador. Quizá lo haya obligado a participar en programas especiales y campamentos con el objetivo de sacar a la luz su talento. Acaso haya intentado motivarlo con sobornos, amenazas, disciplina y amor. Pero ese es precisamente el error. Usted debería haber prestado atención a su conducta manifiesta —su falta de motivación— en lugar de intentar modificar esa situación. Lo que debe hacer es considerar los «porqués» de la conducta de su hijo y la dinámica latente.

BANDERA ROJA 5:
LOS NIÑOS QUE RECHAZAN A SUS PADRES

El último tipo de niños dependientes son los que rechazan a sus padres Estos niños rechazan los valores e indicaciones de los padres, eligiendo un camino propio a pesar de sus objeciones. Aunque son parecidos a los niños rebeldes que tampoco siguen los consejos de los padres, no se limitan a *rebelarse* eligiendo precisamente lo opuesto a lo que los padres les indican, sino que, simple y llanamente, rechazan todo lo que los padres les ofrecen.

Se los puede considerar como los más sanos y flexibles de los cinco tipos de niños dependientes, porque realmente se han separado de sus padres y se han convertido en personas autónomas. Sin embargo, pagan un alto precio por este distanciamiento. Con el fin de separarse de usted, a menudo han tenido que dar pasos exagerados para afirmar su independencia. Pueden incluso haber tenido que descartar las contribuciones potencialmente positivas de sus padres. Son niños que utilizan medidas extremas, como, por ejemplo, mudarse, elegir una universidad que se encuentre lo más lejos posible del hogar familiar, e incluso perder completamente el contacto con sus padres. También pueden considerar necesario desdeñar los valores y el estilo de vida de su familia.

Tenía un amigo en la universidad, Tom, que era hijo de un prominente hombre de negocios. Su familia lo estaba preparando para que se hiciera cargo del negocio familiar. Lo habían enviado a los mejores colegios privados y lo habían obligado a trabajar en el despacho de su padre durante las vacaciones, negándole el permiso para ir al campamento de verano con sus amigos. Este «entrenamiento» continuó a lo largo de la enseñanza secundaria, a pesar de que él se empeñaba en comunicar a su padre que no le interesaba el mundo de los negocios. Tom quería ser arquitecto y fomentaba su interés en secreto a través de la lectura y asistiendo a conferencias. Incapaz de oponerse al control de su padre, solicitó su ingreso en la Ivy League para estudiar empresariales y fue admitido.

Asistir a una universidad que estaba lejos de casa le dio la oportunidad que necesitaba para afirmar su independencia. Sin comunicárselo a su padre, decidió que la arquitectura era lo que verdaderamente le interesaba. Cada vez iba menos a su casa en vacaciones y consiguió un trabajo para no depender económicamente de su padre. Sin comunicarle absolutamente nada, solicitó y consiguió una beca para ingresar en una destacada universidad de arquitectura, a la que se trasladó cuando concluyó el segundo curso de empresariales.

Ahora, veinte años más tarde, Tom es un arquitecto feliz que ha conseguido el éxito. Desgraciadamente, sigue sin tener ningún contacto con su padre.

BANDERA ROJA 6: SER AMIGO DE SU HIJO

Excepto en casos extremos de abuso, no es fácil que un niño manifieste que no quiere a sus padres. Hay algo que es intrínseco a la tarea de ser padres: hacer un trabajo decente y que sus hijos los quieran. Pero algunos padres quieren algo más. También desean «gustar» a sus hijos.

Los padres han sido obligados a creer que es importante ser «amigos» de sus hijos y temen ser severos con ellos para no perjudicar el desarrollo de esa amistad. No obstante, esta idea ha sido más dañina que beneficiosa. Cada vez que los padres de un cliente me dicen que son muy amigos de sus hijos, una enorme bandera roja comienza a flamear. Para decirlo simplemente, los padres y los hijos no debería ser amigos (en el tradicional sentido de la palabra). Los padres deben tener amigos *adultos,* y los hijos, amigos *de su edad.*

Usted no debe ser amigo de su hija, porque esa relación supone una carga injusta y ella puede sentirse obligada a llevar sobre sus hombros la responsabilidad de su felicidad y su bienestar. La amistad se basa en una relación equitativa entre dos personas. Aunque su hija puede, de alguna manera, preocuparse por su bienestar, no debería hacerlo en el mismo grado en que usted se preocupa por ella. Su hija no tiene la madurez ni los instrumentos necesarios para asumir esa responsabilidad.

Usted no debe ser amigo de su hijo por la misma razón que los jefes no pueden ser amigos de sus empleados: porque en ocasiones usted debe decir y hacer cosas que no haría ni diría frente a un amigo. Los amigos no dan órdenes, pero usted debe periódicamente obligar a su hijo a hacer algo que quizá él no desea hacer. Un amigo tampoco se ocupa de disciplinar a otro, como usted debe hacer a veces con su hijo. No estoy diciendo que deba ser mezquino y dictatorial. Por el contrario, el enfoque que expreso a lo largo de este libro posibilitará que padres e hijos desarrollen la relación más cariñosa, sólida e intensa posible.

BANDERA ROJA 7:
ASUMIR LAS RESPONSABILIDADES DE SU HIJO

Los niños empiezan a ser dependientes cuando los padres se hacen cargo de sus responsabilidades. Acaso adopte usted esta actitud porque relaciona su propio éxito como padre (o madre) —y su propia autoestima— con los éxitos de su hijo. Es posible que desee cerciorarse de que el niño triunfa para satisfacer sus propias necesidades. O quizá intente asegurarse de que conseguirá el éxito —y, por extensión, usted también triunfará.

Quizá se hace cargo de las responsabilidades de su hijo porque piensa que él no se muestra inclinado a asumirlas. Si percibe que su hijo rechaza de un modo consciente sus obligaciones, es probable que en vez de analizar qué puede estar sucediendo, lo esté estimulando de una forma negativa —preguntándole constantemente si ha cumplido con sus obligaciones o castigándolo por no haberlo hecho—, en un intento inútil de obligarlo a triunfar. Invariablemente, este enfoque disminuye la motivación y la sensación de pertenencia del niño y fomenta la ira y el resentimiento hacia usted, con la consecuencia de minar lo que usted más desea: un mayor rendimiento y un notorio progreso.

Independientemente de los motivos latentes, si usted asume las responsabilidades de su hijo, le está manifestando que no confía en él, que no lo considera suficientemente competente como para cumplir con sus obligaciones. Como consecuencia, el niño comenzará a internalizar su falta de confianza y acaso desarrolle la idea de que no es competente. Para muchos niños, esto significa invitarlos a evitar sus responsabilidades: «¿Por qué habría de hacerlo, si ellos lo harán por mí?».

Una forma práctica de comprobar si está asumiendo realmente las responsabilidades del niño es preguntarse si usted «microorganiza» su vida. Su responsabilidad fundamental es organizar la vida del niño enseñándole los valores importantes, ofreciéndole su guía y su ayuda, fijando los límites adecuados y aclarando cuáles son las consecuencias para su conducta. Sin embargo, cuando usted «microorganiza» la vida de su hijo, se entromete en sus responsabilidades. Esto significa que se involucra en determinadas áreas de su vida que no son de su incumbencia. Como regla general, cualquier acción que interfiera en la sensación de pertenencia del niño respecto de la actividad elegida socava su sensación de ser apto para hacerse cargo de sus propias actuaciones, lo incapacita para tomar decisiones y aprender la relación entre el esfuerzo y el resultado y le impide asumir la responsabilidad de sus propios actos; y, por tanto, se trata de una «microorganización», lo que significa hacerse cargo de aquellas cosas que el niño necesita hacer para progresar. Por ejemplo, si usted le prepara invariablemente sus materiales y su equipo, le pregunta diariamente si ha estudiado, si ha practicado, o si ha hecho la tarea, tendrá que aceptar que ha llegado el tiempo de retirarse.

Sonja quería que su hijo Anthony asistiera a uno de los mejores colegios. Ningún miembro de su familia había asistido a la universidad y ella había decidido darle una buena educación a su hijo para que luego estudiara una carrera, pero, además, pretendía que se graduara en una de las mejores universidades del mundo.

Para asegurarse de que Anthony se esforzaba por conseguir este objetivo, constantemente le preguntaba si había hecho sus deberes (al principio siempre los hacía), supervisaba su trabajo (aunque ella misma no supiera demasiado sobre la asignatura) y le aconsejaba que estudiara más para los exámenes. Lamentablemente, los esfuerzos de Sonja tuvieron el efecto contrario al que ella deseaba. Anthony comenzó a perder interés en las materias que antes le gustaban, cada vez se esforzaba menos con sus estudios y sus notas eran cada vez más bajas. Sonja «microorganizaba» la vida académica de su hijo. Al no permitirle asumir sus responsabilidades, le estaba haciendo sentir que sus estudios no le pertenecían. Por haberlo privado de la sensación de pertenencia, el interés, la motivación y el rendimiento de Anthony empeoraron.

Preocupada por las notas de su hijo, Sonja habló con el consejero del colegio. Él advirtió su ansiedad y, al notar que presionaba demasiado a su hijo, le aconsejó que hiciera un experimento. Durante dos semanas no hablaría con Anthony sobre el colegio, los estudios ni las notas. Aunque Sonja no entendía de qué forma esto podría ser útil, accedió a intentarlo. Al comienzo de ese periodo de dos semanas, Anthony volvió del colegio esperando que su madre lo agobiara como de costumbre, pero se sorprendió al ver que ella no decía absolutamente nada. Aunque estaba desconcertado, se sintió aliviado y se dedicó a estudiar durante toda la semana. Sonja observó que Anthony estaba más relajado y que parecía ocuparse de sus estudios. También advirtió que la relación entre ambos era mucho mejor.

Las dos semanas se convirtieron en tres, luego en cuatro y pronto los exámenes de mitad de curso estuvieron muy próximos. Sonja se sentía nerviosa por no intervenir en los estudios de Anthony, pero las cosas parecían ir bien y decidió continuar con el experimento hasta conocer las notas de los exámenes. Anthony volvió a casa con una enorme sonrisa en su rostro. Sus notas eran tan buenas como lo habían sido antes, e incluso habían mejorado en dos asignaturas. Sonja estaba entusiasmada y llamó al consejero del colegio para agradecerle su ayuda.

La lamentable ironía de la primera parte de este caso demuestra que cuando los padres asumen las responsabilidades de sus hijos, realmente favorecen aquello que más temen: que sus hijos fracasen en la actividad que puede potenciar sus cualidades y conducirlos al éxito. Si usted se hace cargo de las obligaciones de su hijo de una forma constante, atentará contra el éxito que él puede conseguir a largo plazo y le transmitirá que no tiene confianza en él.

CÓMO EDUCAR A UN NIÑO
PARA QUE SEA INDEPENDIENTE

La independencia no es algo que su hijo pueda conquistar por sus propios medios, ya que un niño no tiene la perspectiva ni la experiencia necesarias como para ser una persona independiente. Por el contrario, es un regalo que usted le ofrece y que él apreciará, porque le sacará provecho durante toda su vida. Usted puede ofrecer a su hijo diversos ingredientes esenciales para conquistar la independencia. Debe brindarle su amor y su respeto, pues a través de ellos potencia la sensación de seguridad que necesita para explorar el mundo y asumir riesgos; y debe expresarle que confía en su capacidad. Entonces el niño será capaz de interiorizar la confianza que usted tiene en él y desarrollar una permanente sensación de competencia. Debe enseñarle que es él el que controla su vida; debe proporcionarle su ayuda y, más tarde, la libertad necesaria para que pueda tomar sus propias decisiones. Finalmente, debe enseñarle cuáles son sus responsabilidades, indicarle que tiene que aceptarlas y conseguir que se comprometa con sus esfuerzos por triunfar.

SER PADRES

Hay algo que es imprescindible y que es más importante que cualquier otra cosa que se diga en este libro: ¡*Ser padre*! Ese es su trabajo y esa es la relación que tiene con su hijo. Si asume su papel de padre (o madre), el niño aceptará más fácilmente su papel de hijo. Ser amigo de su hijo —lo que realmente no es su traba-jo— puede ocasionar una dependencia adicional, porque el niño, además de sus obligaciones, tendrá la responsabilidad añadida de tener una relación «de igual a igual» con usted. Saber que usted es el padre y que él es el hijo establece límites, funciones y responsa-bilidades claras que le permiten hacer su trabajo —ganar cada vez más independencia respecto de sus padres.

Inicialmente, el papel de los padres se limita a ordenar la vida de su hijo, estableciendo límites, expresando sus expectativas y enseñándole las consecuencias derivadas de sus actos. Más ade-lante, a medida que su hijo crezca, su función consistirá en delegar en él la responsabilidad de su vida. Esta transición supone un cam-bio que implica abandonar la «microorganización» (sí, en efecto, tiene usted que «microorganizar» la vida del niño hasta que él tenga la experiencia y la capacidad para hacerlo por sí mismo) y limitarse a brindarle información sobre todo lo que hace, con el propósito de ayudarlo a mejorar su vida. Esta evolución significa ofrecer a su hijo más opciones y decisiones, imponerle menos límites, expectativas y consecuencias, y darle más libertad para decidir el curso de su vida.

ENSEÑAR EL VALOR DE LA RESPONSABILIDAD

Una de las tareas de los padres es enseñar a su hijo el valor de la responsabilidad. La mejor forma de asegurarse que usted y su hijo asumen las responsabilidades adecuadas, es que cada uno conozca cuáles son las propias. Si usted y su hijo comprenden cla-ramente lo que se espera de ambos, será más fácil mantenerse den-tro de los límites de dichas responsabilidades. Cuando su hijo comienza una actividad para la que demuestra tener condiciones, usted debería sentarse a conversar con él y establecer cuáles son las responsabilidades de cada uno, sin perder de vista los límites adecuados a la edad del niño.

Haga una lista de todo lo que hará para ayudar a su hijo a triunfar. Pídale al niño que le comunique de qué manera cree que usted puede ayudarlo. Anímelo a manifestar su opinión y pregúntele si piensa que alguna de las tareas incluidas en la lista *no* debería asumirla ninguno de los progenitores. Si la respuesta es afirmativa, solicítele que justifique su opinión y que le explique de qué forma se encargará de ocuparse él mismo de dicha obligación.

Luego, haga una lista de las responsabilidades de su hijo en relación con la actividad a través de la que espera cosechar éxitos. Antes de compartir sus ideas con él, pídale que le explique qué debe hacer para triunfar. Si cree que ha olvidado algunas responsabilidades importantes, hágaselo saber y compruebe si su hijo está de acuerdo con lo que usted dice.

A continuación, identifique a los demás individuos que tendrán responsabilidades en la actividad en la que participa su hijo, tal como la profesora, el instructor o el entrenador. Enumere las obligaciones que corresponden a cada uno de ellos (si fuera posible, estas personas deberían formar parte de este proceso).

También deberían hablar de cuáles serán las consecuencias en el caso de que el niño no se ocupe de sus responsabilidades. Lo ideal es que existan consecuencias tanto para los padres como para los hijos. No obstante, probablemente no sea factible que su hijo pueda «castigarlos» de algún modo (aunque existen algunos padres que, ocasionalmente, podrían recurrir al «tiempo muerto»). Las mejores consecuencias son las que privan al niño de un privilegio que significa mucho para él y le ofrecen la posibilidad de recuperarlo mediante una acción correcta.

Este proceso aclara categóricamente cuáles son los respectivos «tareas» de los padres y del niño. Además, elimina cualquier confusión posible, cuando alguno de ellos se «pasa de la línea» y asume responsabilidades que no le corresponden, o simplemente no se hace cargo de las propias obligaciones.

EXIGIR RESPONSABILIDAD

Muchos sectores de nuestra cultura transmiten a los niños el mensaje de que ellos *no tienen la culpa de nada*. Cuando se explica que una conducta delictiva se debe a una educación problemática, cuando se buscan chivos expiatorios a quienes responsabilizar de una desgracia, cuando se culpa a los demás por los propios fracasos, los niños reciben el mensaje de que no necesitan ser responsables de sus propios actos. Sin embargo, para poder convertirse en grandes triunfadores, es esencial que los niños asuman la responsabilidad de lo que hacen.

Cuando los niños se muestran renuentes a responsabilizarse de sus actos, lo hacen con la intención de protegerse de un posible fracaso. Al no hacerse cargo de su responsabilidad, salvaguardan su ego y evitan tener que aceptar que la causa se encuentra dentro de ellos mismos. Por ese motivo buscan factores externos —como, por ejemplo, otras personas, la mala suerte o una injusticia— a los que puedan adjudicar la culpa de sus errores.

Algunos niños pueden aceptar la responsabilidad de sus actos de manera irregular. A esto lo denomino «responsabilidad selectiva», lo que significa que los niños tienen más disposición a asumir responsabilidades cuando triunfan que cuando fracasan. Evitar o aceptar la responsabilidad tiene una compensación: la autoprotección frente a la autovaloración. Es fácil asumir la responsabilidad del éxito; lo complicado es aceptar el fracaso. Pero los niños deben darse cuenta de que no pueden tener uno sin el otro. No pueden realmente sentir que sus éxitos les pertenecen si no aceptan también sus fallos.

Los padres a veces sabotean la oportunidad que tiene el niño de aprender qué es la responsabilidad, por su forma de reconfortarlo después de un fracaso. Al intentar aliviar la decepción que inevitablemente acompaña a un mal rendimiento, acaso se descubra adjudicando su fallo a motivos externos —ya sea por sus notas, o por su mala interpretación en un recital— con el fin de consolar al niño. Aunque su gesto puede proporcionarle un alivio emocional momentáneo, le impide asumir la responsabilidad de su compromiso. También evita que el niño comprenda por qué ha fallado y en qué sentido debe modificar su actitud en el futuro. Allison Armstrong, coautora de *The Child and the Machine,* afirma: «Los padres a menudo sienten que deben evitar que sus hijos se sientan decepcionados. Debido a la idea errónea de que la infancia perfecta está libre de obstáculos, algunos padres inconscientemente sabotean el progreso de sus hijos, su crecimiento y su independencia».

Usted puede facilitar que su hija asuma la responsabilidad de sus éxitos y sus fracasos enseñándole la relación que existe entre sus actos y sus resultados. La mejor manera de disipar sus emociones negativas es mostrarle cómo puede producir un resultado positivo en el futuro. Con este enfoque, considerará que será capaz de hacerlo mejor cuando se presente la próxima oportunidad. Por ejemplo: una niña se siente desilusionada y triste porque ha tenido una mala actuación en un importante torneo de tenis. Ha perdido frente a varias competidoras. En vez buscar excusas, el padre la escucha, comparte sus sensaciones y sentimientos y, amablemente, le señala que no ha practicado lo suficiente durante las semanas previas al torneo, y que ha desaprovechado varias oportunidades de participar en partidos muy competitivos durante su preparación. También le indica que si invierte tiempo y esfuerzo antes del siguiente torneo, jugará cada vez mejor y posiblemente logrará vencer a las jugadoras que la han derrotado en esta ocasión. Por tanto, la decepción de la niña le sirve para reconocer sus errores, pero también para considerar los esfuerzos que debe invertir en el futuro a fin de modificar los resultados. Y lo que es más importante, cuando triunfe se sentirá completamente responsable de su éxito.

ESTIMULAR AL NIÑO PARA QUE EXPLORE EL MUNDO

Cuando su hijo es pequeño, no debe «aflojarle demasiado la cuerda» con el fin de garantizar su seguridad. Debe vigilarlo mientras juega y no permitirle alejarse demasiado. De este modo, contribuye a que el niño desarrolle la sensación de seguridad, enseñándole que tiene un lugar al que puede regresar siempre que lo necesite, y explicándole que lo protegerá cuando sea necesario.

Sin embargo, existe una delgada línea entre la sensación de seguridad y la sensación de dependencia. Cuando su hijo se sienta seguro, debe alentarlo para que explore el mundo y se aventure más allá de la red de seguridad que usted le ha proporcionado. Esta forma de «empujarlo fuera del nido» le permite dar los primeros pasos para independizarse de usted, pone a prueba sus propias habilidades en el «mundo real» y lo ayuda a descubrir la sensación de seguridad dentro de sí mismo. Cuantas más experiencias tenga en sus exploraciones, más confianza tendrá en su propia seguridad interior, y más se animará a aventurarse en el mundo por sus propios medios y a alejarse progresivamente de su red de seguridad.

Usted puede fomentar que el niño explore el mundo animándolo a investigar lo desconocido, sin perder de vista los límites apropiados para la edad del niño. Por ejemplo, puede pedirle a su hijo de dos años que vaya a buscar una pelota que ha dejado junto a la casa. O puede permitirle a su hija de siete años montar en bicicleta hasta la casa de su amiga que está a dos manzanas de distancia. O puede autorizar a su hijo de catorce años para que vaya de acampada a la montaña con varios amigos (suponiendo que tenga experiencia en este tipo de actividades). En ocasiones puede resultar incómodo fomentar este tipo de oportunidades, pero son experiencias esenciales para la evolución y la independencia del niño.

También puede identificar las situaciones que atemorizan a su hijo y animarlo a afrontar su miedo y a analizar la situación. Hable con su hijo sobre el miedo, ofrézcale otra perspectiva que le ayude a superar el miedo y enséñele algunas estrategias para neutralizarlo. Si fuera necesario, puede acompañar a su hijo la primera vez que tenga que afrontar la situación temida y brindarle su ayuda para dominar su miedo; más adelante deberá animarlo a afrontar solo la situación.

Una de las formas por las que los padres, inadvertidamente, inhiben la sensación de seguridad de sus hijos y provocan su dependencia, es expresar su miedo, enfado o sufrimiento cuando el niño comienza a explorar su entorno. Si usted se irrita o se muestra excesivamente temeroso cuando el niño se aleja demasiado es muy probable que su reacción se deba a sus propios miedos. Si reacciona exageradamente ante las experiencias de exploración de su hijo, el niño puede internalizar esa respuesta y considerar que el mundo es un lugar peligroso que no se debe explorar. Aprender a reconocer los propios miedos para no transmitirlos a su hijo es vital para su desarrollo y su independencia. Si cree que el problema es usted, pero no está demasiado seguro, busque una segunda opinión consultando a un profesional o conversando con un amigo de confianza. (Añado esto porque las personas que son excesivamente miedosas a menudo son las últimas en enterarse —es difícil conocerse a uno mismo.)

También puede transmitirle a su hijo mensajes positivos sobre las ventajas de la exploración. Cuando visitan un museo, cuando le da permiso para que vaya al parque solo, o para que vea una película de terror, le transmite que la exploración es una experiencia divertida y emocionante que merece la pena probar. Si expresa emociones positivas, el niño adoptará esas mismas ideas y emociones, que lo estimularán a explorar el mundo y sus límites.

Un último pensamiento sobre lo que significa fomentar la exploración: la realidad es que, en muchos sentidos, el mundo se ha convertido en un lugar cada vez más peligroso para los niños. Cuando le recomiendo que anime a sus hijos a explorar, no pretendo que los exponga a un riesgo excesivo. Por el contrario, el propósito es ayudarlo a comprender qué es lo que usted piensa y siente en relación con la exploración, pues sus ideas y sus emociones pueden representar un obstáculo para este proceso. También le sugiero que exponga a su hijo a experiencias de exploración, pues son fundamentales para que se convierta en un niño independiente. Tal como sucede con todos mis consejos, debe aplicar su propio criterio para decidir qué experiencias son demasiado peligrosas para su hijo y cuáles son las que mejor responden a sus intereses.

RESPONDER A LOS SIGNOS TEMPRANOS DE ADVERTENCIA

Un niño no se convierte en un ser dependiente de la noche a la mañana. Los problemas se desarrollan a lo largo de los años en que se expone al niño a perspectivas, actitudes, emociones y conductas enfermizas. Advertir los signos tempranos de advertencia que corresponden a los diferentes tipos de niños dependientes debería ser una señal de alarma para que usted modifique la forma en que está influenciando a su hijo. Los signos persistentes de perfeccionismo, una dura autocrítica, la pérdida de motivación y diversión, la ansiedad por el propio rendimiento, las emociones inadecuadas, y otras conductas descritas en las secciones correspondientes a las Banderas Rojas de este libro, deberían indicarle que algo va mal y que el niño acaso haya tomado un camino equivocado. Cuanto antes reconozca usted estos problemas potenciales, más oportunidades tendrá de introducir cambios y de imprimir una nueva dirección a la vida de su hijo.

Lo primero que debe hacer es analizar sus ideas, emociones y conductas. ¿Qué tipo de amor expresa a su hijo? ¿Cuáles son los mensajes que le ha transmitido en relación con el éxito y el fracaso? ¿Cuán involucrado está en los esfuerzos que realiza su hija por alcanzar el éxito? ¿Cuáles son las expectativas que alberga respecto de su hija? ¿Qué emociones le expresa ante sus éxitos o fracasos? ¿Cuáles son las actitudes que le enseña con su propia vida? Si comienza a observar algunos signos tempranos que caracterizan a un niño dependiente, deberá usted analizar su forma de educar a su hija. Del mismo modo que usted le pide que cambie, debe estar dispuesto a cambiar por el bien de la niña. Esta búsqueda del alma puede ser un proceso difícil. Requiere que analice profundamente quién es, en qué cree y qué le transmite a sus hijos. Quizá le resulte útil buscar la ayuda de su esposa (o marido), de un amigo íntimo o de un psicoterapeuta.

Una vez que reconozca que sus propias creencias, emociones y conductas pueden estar contribuyendo a que su hijo sea dependiente, debe pasar a la acción y alentarlo para que pueda elegir un camino diferente. Los mensajes positivos que lo motivarán consisten en ofrecerle un amor basado en los valores, definir claramente los límites, dar prioridad al esfuerzo y no a los resultados, cederle más responsabilidades en las actividades en las que espera triunfar, responder de una manera diferente frente a sus éxitos y fracasos o cualquiera de todas las sugerencias que ya he mencionado. Lo más importante es que usted modifique su actitud lo antes posible y le comunique estos nuevos mensajes de una manera clara y coherente para que el niño los comprenda y pueda responder a ellos con una conducta que propicie su éxito y su felicidad.

Quizá la próxima historia pueda servir de ayuda. Chrissy, de once años de edad, era una niña malcriada. Sus padres no habían

recibido mucho amor de sus propios padres y lo compensaban col-
mándola de cariño. No le imponían ningún límite y, aunque no
tenían mucho dinero, le daban todo lo que estaba dentro de sus
posibilidades económicas, independientemente de lo que la niña
hiciera.

Sus padres no se percataron de que todo ese caudal de amor y
una libertad ilimitada solo conseguirían hacer de Chrissy una niña
asustada. Como le permitían tomar todas sus decisiones sola, y
hacer todo lo que le apeteciera, Chrissy sentía que sus padres no
podían protegerla. Expresaba su miedo enfadándose con ellos a
través de una mala conducta y de un bajo rendimiento en el colegio. Era irrespetuosa, haragana y agresiva, y estaba en camino de
convertirse en una niña que decepciona a sus padres. Ellos eran
conscientes de sus dificultades, pero no conseguían comprender
por qué se comportaba de ese modo, ni cómo podían ayudarla.

El consejero del colegio observó que los problemas de Chrissy
iban en aumento y decidió citar a los padres, que necesitaban ayuda
desesperadamente. Después de una prolongada conversación sobre
la conducta de Chrissy y la vida familiar, el consejero les sugirió lo
siguiente: tenían que definir unas expectativas claras en relación con
la conducta de la niña, debían adjudicarle ciertas responsabilidades
relacionadas con los quehaceres domésticos y los estudios y poner
ciertos límites al tiempo que pasaba fuera de casa. También debían
establecer algunas consecuencias para su mal comportamiento y
ocuparse de aplicarlas. Esa misma noche, los padres se sentaron a
conversar con ella y defendieron «la nueva ley de la tierra». Expre-
saron su preocupación, describieron sus nuevas expectativas y las
consecuencias y destacaron su amor por ella. Tal como se esperaba,
después de tener «rienda suelta» durante tanto tiempo, la niña se
resistió al cambio, desafiando a sus padres cada vez que menciona-
ban sus expectativas y forzándolos a imponer una consecuencia para
las nuevas «leyes». Durante el primer mes, los padres tenían dudas
de que el nuevo enfoque funcionara. Sin embargo, estaban decidi-
dos a continuar con el plan y, con su mutuo apoyo y la ayuda constante del consejero escolar, soportaron sus rabietas y su resistencia.

Entonces comenzó a suceder algo sorprendente. Chrissy dejó
de oponerse a las nuevas expectativas y comenzó a responder a las

exigencias de sus padres. Se mostraba mucho más respetuosa con ellos, se hacía cargo de las tareas domésticas que le habían adjudicado —primero fue necesario recordárselas, pero pronto las asumió por su propia cuenta— y comenzó a interesarse por sus estudios.

Cuando se produjeron todos estos cambios, Chrissy se sentía algo confusa. Una parte de ella odiaba que le pusieran límites después de tantos años de libertad, y la otra parte los aceptaba a regañadientes; en el fondo, apreciaba que sus padres fueran severos con ella. Por fin le demostraban que la querían de verdad y que podía contar con ellos para que la protegieran cuando lo necesitara. Gracias al coraje y la resolución de sus padres, Chrissy saldría adelante.

LECCIONES DE LA VIDA PARA LA SENSACIÓN DE PERTENENCIA

1. No hay almuerzos gratis. Nadie tiene ningún derecho a algo por lo que no ha sudado ni luchado.
2. Establezca objetivos y trabaje tranquila y sistemáticamente para obtenerlos.
3. Autorícese a sí mismo.
4. No tema asumir riesgos ni ser criticado.
5. No se rinda jamás.
6. Confíe en que puede marcar una diferencia.
7. Sea una persona dinámica y voluntariosa.
8. Usted es responsable de su propia actitud.
9. Sea fiable. Sea fiel. Termine lo que empieza.

Edelman, M. W. (1992): *The measure of our success: A letter to my children and yours*, Boston, Beacon Press.

TERCERA PARTE

La maestría emocional

C UANDO participan en experiencias que pueden depararles logros importantes, los niños experimentan una amplia gama de emociones, desde el entusiasmo y la alegría hasta la frustración y la ira. Las emociones más intensas y frecuentes determinarán la actitud del niño en relación con el éxito. Las emociones positivas relacionadas tanto con el éxito como con el fracaso fomentan que los niños desarrollen percepciones positivas para ellos mismos y los animan a esforzarse por triunfar. Los niños que tienen experiencias constructivas asocian el éxito con emociones como el entusiasmo, la satisfacción y la felicidad. Aunque es sano y natural que los niños experimenten emociones negativas, como la frustración y la decepción, cuando intentan hacer algo nuevo o compiten a un alto nivel, las emociones excesivamente negativas, tales como el miedo o la desesperación, pueden causar que los niños relacionen sus esfuerzos con su malestar y renuncien a perseguir sus sueños. Las emociones negativas y malsanas son los obstáculos más importantes que debe afrontar un niño en su camino hacia el éxito, porque se manifiestan de forma inmediata y contundente. Este tipo de emociones afecta a los niños en diversos niveles, mina su confianza, los hace perder concentración y hace tambalear su motivación.

Las respuestas emocionales de un niño ante sus intentos por triunfar se desarrollan a medida que el niño acumula experiencias relacionadas con su compromiso. Dichas emociones toman la forma de creencias y actitudes vinculadas con la consecución del éxito. Las emociones negativas asociadas con las experiencias y las percepciones del niño se conocen normalmente como el «bagaje» que los niños transportan hasta el estado adulto. Uno de los aspectos más complicados de las emociones malsanas es que llegan a arraigarse profundamente. Por este motivo, cuando los niños se encuentran en una situación en la que pueden conseguir el éxito, responden automáticamente con una particular reacción emocional, previamente programada, incluso aunque esa respuesta emocional sea más perjudicial que ventajosa. Por ejemplo: un niño se siente constantemente acosado por su padre debido a sus malas notas. Con el paso del tiempo, empieza a temer los exámenes del colegio, porque sabe que si suspende, su padre se enfadará con él. Este miedo lo lleva a obtener malos resultados en los exámenes, provocando la reacción de su padre que más teme.

Los tipos de reacciones emocionales que pueden experimentar los niños en respuesta a su rendimiento y su progreso dependen de todo lo que he mencionado hasta este momento. Todo lo que haga usted para contribuir al desarrollo de la autoestima de su hijo y de su sensación de pertenencia influirá en las emociones que el niño habrá de experimentar cuando se comprometa en una actividad que le interesa. Dichas emociones, a su vez, determinarán la motivación del niño para dedicar todos sus esfuerzos a conseguir el éxito y la felicidad en el futuro.

Los niños que tienen una autoestima alta creen en su capacidad para conseguir el éxito. Si la autoestima de su hijo se basa en que usted aprueba sus esfuerzos en vez de privilegiar los resultados, el niño tendrá una perspectiva sana en relación con el éxito y el fracaso. De este modo, experimentará emociones que normalmente profetizan la conquista del éxito. Además, las emociones negativas que experimenta su hijo como respuesta al fracaso no lograrán debilitarlo ni serán duraderas.

Los niños con una baja autoestima no tienen fe en su idoneidad y asumen que van a fracasar. Estos niños pueden desarrollar el temor a triunfar porque han recibido de sus padres un amor condicionado a su rendimiento. Este ambiente en el que impera el miedo genera devastadoras emociones negativas que, prácticamente, son una garantía de fracaso. Cuando los niños con una baja autoestima consiguen triunfar, en vez de experimentar intensas emociones positivas obtienen la única recompensa de no sentirse agobiados por sus emociones negativas.

Los niños que sienten que sus logros les pertenecen experimentan intensas emociones, tanto positivas como negativas, porque el éxito es muy importante para ellos. Simultáneamente, las emociones negativas como respuesta a fracasos ocasionales no resultan devastadoras, porque el éxito no está exageradamente vinculado con su autoestima —cuando fracasan, siguen pensando que son personas competentes y dignas de amor. No viven el fracaso como una experiencia amenazadora y, como están seguros de poder controlar su rendimiento, se sienten capaces de alterar los resultados en el futuro. De manera que las emociones negativas motivan a los niños que han desarrollado una sensación de pertenencia a superar sus fallos y a perseverar en la búsqueda del éxito.

Los niños que no han desarrollado la sensación de pertenencia debido a la educación que han recibido de sus padres pueden experimentar emociones intensas y dolorosas. Estos niños se enfadan, se sienten resentidos, tristes y desesperados porque, cuando fracasan, tienen que llevar sobre sus hombros la carga de las emociones de sus padres. Por haber recibido un amor basado en los resultados, el fracaso resulta devastador para su autoestima. Además, se sienten impotentes para modificar sus circunstancias, se encuentran atrapados y no se creen capaces de salir de esa situación.

CAPÍTULO 7

¿Por qué estoy tan asustado?

Amenaza frente a desafío

SI tuviera que sintetizar todo lo que hago con los jóvenes triunfadores y resumir sus reacciones emocionales frente al éxito, la conclusión sería una simple diferenciación: los niños pueden considerar sus esfuerzos por conseguir algo como una amenaza para sus emociones o como un desafío emocional. Tomar conciencia del porqué, el cómo y el qué de dicha distinción es esencial para ayudar a su hijo a desarrollar reacciones emocionales sanas y constructivas en relación con sus esfuerzos por conseguir el éxito.

LA AMENAZA EMOCIONAL

La amenaza emocional es el núcleo de todas las reacciones emocionales negativas que el niño experimenta respecto de sus esfuerzos por triunfar. Esta respuesta emocional negativa se basa en que el niño duda de que sus padres lo quieran y lo consideren una persona idónea. Es el resultado de los errores de cálculo de los padres, entre los que podemos citar un exceso de compromiso, ofrecer un amor basado en los resultados, impartir una educación pragmática, albergar expectativas de perfección y una actitud que fomente el desarrollo de un falso ser del niño. Los niños se sienten tan aterrorizados que será irremediable que fracasen y, como consecuencia, se verán privados del amor de sus padres; la mera idea de colocarse en una situación en la que el fracaso es una posibilidad les resulta aterrador. ¿Puede existir algo más amenazador para su hijo que pensar que usted dejará de quererlo si fracasa?

EL CÍRCULO VICIOSO EMOCIONAL

Paradójicamente, la reacción emocional ante lo que considera una amenaza, a pesar de haber sido creada por los niños para protegerse, funciona como una profecía, que habitualmente se cumple, en torno a lo que el niño más teme: el fracaso y la pérdida del amor de sus padres. Si su hijo piensa que asumir un riesgo es una amenaza para sus emociones, comenzará a esforzarse por conseguir el éxito desde una posición de debilidad: desde la ineptitud, la duda y el miedo. En esta situación nada envidiable, comienza un *círculo vicioso emocional*, lo que significa que cualquier factor emocional y psicológico que afecte la consecución de los logros se vuelve en contra del niño.

Cuando el niño reacciona como si estuviese amenazado, manifiesta que no se cree capaz de superar las exigencias que provocan esa conducta: «No me sentiría tan asustado si pensara que tengo alguna posibilidad de triunfar». La confianza del niño disminuye y se siente abrumado por pensamientos negativos y derrotistas. Estas creencias finalmente contribuirán a un fracaso seguro. Esta falta de confianza socava la motivación, porque el niño tiene poco ímpetu para comprometerse en una actividad en la que está convencido de fracasar. La amenaza emocional causa ansiedad y una serie de síntomas físicos negativos asociados con el miedo —tensión muscular, nervios, falta de aliento y temblores musculares—, que causan más malestar y aumentan las posibilidades de fracasar (y si la actividad es física, la ansiedad puede afectar el rendimiento del niño). Debido a que la reacción ante la amenaza es tan intensa, las emociones, sensaciones físicas y pensamientos le causan un intenso malestar y el niño se fija especialmente en todos los aspectos negativos del proceso de conseguir el éxito. De este modo, tendrá muchas dificultades para centrarse en todo aquello que puede ayudarlo a triunfar. Todas estas reacciones negativas ante lo que su hijo vive como una amenaza, en definitiva resulta en un rendimiento insuficiente y en la materialización de los temores del niño: el fracaso y la pérdida del amor de sus padres.

Más adelante, este pavor se transforma en otras emociones igualmente destructivas que impiden a los niños alcanzar sus objetivos. Cada paso descendente en este círculo vicioso —sea de forma individual o por acumulación— logra que los niños consideren al éxito como una experiencia peligrosa que les despierta temor y que deben evitar a toda costa.

Sammy estaba muy asustado porque tenía que intervenir en un inminente debate. Cada vez que Sammy participaba en eventos similares, su madre, Joyce, lo colmaba de cariño y atenciones y le ofrecía comprarle lo que él quisiera, cuando tenía una buena actuación. Sin embargo, si el niño se confundía, la madre se mostraba enfadada y distante. Sammy sabía que esos importantes debates significaban mucho para ella. Joyce se había pasado las últimas semanas hablando de la competición, se había asegurado de que su hijo practicara cada día, y le decía que iba a colocar el trofeo que Sammy iba a ganar en el salón para que todos pudieran verlo.

La noche anterior a la competición Sammy casi no pudo dormir. No podía dejar de pensar en el terror que le producía participar en el debate. Estaba convencido de que se iba a olvidar de lo que tenía que decir, o que iba a empezar a tartamudear. Pensó que sería maravilloso tener una laringitis que lo salvara de competir. Por la mañana se sentía aún peor. El corazón le brincaba en el pecho y sentía que se iba a asfixiar. Aunque intentó revisar su discurso, solo podía pensar en que su madre iba a estar entre la audiencia y que se sentiría muy decepcionada si él era incapaz de hablar. Sammy salió al escenario sintiéndose como un ciervo paralizado frente a los faros de un coche. ¡Estaba destinado al fracaso!

Los niños se encuentran a veces en la difícil posición de tener miedo del éxito, sin tener la opción de evitarlo. Usted puede presionarlo, de una forma sutil o explícita, para que continúe esforzándose por conseguir el éxito en la actividad que ha elegido, a pesar de su falta de interés o diversión. No obstante, esta imposición no hace más que empeorar la sensación de amenaza porque el niño se siente impotente, atrapado y fuera de control.

Cuando lo obliga a intervenir en una actividad con la expectativa de que sobresalga en ella, en un intento por controlar la situación, el niño puede inicialmente transformar su miedo en frustración. Dicha frustración puede motivarlo a esmerarse por tener el control. Sin embargo, también puede causar que su hijo desee vengarse de usted y, por ejemplo, rompa uno de sus palos de golf durante un torneo o le grite al director de la orquesta. Esta frustración seguirá interfiriendo en los esfuerzos que realiza el niño por triunfar, porque es incapaz de pensar con claridad, ni de concentrarse efectivamente.

Lamentablemente, ante semejante amenaza, el niño tiene pocas esperanzas de éxito. Cuando advierte que está inmerso en una situación de la que, aparentemente, no puede escapar, su frustración termina por convertirse en cólera. Y la cólera lo empuja a apartarse de una situación que le resulta amenazadora aunque, al mismo tiempo, inhibe su capacidad para dirigir toda su energía hacia el éxito, obnubila su pensamiento y le provoca todavía más ansiedad.

Invariablemente, los niños son incapaces de liberarse de este círculo vicioso y, al comprobar que no tienen ningún control sobre la situación y que no hay forma de escapar, la ira termina por transformarse en pánico. Este pánico culmina en un esfuerzo final —desesperado e ingobernable— por recuperar el control, aunque, desgraciadamente, todo su empeño es en vano. Por último, cuando los niños se sienten completamente impotentes para evitar el fracaso y se dan por vencidos, se instala la desesperación. Simplemente, aceptan el fracaso porque no creen tener ninguna otra opción.

EL MIEDO AL FRACASO

Las reacciones emocionales negativas de los niños normalmente se relacionan con un profundo miedo al fracaso. El investigador de la Universidad del Estado de Pensilvania, David Conroy define el miedo al fracaso como «la creencia de que tras un fracaso previsible habrá una consecuencia adversa» que, en general, se asocia con el disgusto que se llevarán las personas que son importantes para el niño, con la pérdida de influencia social, con la sensación de vergüenza y bochorno, con el autodesprecio y con la posibilidad de tener por delante un futuro incierto. El doctor Conroy considera que el miedo al fracaso es una reacción defensiva basada en la convicción de que las personas queridas le retirarán automáticamente su cariño si fracasa.

El miedo al fracaso es muy común entre nuestros jóvenes, y el peaje que supone para nuestros hijos puede ser devastador. Dos estudios han informado que el 35 % de los estudiantes universitarios manifestaron que el miedo al fracaso interfería en sus logros académicos y en sus vidas. El miedo al fracaso ha sido asociado con muchas dificultades psicológicas y de aprendizaje en el colegio, en las artes, en los deportes, incluidos una baja autoestima, una motivación intrínseca insuficiente, notas bajas, engaños, afecciones físicas, trastornos de la alimentación, abuso de drogas, ansiedad y depresión. También puede ser muy frecuente entre los niños superdotados.

Normalmente, los niños desarrollan el miedo al fracaso debido a sus padres y suelen hacerlo con mayor frecuencia entre los cinco y los nueve años. Cierto estudio descubrió que las madres que temían el fracaso tenían hijas con las mismas características, y que cuando los padres experimentaban miedo al fracaso, eran los hijos varones quienes lo padecían. Otra conclusión del estudio fue que cuando las madres exigían a sus hijos algo que no eran capaces de hacer, los niños empezaban a sentir miedo de fracasar. Y además, los niños con un gran miedo al fracaso, en general pertenecían a familias con conflictos conyugales, en las que no había una buena comunicación y en un ambiente de hostilidad donde existían luchas de poder.

Los niños con miedo al fracaso tienden a pensar que no son adecuadamente recompensados por sus éxitos y que, sin embargo, los castigan con severidad por sus fracasos. La motivación más importante que tiene su hijo es el deseo de ser reconocido. Sin embargo, para los niños que temen fracasar, la principal motivación es evitar las críticas. Esto tiende a crear niños sumisos, que siguen dependiendo de sus padres en vez de confiar cada vez más en sí mismos a medida que se acercan a la adolescencia.

Los niños pueden evitar el fracaso negándose a participar en una actividad en la que pueden exponerse a él. Si no se esfuerzan por nada, se sienten a salvo. Lastimarse o enfermarse (o simularlo), destruir su equipo, olvidar o perder los materiales, son formas muy comunes de evitar comprometerse en una actividad en la que podrían demostrar lo que valen.

También pueden rehuir el fracaso cometiendo fallos lo antes posible, pero siempre contando con una excusa, para no tener que asumir la responsabilidad del fracaso. Al no sentirse culpables por haber fallado, los niños pueden proteger su autoestima.

Una respuesta basada en el miedo al éxito puede motivar que algunos niños se esfuercen por triunfar. El objetivo de los niños que se sienten amenazados por el éxito es distanciarse lo máximo posible del fracaso, eliminando de este modo su amenaza. Para aquellos niños que no tienen el poder necesario para eludir una determinada actividad, ni para ofrecer una excusa con la intención de no participar en ella, la tercera forma de evitar el fracaso es conseguir el éxito. En este caso, se sienten a salvo de la amenaza del fracaso, manteniéndose lo más lejos posible de él.

El doctor David Conroy concluye: «Parece ser que el miedo al fracaso es, esencialmente, una forma de adaptación defensiva... Irónica y trágicamente, esta adaptación puede no ser tal, porque está cargada de intensas emociones que, como mínimo, convierte la participación del niño en una situación angustiante e incluso puede ser la causa del deterioro de su rendimiento».

EL MIEDO AL ÉXITO

«¿Miedo al éxito? ¿Por qué podría alguien tener miedo de convertirse en un triunfador? ¿Acaso no es lo que todo el mundo aspira? Sin embargo, los niños que se sienten amenazados por la consecución de sus logros, a menudo experimentan miedo al éxito. Este miedo no se basa en el hecho de alcanzar el éxito por sí mismo, sino en sus ramificaciones. Al ser la otra cara de la moneda del miedo al fracaso, el doctor David Conroy lo define como «la creencia de que tras el éxito tendrá lugar una consecuencia adversa», por ejemplo, la presión para estar siempre a la altura de éxitos anteriores, o para superarlos, la obligación de soportar la poco deseada situación de ser el foco de la atención y el reconocimiento de los demás, el aislamiento social y emocional y un futuro excesivamente rígido.

En un sentido, conseguir el éxito «pone el listón muy alto» para su hijo, genera mayores expectativas de éxito y se siente forzado a triunfar otra vez. Después de un éxito, usted espera que se repitan con frecuencia. El éxito de su hijo también aumenta el nivel de rendimiento esperado. Usted puede suponer que si su hijo ha alcanzado un determinado nivel de éxito deberá superarlo en la siguiente ocasión.

Ante cada éxito, y con cada nueva expectativa, su hija puede sentirse cada vez más agobiada. Su miedo al éxito empeora porque cada nuevo nivel de logros, y expectativas cada vez mayores, contribuyen a que la niña se considere incapaz de triunfar en el futuro. Su miedo al éxito aumenta porque piensa que lo más probable es que fracase, lo que sería muy decepcionante para los demás y, en última instancia, devastador para su autoestima.

Conseguir el éxito también puede situar a su hijo directamente debajo de los reflectores, donde recibirá más atención de sus profesores, instructores, entrenadores y compañeros. Con su victoria, y el reconocimiento añadido, su hijo no solamente tiene que afrontar sus propias expectativas y las de sus padres, sino también responder a las de muchas otras personas. Debido a su temperamento, algunos niños no se sienten cómodos ocupando un lugar central en el escenario. Los niños introvertidos, tímidos, inseguros, que no se sienten a gusto en eventos sociales, pueden desarrollar el miedo al éxito debido al malestar que experimentan recibiendo tanta atención. El temor que sienten les permite evitar los reflectores pero, desgraciadamente, también los priva de la posibilidad de conseguir sus objetivos.

Muchas personas creen que las personas más exitosas también son las más populares y las mejor aceptadas. tal como demuestra el estereotipo del defensa de fútbol o de la animadora de los eventos deportivos en el instituto. Sin embargo, la popularidad de los niños en el colegio a menudo está más asociada con el atractivo físico y las habilidades sociales que con el rendimiento escolar: el típico tonto de la clase puede ser el más exitoso, pero está lejos de ser el más popular. Como la aceptación de los compañeros es muy importante para los niños, el miedo al éxito puede surgir por problemas relacionados con los celos, la rivalidad, la envidia y la preocupación de quedar socialmente aislado. La doctora Mary Pipher habla de «la tendencia a permanecer en silencio» que manifiestan las adolescentes, y que se basa en la convicción de que si demuestran que son más inteligentes que los chicos, ellos las encontrarán menos deseables.

Uno de los peligros que acechan a su hijo si obtiene un éxito temprano en una actividad determinada es que puede ser obligado a imprimir una dirección a su vida que no le interesa en absoluto. El hecho de que el niño demuestre ser una promesa en un campo en especial —sea en los estudios, en el arte de la interpretación o en los deportes— puede conducir a los padres a proyectar un futuro brillante para él. En un caso semejante, usted puede dirigir la vida de su hijo hacia un futuro predeterminado, sin preguntarle siquiera si desea seguir por ese camino. El miedo al éxito puede surgir de la preocupación de que le exijan llevar un estilo de vida por el que no siente el menor interés. La forma más sencilla de sortear ese rígido futuro es evitar el éxito que lo conduciría a un futuro que no desea en absoluto.

Kelly no sabía qué hacer. Había jugado al baloncesto durante toda su vida. Sus dos hermanos mayores practicaban el mismo deporte, y la vida familiar giraba básicamente en torno a él. Los hermanos de Kelly habían sido verdaderas estrellas cuando estudiaban en el instituto y, en ese momento, formaban parte de los equipos de baloncesto de dos importantes universidades. Kelly era muy buen jugador, pero sabía que no podía satisfacer las expectativas de todo el mundo. De hecho, la idea de «seguir los pasos de sus hermanos» lo aterrorizaba. Por otra parte, sus hermanos eran extravertidos y bulliciosos, y él, por el contrario, era tímido y reservado. No le gustaba ser el centro de atención, y lo peor que le podía ocurrir era que su equipo, su familia y su pueblo contaran con él para ganar un partido. Kelly pretendía dar lo mejor de sí mismo, pero no podía afrontar la posibilidad de desilusionar a los demás. Lo único que deseaba era retirarse, pero no podía hacerlo sin decepcionar a las personas que confiaban en él. Cuando ingresó en el instituto, comenzó a sufrir una serie de lesiones que le impidieron realizar su mejor juego. Todo el mundo sintió compasión de él y la gente decía que si no se hubiera lesionado tantas veces podía haber sido tan bueno como sus hermanos.

EL DESAFÍO EMOCIONAL

Una vez que haya empujado a su pichón fuera del nido y él haya agitado sus alas algunas veces, descubrirá que no solo le encanta volar, sino que quiere hacerlo cada vez mejor. Su hijo tiene un deseo innato de alcanzar la excelencia, de esforzarse para superar sus propios límites, de alcanzar sus objetivos y de ser una persona de éxito. Si usted le brinda un tipo de amor que apoya todos sus esfuerzos (en contraste con el amor que depende de sus resultados), sabrá que puede contar con su cariño y, como consecuencia, considerará que el objetivo de destacar en una determinada área es un *desafío* y no una *amenaza*. Entonces, su hijo confiará en su idoneidad y concluirá que es una persona competente con capacidad para triunfar. Esto le permitirá pensar que el camino hacia el éxito es un desafío que vale la pena probar —con una actitud positiva, con grandes expectativas de éxito, con entusiasmo y alegría.

Los niños que en vez de amedrentarse aceptan los desafíos porque se sienten seguros de sí mismos, disfrutan del proceso y de los progresos que realizan en la actividad en la que esperan triunfar, independientemente de que triunfen o fracasen. La importancia de un desafío emocional es que los niños se diviertan y consideren la consecución del éxito como una tarea estimulante y enriquecedora. Cuando el rendimiento y el progreso se consideran un desafío, el proyecto de conquistar buenos resultados se convierte en una tarea que entusiasma a los niños, y en la que se vuelcan en cuanto tienen la menor oportunidad. En este caso, la reacción frente al desafío constituye una importante motivación, hasta el punto que los niños se esmeran por conseguir el éxito en vez de retroceder ante él.

LA ESPIRAL EMOCIONAL ASCENDENTE

Si su hijo percibe la consecución del éxito como un desafío emocional, comenzará a esforzarse para triunfar desde una posición sólida: de competencia, de interés y de determinación. Dicha posición inicia una *espiral emocional ascendente* que, literalmente, lo propulsa hacia el éxito y la felicidad. El objetivo de su hijo es triunfar, y todos sus esfuerzos están dirigidos a asumir el desafío que lo conducirá a esa meta.

Su forma de reaccionar frente al desafío le indica al niño que es capaz de superarlo y tiene la férrea convicción de que si trabaja con dedicación conseguirá triunfar. Esta actitud le ofrece la motivación y la perseverancia necesarias para seguir esmerándose a pesar de los contratiempos y los fallos. Esta conducta positiva le permite sentirse relajado y, al mismo tiempo, pletórico de energía, en vez de provocarle miedo y ansiedad. Como se ha propuesto conseguir unos objetivos que realmente desea alcanzar, puede concentrarse en todo aquello que le permitirá hacerlo. La reacción frente al desafío también genera muchas emociones positivas, como el entusiasmo y la satisfacción, que contribuyen a que la experiencia de conquistar los objetivos deseados sea placentera.

BANDERAS ROJAS

¿Se siente su hijo amenazado por su rendimiento? ¿Cuáles son los motivos para afirmar que su hijo se siente agobiado por el miedo al fracaso o al éxito? ¿Cómo puede descubrir si tiene una respuesta emocional positiva frente a las exigencias de la tarea que puede ayudarle a progresar? A continuación describo una serie de signos evidentes que pueden indicarle si su hijo reacciona de forma negativa o positiva ante sus logros.

BANDERA ROJA 1: EL RENDIMIENTO GENERA ANSIEDAD

Es natural que los niños se sientan nerviosos antes de una prueba, una competición, una actuación en público o un examen.

Este aumento de la tensión fisiológica del cuerpo humano es una forma de prepararse para las exigencias de la situación. Lo ideal es que esta actividad que se pone en marcha potencie la capacidad física y mental del niño para que pueda desempeñarse a su mejor nivel. Sin embargo, cuando su hijo siente ansiedad por su rendimiento —su reacción se acerca más al miedo que al entusiasmo—, le está transmitiendo un mensaje muy importante, y es que se siente amenazado.

La baja autoestima a menudo está asociada a la ansiedad que suscita el propio desenvolvimiento. Como la autoestima se relaciona con la sensación de competencia, es bastante improbable que un niño que no se valora a sí mismo consiga triunfar porque carece de la capacidad necesaria para alcanzar sus objetivos. Un niño de estas características teme que sus padres dejen de quererlo si fracasa y, por tanto, le asusta comprometerse en una actividad en la que piensa que no saldrá victorioso. La ansiedad frente al propio rendimiento también está asociada con las expectativas de los padres. Si su hijo se siente muy presionado, lo más probable es que su desempeño le provoque ansiedad y que no pueda rendir al nivel esperado. Dos preocupaciones muy corrientes entre los jóvenes que siempre obtienen buenos resultados son: «¿Qué pensarán mis padres?» y «Voy a defraudarlos».

En general, no es difícil descubrir cuándo su hijo se siente ansioso por su rendimiento. Está nervioso y distraído, sus músculos están tensos y su respiración es superficial e irregular. Acaso haga comentarios derrotistas y se muestre reacio a participar en una próxima actuación. Puede estar abstraído y pasarlo mal intentando prestar atención a lo que usted le dice; o estar de mal humor, tener los nervios a flor de piel e irritarse o enfadarse con facilidad.

BANDERA ROJA 2: EL CASTIGO EXCEDE EL DELITO

Una de las banderas rojas más comunes que indican que su hijo se siente amenazado por la consecución de sus logros es que exprese una reacción emocional negativa desproporcionada frente a la aparente gravedad de su fracaso. En efecto, usted advierte que el autocastigo que se impone es demasiado severo para el delito en el que cree haber incurrido —ya sea haber fallado una bola en un torneo de golf, haber cometido unos pocos errores en un recital o haber respondido mal algunas preguntas de una prueba de matemáticas. Por ejemplo, en cierta ocasión trabajé con una bailarina que se castigaba emocionalmente por haber fallado un solo paso de su coreografía. Su nivel de rendimiento decayó progresivamente y llegó a sentirse muy mal con su profesión y consigo misma. Al final del ensayo se sentía sacudida y maltratada por sus propias emociones.

Si usted es un padre muy crítico, su hijo puede llegar a autocastigarse con excesiva rigurosidad debido a que ha interiorizado su forma de reaccionar frente a sus fallos o equivocaciones. Si usted lo critica duramente por los más mínimos errores, lo que le transmite es que son inaceptables. Si su hijo es perfeccionista, no tolerará ninguna equivocación por considerar que constituye una amenaza para su sensación de competencia y su capacidad para conquistar su amor. Su hijo puede creer que si se autocastiga severamente por sus fallos dejará de cometerlos. Lamentablemente, esta actitud suele dar como resultado que el niño se equivoque aún más.

Si usted es injustamente exigente, es posible que el niño utilice el autocastigo como un medio para evitar que usted lo prive de su cariño. Como sabe que si fracasa usted desaprobará su conducta, se anticipa infligiéndose un castigo más severo del que usted le impondría, con la esperanza de que renuncie a castigarlo por entender que ya ha sufrido suficiente.

BANDERA ROJA 3:
LA CONDUCTA CONTRAPRODUCENTE

Una conducta contraproducente es la bandera roja más paradójica de todos los problemas relacionados con el rendimiento. Los niños que asumen una conducta semejante actúan de un modo que les garantiza el fracaso pero que, simultáneamente, les ofrece una excusa. Un caso típico de conducta contraproducente sería, por ejemplo: con el propósito de complacerla, su hija expresa un intenso deseo de triunfar. Sin embargo, a la hora de conseguir un determinado objetivo se esfuerza poco y, como consecuencia, obtiene un inevitable fracaso. Entonces la niña dice: «Podría haberlo hecho bien, pero no me sentía con ánimos de intentarlo».

Esta es la paradoja de la conducta contraproducente. ¿Por qué querría su hija fracasar si, con un mínimo esfuerzo, las probabilidades de éxito eran razonablemente elevadas? La respuesta a esta pregunta reside en un conflicto fundamental. La motivación esencial para que su hija manifieste una conducta contraproducente es proteger su autoestima, aunque en ella intervienen dos fuerzas que compiten entre sí: la presión inadecuada que usted ejerce sobre ella para que tenga éxito y el miedo de fracasar y, como consecuencia, perder su amor. El temor de que su fracaso perjudique su autoestima supera con creces los beneficios que podría reportarle un probable éxito. Y esta necesidad de proteger su autoestima predomina a pesar del hecho de que, objetivamente, las probabilidades de tener éxito son superiores a las de fracasar.

En este caso no se trata de la probabilidad *real* de éxito y de fracaso; lo que cuenta son las probabilidades de éxito y de fracaso que el niño *cree tener*. Si el niño se aplica y trabaja con dedicación, la mayoría de las actividades le ofrecerán una buena oportunidad para conseguir el éxito y solo una pequeña posibilidad de fracasar. Si usted colocara las oportunidades que tiene su hijo en una balanza, aspiraría a que sus grandes probabilidades de triunfar la inclinaran hacia el platillo del éxito. Sin embargo, lo que confiere un gran poder a las previsiones de su hijo respecto de su desenvolvimiento es la enorme carga emocional que deposita en la posibilidad más remota, el fracaso. Si colocara sobre la balanza lo que el niño piensa, esa carga emocional la inclinaría categóricamente hacia el fracaso. Ahora quizá comprenda por qué su hijo se empeña en evitar esa posibilidad de fracasar, aparentemente mínima, pero que, no obstante, tiene un gran peso emocional.

Los niños que revelan una conducta contraproducente consideran la posibilidad de alcanzar un determinado objetivo, hacen un cálculo pesimista y luego dirigen todos sus esfuerzos a evitar el resultado negativo que tanto temen. Debido a esta paradoja, y a lo poderosa que puede ser la convicción de un niño de que no conseguirá triunfar, usted comprenderá cuán frágil es la autoestima de un niño y por qué un fracaso constituye una amenaza tan importante.

Si la conducta de su hijo es contraproducente, la integridad de su autoestima dependerá de que asuma o no la responsabilidad de sus fallos. Si atribuye su error a cualidades innatas, por ejemplo, cuando dice: «Soy un estúpido» o «No tengo talento», atenta contra su autoestima porque alude directamente a su competencia (o a su incompetencia) y, como resultado, podría sentirse indigno de su amor. Las cualidades como la inteligencia o la habilidad son fijas e inmodificables, de manera que el niño tiene pocas esperanzas de ser competente y de conquistar su amor en el futuro.

Su hija puede atribuir su fracaso a influencias externas y expresar, por ejemplo: «No tuve tiempo suficiente» o «La prueba no fue justa». Al basar su error en factores externos protege su autoestima y se desembaraza de la responsabilidad: «Mamá y papá tienen que seguir queriéndome porque no ha sido mía la culpa». Como las causas externas a las que se atribuye el fracaso pueden cambiar, su hija puede albergar la esperanza de tener más tiempo en el futuro, o de que el próximo examen sea más justo. Pero, en general, es difícil que pueda esgrimir razones externas aceptables para justificar su fracaso. A menudo, excusas como, por ejemplo, «El perro se comió mi tarea» no suelen convencer a nadie.

Su hijo necesita encontrar un modo de aceptar y, al mismo tiempo, evitar la responsabilidad de su fracaso, para solucionar el problema que puede tener con usted y, además, proteger su autoestima. Necesita ser capaz de asumir la responsabilidad de sus fallos —para apaciguar a sus padres y seguir recibiendo su amor— y atribuir la causa de su error a algo que él puede modificar (por ejemplo, el esfuerzo, las horas dedicadas al estudio, etc.), con el fin de proteger su autoestima. Cuando se disculpa afirmando que no ha dado lo mejor de sí, es capaz de aceptar la responsabilidad de su fracaso («No me he esforzado lo suficiente»), pero sigue sintiéndose competente y capaz de conseguir el éxito («Si lo hubiera hecho, hubiera triunfado») y, de este modo, se asegura de que usted lo seguirá queriendo. Su hijo parece decir: «Era yo, pero realmente no era yo». «¿Por qué no?» «Porque en realidad no me estaba esforzando. Si lo hubiera intentado, hubiera triunfado.»

La conducta contraproducente rara vez es un juego en el que su hijo interviene conscientemente, y no debería ser considerada una trivialidad. Si, ocasionalmente, él apela a una de estas excusas pero, en general, pone esmero y acepta la responsabilidad de sus actos, su conducta se puede atribuir a una irresponsabilidad típica de los niños y, quizá, a que está poniendo a prueba sus límites. Pero si este tipo de conductas son muy frecuentes, y están acompañadas por otros signos que denotan una respuesta emocional negativa, debería ocuparse seriamente de la conducta de su hijo y analizar por qué actúa de ese modo.

BANDERA ROJA 4: LA ZONA DE SEGURIDAD

Una de las formas más fascinantes y curiosas de evitar su miedo al fracaso y al éxito que he observado en los jóvenes triunfadores es permanecer en lo que llamo la *zona de seguridad*. Esta zona está bastante alejada del fracaso, aunque tampoco está muy cerca del éxito. Si su hijo está en la zona de seguridad, se las arregla para rendir constantemente a un 95 % de su capacidad. Puede terminar entre los alumnos más destacados del colegio, pero nunca será el mejor de su clase, o puede obtener un sexto puesto entre diez en un evento deportivo, pero nunca llega al podio. ¿Tal vez su hijo nunca fracasa, pero tampoco considera la posibilidad de convertirse en un verdadero triunfador? ¿Se desempeña muy bien, pero no termina de demostrar todo su potencial?

Si su hijo se queda dentro de la zona de seguridad, es posible que trabaje con dedicación pero no se esfuerza demasiado. Nunca pone todas las cartas sobre la mesa, ni asume verdaderamente el riesgo de dar lo mejor de sí. Trabaja lo justo para no fracasar y «hacerlo muy bien», pero no se esmera para «hacerlo fenomenalmente bien».

Esta zona de seguridad protege a su hijo de tener que asumir las consecuencias del fracaso, pero también del éxito. Con un buen nivel de rendimiento que le permite evitar el fracaso, está seguro de no defraudar a sus profesores, entrenadores, compañeros de equipo, amigos y a las personas que más le importan, sus padres. Mediante esta actitud puede paliar su miedo al fracaso y evitar la amenaza que este supondría para su autoestima.

Al mismo tiempo, la zona de seguridad le permite escapar de las presiones del éxito y de las expectativas y exigencias cada vez mayores que lo acompañan. También le permite eludir el miedo al fracaso, que normalmente aumenta con el éxito. En tanto permanezca en la zona de seguridad, pocas personas podrán advertir su presencia y podrá ocupar una posición desde la que puede obtener éxitos razonables y, al mismo tiempo, sentirse protegido y a salvo de las amenazas.

Una pregunta que me formulan frecuentemente los padres es: «¿Cómo sabe usted si un niño está en la zona de seguridad o simplemente ha llegado al punto máximo de su capacidad?». Si el niño se encuentra en la zona de seguridad, probablemente coseche éxitos, pero también fracasos. Periódicamente, su rendimiento superará notoriamente sus actuaciones pasadas, indicando que es capaz de conseguir logros más importantes. Desgraciadamente, ese buen rendimiento puede aumentar las expectativas de los padres y, como consecuencia, el niño tendrá que soportar una presión añadida para que consiga el éxito. Cuando su hijo permanece en la zona de seguridad también puede tener un rendimiento insuficiente —a menudo después de una excelente actuación—, con lo que consigue disminuir las expectativas de los padres y también la presión que ejercen sobre él. Estos fallos lo ayudan también a calibrar cuál es su zona de seguridad y cuánto esfuerzo necesita para mantener su protección y su bienestar. Por el contrario, si ha conseguido el máximo nivel de logros, su rendimiento será constante y no habrá ningún éxito sorprendente ni un fracaso dramático.

Cuando su hijo permanece en la zona de seguridad, lo hace con un coste para su rendimiento y su felicidad. Nunca se comprometerá totalmente con sus posibilidades y siempre se sentirá un fracasado por no haber sido un verdadero triunfador. Además, se sentirá frustrado porque no tiene la menor idea de por qué no puede conseguir sus objetivos. Puede intuir que existe un obstáculo en su camino, pero no es capaz de descubrirlo. Como resultado, aunque pueda conseguir cierto nivel de éxito, nunca se sentirá completamente satisfecho de sus esfuerzos ni de sus logros.

BANDERA ROJA 5: LOS TRIUNFADORES DESDICHADOS

Los niños que se sienten amenazados por su rendimiento y reaccionan esforzándose por conseguir el éxito, alcanzarán un alto nivel de logros porque el miedo es una motivación poderosa; sin embargo, deberán pagar un precio por servir a ese demonio que ellos llaman fracaso. En tanto los niños permanecen alejados del fracaso —lo que consiguen gracias al éxito—, consiguen dominar el miedo. Sin embargo, cualquiera sea el nivel de éxito que estos niños alcancen, jamás se sentirán verdaderamente felices debido a la carga que llevan sobre sus hombros. Estos niños son los *triunfadores desdichados*.

Si su hijo es un triunfador desdichado, es probable que, desde la perspectiva de un observador distante, parezca tenerlo todo. Puede ser una persona de éxito en diversas áreas de la vida. Puede tener un excelente rendimiento en el colegio (donde obtiene las mejores notas), formar parte de la asamblea de estudiantes y colaborar con muchos clubes y organizaciones. Puede ser una estrella en los deportes, el capitán de un equipo y un líder inspirador. Puede revelar talento artístico en diversas artes, como, por ejemplo, tocar un instrumento musical, editar el periódico escolar y actuar en el teatro de su colegio.

Puede ser también un personaje popular y admirado, y además de conquistar el éxito, ser un niño complaciente. Para satisfacer su necesidad de triunfo, puede ser extremadamente generoso, participar en campañas para reunir alimentos, ser el tutor o el mentor de un niño de escasos recursos o entregarse con dedicación a la familia y los amigos.

Sin embargo, lo que experimenta interiormente el niño es completamente diferente. Él siente que oculta un oscuro y profundo secreto que nadie debe conocer jamás —*que es un impostor*— y que, antes o después, las demás personas se darán cuenta de que es un incompetente y que no merece el amor de los demás. Este miedo lo atormenta y lo impulsa a triunfar.

Una estudiante y atleta de Dartmouth, Sarah Devens, es un ejemplo de uno de estos desdichados triunfadores. Cosechó grandes éxitos en el colegio, fue una estrella en los deportes y una figura popular y querida por todos, que parecía tenerlo todo. Sin embargo, su vida se convirtió en algo insoportable.

La mayoría de los triunfadores desdichados se sienten amenazados durante toda su vida. Algunos llegan a conquistar la paz interior con la ayuda de un psicoterapeuta o a través de otros tipos de análisis. Pero hay otro grupo que es menos afortunado. La carga emocional que acarrean es tan insoportable que comienzan a tambalear bajo su peso. Inicialmente, lo pueden manifestar a través de un rendimiento más bajo de lo habitual, acompañado de explicaciones «razonables» que son aceptadas por todos, porque normalmente no suelen cometer estos lapsus. A medida que el rendimiento empeora y la situación persiste, se hace evidente que estos niños tienen un problema. Su vida emocional puede entonces derrumbarse, y los niños evitan el miedo al fracaso de una forma tajante: se retiran de la actividad por la que, previamente, habían demostrado un gran interés y para la que habían revelado excelentes cualidades. Pero también pueden existir otros signos de rebeldía: cambios en la vestimenta y en la forma de arreglarse, maltratos a los demás y la adquisición de hábitos negativos, tal como el uso de drogas o alcohol. Si estos signos pasan inadvertidos, las consecuencias pueden ser graves e irreversibles.

CÓMO CONTRIBUIR AL DESARROLLO DEL DESAFÍO EMOCIONAL

Todas las recomendaciones que incluyo en este libro están destinadas a ayudar a su hijo a desarrollar una respuesta emocional positiva en relación con su rendimiento. Esta habilidad está sustentada por una firme autoestima que, a su vez, se basa en la convicción de que usted lo quiere y que él es competente. La sensación de pertenencia respecto de sus logros también produce en el niño una respuesta emocional positiva que lo impulsa a triunfar, gracias a su motivación y determinación, y a la pasión que siente por la actividad que ha elegido. Finalmente, su hijo desarrolla una respuesta emocional positiva al interiorizar los instrumentos emocionales necesarios para responder positivamente a los inevitables obstáculos y contratiempos que deberá afrontar en su empeño por hacer realidad sus objetivos.

EL VALOR DEL ÉXITO Y DEL FRACASO

Existen muchos conceptos erróneos en relación con el éxito y el fracaso que pueden interferir en los esfuerzos que realizan los niños por convertirse en verdaderos triunfadores. Una de las ideas más dañinas es que las personas que cosechan éxitos nunca cometen fallos. Sin embargo, la realidad nos demuestra que se equivocan mucho más frecuentemente que las personas que fracasan. Las personas que no consiguen triunfar cometen *algunos* errores y luego se retiran. Los individuos exitosos cometen *muchos* errores, aprenden la lección y luego triunfan gracias a lo que han aprendido. Con el paso del tiempo, los diversos fallos cometidos y las lecciones aprendidas les permiten conseguir el éxito de una forma regular. John Powers, que escribe en el *Boston Globe*, afirma: «El fracaso puede ser una gran motivación. Michael Jordan fue apartado del equipo de baloncesto del instituto. Thomas Edison fue retirado del colegio porque su maestra pensó que estaba un poco "confundido"... Alemania y Japón, reducidos a humeantes escombros, firmaron una rendición incondicional en 1945». No solicitaron trofeos por ocupar las primeras posiciones. *Aprender a fallar y aprovechar las lecciones que ofrece el fracaso* es una perspectiva que fomenta la consecución de los propios objetivos y una contribución esencial para el éxito.

El fracaso ofrece algunos beneficios, por ejemplo, la información sobre el progreso de su hijo. Es el mejor medio para que el niño se mire en el espejo, pues revela claramente y sin ambigüedades cuáles son las áreas en las que debe mejorar. El fracaso también le indica lo que no debe hacer y, de este modo, limita lo que tiene que hacer para conseguir el éxito. También le enseña lecciones esenciales, como la perseverancia y la capacidad para superar las dificultades. Y lo que es fundamental, tal como sugiere el doctor Wayne Dyer: «Es preciso eliminar el miedo al fracaso y ayudar a los niños a comprender la diferencia entre fracasar en una tarea y ser un fracaso como persona».

Sin embargo, el mero hecho de experimentar un fracaso no ayudará a su hijo a conseguir el éxito. Si cosecha muchos fracasos, se sentirá decepcionado, perderá confianza y motivación y considerará que el éxito es una experiencia displacentera que es preciso evitar. Pero su hijo también necesita disfrutar del éxito porque, si se combina con un punto de vista sano, puede ofrecerle lecciones que serán muy valiosas para el niño en su búsqueda del éxito y la felicidad.

El éxito promueve la seguridad y la confianza en sí mismo, necesarias para superar la adversidad, los obstáculos y los contratiempos. Otorga un sentido a la dedicación, al trabajo duro, a la paciencia y a la perseverancia del niño. Lo motiva para esmerarse por conquistar sus objetivos. El éxito también genera emociones positivas, como el entusiasmo, la alegría, el orgullo y la felicidad, que contribuirán a reforzar la confianza, la motivación y la pasión de su hijo por la actividad que puede potenciar sus habilidades.

Es interesante observar que un éxito temprano y sistemático puede representar un problema potencial para los niños. Uno de los ejemplos más comunes son los «niños prodigio» que nunca han llegado a ser lo que prometían. El éxito puede alimentar la complacencia, ya que si los niños obtienen éxitos fácilmente a corta edad se sentirán poco motivados para trabajar con dedicación y progresar. Los niños que tienen demasiados éxitos precoces no aprenden la importancia del esfuerzo para la consecución de sus metas porque nunca han necesitado poner demasiado empeño para triunfar. Los éxitos muy tempranos no estimulan a los niños a reflexionar sobre cuáles son las áreas en las que necesitan mejorar. Muchos niños que han obtenido grandes logros cuando eran muy pequeños se resisten a mirarse en el espejo por miedo de ver algo que no coincide con la imagen que tienen de sí mismos. Cosechar demasiados éxitos no enseña a los niños a afrontar de una forma constructiva los contratiempos y las dificultades que encontrarán en su vida cuando alcancen niveles superiores de rendimiento. Si su hijo es un niño superdotado que ha obtenido éxitos tempranos, quizá necesite encontrar desafíos adecuados a su capacidad, ya sea elevando el nivel de rendimiento en la actividad que es más importante para su desarrollo o proponiéndole un desafío que no tenga nada que ver con el campo en el que ha revelado un talento especial. Estos nuevos desafíos la ayudarán a desarrollar las actitudes y las habilidades que lo prepararán para las pruebas que tendrá que afrontar en el futuro cuando se esfuerce por alcanzar el éxito.

Con esta perspectiva, el éxito no resulta tan tóxico como para inhibir su futuro desarrollo, y el fracaso no es una pérdida tan monumental como para socavar el deseo de conquistar el éxito. Ambos son una parte inevitable y necesaria del proceso que conduce hacia el éxito y la felicidad.

ASUMIR RIESGOS

Asumir riesgos es esencial para que su hijo pueda desarrollar una respuesta emocional positiva frente a sus logros. Si el niño no se siente amenazado por el fracaso, se mostrará dispuesto a asumir riesgos, ya que, debido a su verdadera naturaleza, estos aumentan la probabilidad de fracasar. Si el niño considera la consecución del éxito como un desafío, comprenderá que los riesgos pueden ofrecernos la oportunidad de conseguir éxitos todavía más destacados. La asunción de riesgos le permitirá salir de la zona donde se encuentra cómodo, poner a prueba sus habilidades, ganar confianza en sí mismo y conseguir nuevos niveles de éxito. Si analiza la vida de los grandes triunfadores —Rosa Parks, Mahatma Gandhi, Boris Spassky y Bill Gates—, descubrirá que son personas que han asumido grandes riesgos, porque sabían que solamente mediante esa actitud conseguirían grandes recompensas. Tal como observa el escritor Leo Buscaglia, autor de varios *best sellers*: «Intentar algo nuevo implica arriesgarse a fracasar. Pero es preciso asumir riesgos, porque el mayor peligro en la vida es no arriesgar. Las personas que nunca arriesgan, no hacen nada, no tienen nada y no son nadie. Consiguen evitar el sufrimiento y la aflicción, pero no pueden aprender, sentir, cambiar, crecer, amar y vivir. Son esclavos encadenados a sus certezas; han perdido su libertad. Únicamente los que arriesgan son libres».

Aunque existen evidencias de que el temperamento innato afecta la asunción de riesgos, usted puede ejercer influencia sobre la postura que su hijo adopta en relación con los riesgos. A menudo, la actitud y la conducta de los padres respecto de los riesgos determina la predisposición del niño para asumirlos. Si usted evita los riesgos cuando se cruzan en su camino, estará estimulando a su hijo para que actúe del mismo modo. Por el contrario, si usted prefiere arriesgar y, normalmente, los riesgos le reportan recompensas, lo más probable es que su hijo aprenda el valor y los beneficios que supone aceptar el desafío. Pero si su actitud es un tanto temeraria y asume riesgos que son potencialmente dañinos y que no le reportan beneficios, entonces puede enseñarle a su hijo una conducta que no es menos perjudicial que la de no asumir ningún riesgo en absoluto.

Debería enseñar a su hijo el valor que tienen los riesgos y transmitirle que pueden ayudarlo a conseguir el éxito y la felicidad. Puede ayudar a su hijo a reconocerlos, a juzgar cuáles merece la pena asumir y cuál es la mejor forma de actuar frente a ellos. Lo primero que debe hacer es comunicarle qué es un riesgo —exponerse a la posibilidad de una pérdida, agravio o lesión, sin tener la certeza del resultado. También puede explicar al niño el motivo por el cual la gente asume riesgos —normalmente, con el fin de obtener cierto beneficio que no existiría en el caso de no estar dispuesto a asumir un determinado riesgo— y la razón por la cual las personas se niegan a asumir riesgos —el precio del fracaso supera los beneficios del éxito. Además, puede enseñar a su hijo que existen «riesgos calculados» en los que se analizan las ventajas y las desventajas con el fin de decidir si es conveniente asumirlos. Una importante lección para el niño es que merece la pena aceptar riesgos cuando el fracaso no implica graves consecuencias —es decir, los costes son poco deseables, aunque no devastadores— y sus beneficios son lo suficientemente atractivos como para que merezca la pena intentarlo. Y a la inversa, los riesgos que pueden dar como resultado una pérdida, una lesión o un agravio persistente o irreversible no son aconsejables. Puede conseguir que su hijo comprenda mejor qué son los riesgos, si le ofrece ejemplos de su propia vida, incluidas sus experiencias en la escuela, en el trabajo, en los deportes y en otras actividades en las que haya asumido riesgos.

Puede servirle de modelo asumiendo riesgos pequeños, por ejemplo, cuando se entretienen con un determinado juego, o riesgos más importantes, como puede ser cambiar de trabajo. La vida de su hijo está repleta de oportunidades que usted puede aprovechar para enseñarle lo que significa asumir riesgos. Los juegos son un medio divertido y estimulante en los que puede crear situaciones de riesgo, tanto para servirle de modelo como para ayudarlo a tomar decisiones que impliquen algún peligro. Lamentablemente, a diferencia de las generaciones pasadas, que se divertían con juegos que no estaban organizados, tal como el escondite, la mancha, etc., los niños de hoy en día participan principalmente en juegos organizados, aunque todavía algunos de ellos siguen jugando a diversas variaciones de los viejos juegos del vecindario y a otros que ellos mismos inventan.

El colegio también brinda muchas oportunidades para asumir riesgos, por ejemplo, cuando su hija decide levantar la mano en el aula para responder a una pregunta, cuando prepara una presentación para toda la clase o cuando decide probar un juego escolar. Si participa en un deporte, se verá constantemente enfrentada a situaciones en las que puede asumir riesgos, por ejemplo, decidir si tirar o no el balón a la canasta en el último minuto del partido de baloncesto, esquiar en una pista *black diamond*, galopar a caballo o aprender un salto difícil y peligroso en la barra de gimnasia. La vida en general está plagada de situaciones en las que su hija puede asumir riesgos, como, por ejemplo, trepar hasta lo más alto de un árbol en el parque del vecindario, enfrentarse al matón del colegio o patinar colina abajo.

También puede mostrarle las situaciones de riesgo que pueden presentarse en la vida, sea a través de la televisión, de las películas, de los libros o de un vídeo. Cualquier experiencia en la que usted y su hijo puedan asumir un riesgo, representa una oportunidad para que él se familiarice con la idea y se sienta dispuesto a aceptar el reto. Si usted conversa con él para enseñarle a discriminar si merece la pena asumir un determinado riesgo, todas las ocasiones que se presenten pueden convertirse en lecciones «momentáneas», que le serán muy útiles para su vida.

A medida que el niño asimile sus enseñanzas, puede animarlo a que asuma algún riesgo. En principio, se tratará de situaciones poco importantes donde el coste será mínimo (por ejemplo, un juego); más tarde podrá motivarlo para que su apuesta sea mayor (por ejemplo, decidir si va a dedicar todo su tiempo a estudiar para una prueba en concreto, en vez de repartirlo entre todas sus asignaturas). En las primeras ocasiones en que el niño asuma un riesgo, puede guiarlo durante todo el proceso y ayudarlo —pero no dirigirlo— a elegir la mejor opción.

Usted debe comprender que la asunción de riesgos es, por definición, potencialmente destructiva para su hijo. Aunque aconsejo a los padres que estimulen a sus hijos para que asuman riesgos, no pretendo que los expongan a situaciones que no ofrecen seguridad. Usted debe apelar a su criterio para decidir qué riesgos son sanos para su hijo y cuáles son potencialmente peligrosos. Cuando su hijo es pequeño, su papel más importante es proporcionarle un entorno sano y seguro en el que pueda desarrollarse. A medida que el niño madure, deberá delegar en él la responsabilidad de velar por su propia seguridad. Su capacidad para enseñar a su hijo a tomar decisiones positivas a la hora de asumir riesgos puede ser un aliciente para que alcance nuevos niveles de éxito y felicidad (por ejemplo, en los estudios, en las actividades artísticas, en los deportes y en las relaciones sociales sanas) o, por el contrario, poner en peligro su salud y su futuro (por ejemplo, mediante el uso de las drogas y el alcohol, o la actividad sexual). Al enseñar a su hijo cómo tomar decisiones correctas cuando se trata de asumir riesgos, le ofrecerá el poder y los medios necesarios para equilibrar su necesidad de sentirse seguro y su voluntad de arriesgarse, y fomentará su motivación por conseguir el éxito y la felicidad.

CÓMO INTERPRETAR LOS ERRORES

El modo en que su hijo interprete sus errores tendrá un efecto radical sobre su capacidad para mejorar y alcanzar el éxito. Tal como explica el poeta Nikki Giovanni: «Los errores forman parte de la vida. Lo que cuenta es cómo se reacciona ante ellos». Desgraciadamente, los padres a menudo transmiten un mensaje muy diferente a sus hijos. ¿Qué sucede cuando usted comunica a su hijo que los errores son negativos y que ofrecen una mala imagen de sí mismo a las demás personas? Usted coloca al niño en una posición en la que se espera que conquiste el éxito —lo que, inevitablemente, implica cometer errores—, pero a sabiendas de que será criticado por sus equivocaciones. El niño tendrá miedo de cometer incluso el más nimio de los fallos y, si en algún momento incurre en alguno, llegará a creer que es una persona incompetente e indigna de su amor. El doctor John Gray afirma: «Al esperar que los niños no cometan errores, se les transmite una idea inexacta y cruel de la vida. Además, se establece un modelo que es imposible de alcanzar».

Muchos padres y sus hijos tienen una opinión negativa sobre las equivocaciones, a pesar de reconocer que los grandes triunfadores del mundo suelen cometer errores. En cualquier competición deportiva, espectáculo de danza, recital de música o investigación científica hasta las personas más destacadas cometen errores. Si ellos lo hacen, no solo deberíamos aceptar, sino también esperar, que los jóvenes triunfadores también se equivoquen. Lo que muchas personas no advierten es que una de las cosas que convierte a los individuos en grandes triunfadores no es que cometan errores, sino su forma de reaccionar ante ellos. «El fracaso es una parte importante del proceso de aprendizaje... Existe una verdad en los dichos "Si no sufres, no gozas" y "Cuando ganas algo, pierdes algo". La experiencia del fracaso ayuda a los niños a ser fuertes, a sentirse menos frustrados y a tener una buena capacidad de recuperación frente a las dificultades cotidianas», comenta el doctor Frank Vitro, profesor de la Universidad de Mujeres de Texas.

Usted debe comunicar a su hija que los errores son una parte natural y necesaria del proceso de la consecución del éxito para que pueda aceptarlos y aprender de ellos, puesto que son una guía que le indican en qué área debe mejorar. Si no existieran los fallos, el progreso de su hija sería un proceso aleatorio. A través de sus errores puede advertir en qué momento está asumiendo riesgos y abandonando la zona en la que se encuentra a gusto. Si su hija jamás comete ningún error, probablemente no se está esforzando demasiado y, como consecuencia, no progresará y jamás se convertirá en una persona de éxito. Usted y su hija deben aprender que los errores representan un fracaso únicamente cuando no se es capaz de aprender de ellos. «Los hijos de padres afectuosos y preocupados por sus hijos que no admiten el fracaso tienden a elegir el camino del éxito», opinan el doctor Foster Cline y Jim Fay.

REACCIONAR DE FORMA POSITIVA
FRENTE A LAS ADVERSIDADES

El camino hacia el éxito está lleno de desniveles, obstáculos, contratiempos y luchas. Algunas de estas adversidades son exteriores a su hijo: las exigencias académicas, la información y las habilidades complejas, las condiciones difíciles y una dura oposición. Pero también existen obstáculos internos que incluyen la pérdida de motivación, la merma de la confianza, las distracciones, las emociones negativas, la impaciencia y el deseo de claudicar. La forma en que el niño responda a estas exigencias dictará los límites de éxito y felicidad que será capaz de obtener. «¿Cómo podríamos crecer sin luchas ni dudas y sin dar uno o dos pasos equivocados? No conseguiremos evitar que nuestros hijos se enfrenten a estas situaciones, aunque lo intentemos; terminaremos exponiéndolos a otro tipo de problemas, que no habremos sido capaces de prever», escribe Robert Coles en su libro *La inteligencia moral del niño y del adolescente*. La diferencia entre sentirse amenazado y sentirse desafiado explica por qué muchos niños responden de forma diametralmente opuesta a las mismas exigencias.

Los niños que experimentan las dificultades del éxito como una amenaza a menudo lo hacen porque los contratiempos agudizan su miedo al fracaso. Los obstáculos dificultan el rendimiento y logran que el éxito parezca menos factible, y el niño se siente amenazado porque la probabilidad de fracasar es cada vez mayor. Paradójicamente, los niños que reaccionan negativamente frente a la adversidad no hacen más que potenciar las exigencias, cada vez más difíciles de superar, y aumentar el riesgo de fracasar.

Los niños cuya autoestima está asociada a sus esfuerzos y no a sus éxitos y fracasos consideran los obstáculos que se presentan en su camino como un desafío. Su hijo debe considerar la adversidad como una experiencia que puede potenciar su capacidad y que forma parte de la actividad que puede proporcionarle éxito. La adversidad es una buena oportunidad para demostrar su competencia, dar un sentido a sus esfuerzos y sentirse cada vez más satisfecho. El doctor Frank Vitro estima que: «Superar los obstáculos puede potenciar la autoestima de su hijo mucho más que un triunfo fácil».

La forma en que su hija aprenda a responder a las dificultades dependerá en gran medida de cómo reacciona *usted* frente a la adversidad, y de la perspectiva que le ofrece sobre los inevitables contratiempos que tendrá que afrontar en su camino hacia el éxito. Usted debería tomar conciencia de sus propias reacciones frente a las dificultades, sea en una situación relativamente poco importante —como, por ejemplo, poder administrar de una forma equilibrada su talonario de cheques— o en una situación crítica, como puede ser perder una promoción en el trabajo. Si cuando se enfrenta con un obstáculo, usted expresa su frustración, su ira o su desesperación, ese será el modelo de conducta que aprenderá su hijo.

El doctor Peter Goldenthal, autor de *Beyond Sibling Rivalry,* ofrece los siguientes consejos para ayudar a los niños a reaccionar positivamente frente a situaciones adversas: Primero, coloque la situación en perspectiva. Enseñe a su hijo que un contratiempo no es el fin del mundo. Segundo, no se precipite a rescatarlo. Déjelo resolver el problema solo. Tercero, adopte una actitud positiva. Muéstrele todas las cosas favorables que han sucedido además del obstáculo. Cuarto, sugiera al niño que intente conseguir el éxito paso a paso. Ayúdelo a fijar sus objetivos utilizando el contratiempo como una información útil. Finalmente, admita sus propios errores. Comente con su hijo las dificultades que tenía cuando era joven y de qué forma logró superarlas.

EL ÚLTIMO 5 %

Si el niño deja de considerar que los obstáculos constituyen una amenaza y los acepta como un desafío, será capaz de acceder al último 5 % de su capacidad. Cuando llegue a su nivel más alto de compromiso dejará de lado su miedo al éxito y al fracaso, saldrá de la zona de seguridad y podrá experimentar el verdadero éxito y la felicidad. Tener la capacidad de llegar a ese último 5 %, es lo que marca la diferencia entre ser bastante bueno y ser excepcional. Este último 5 % implica que su hijo está dispuesto a «poner todas las cartas sobre la mesa», y esto significa exponer su autoestima y descubrir de qué es realmente capaz.

Pero si su hijo considera la consecución de sus logros como algo amenazador, no logrará alcanzar ese último 5 %. Cuando se siente atemorizado por la posibilidad de triunfar, el niño cree que si fracasa sin tener ninguna excusa, usted lo considerará un inútil y dejará de quererlo. El peligro de alcanzar ese último 5 % —y el motivo por el que su hijo desistirá de intentarlo— es que si después de dar lo mejor de sí mismo no consigue una victoria, no tendrá ninguna disculpa y deberá asumir la completa responsabilidad de su fracaso.

Únicamente cuando pueda considerar la consecución de sus logros desde un punto de vista positivo y entenderlo como un desafío —es decir, una situación que no pone en peligro su idoneidad ni el amor de sus padres—, y se atreva a exponer su autoestima, estará dispuesto a aspirar a ese último 5 %. Una lección esencial que el niño debe aprender es que *únicamente asumiendo un posible fracaso podrá conseguir un verdadero éxito*.

De manera que, cuando se sienta preparado, su hijo deberá arriesgarse y aprovechar sus oportunidades. ¿Se atiene su hijo a lo seguro y hace lo justo como para tener un rendimiento aceptable, o asume riesgos y descubre cuánto es capaz realmente de conseguir? El beneficio primordial de aceptar el desafío de alcanzar el éxito, en vez de considerarlo una amenaza, es que su hijo tendrá la certeza de haber hecho todo lo posible para destacar en la actividad en la que participa y que nunca tendrá que hacerse la siguiente pregunta: «¿Quién podría haber llegado a ser?»

LECCIONES EMOCIONALES
PARA LA CONSECUCIÓN DEL ÉXITO

1. Aprender a afrontar el fracaso.
2. Desarrollar la sensación de compromiso.
3. Dominar el miedo.
4. Tolerar la frustración.
5. Soportar la vergüenza.
6. Desarrollar la capacidad para competir.
7. Producir cambios.

Fine, A. H., y Sachs, M. L. (1997): *Total sports experience for kids: A parents' guide to success in youth sports*, South Bend, IN: Diamond Communications.

CAPÍTULO 8

¿Siempre seguiré siendo un niño?

Niño frente a adulto

Q UIZÁ lo más sorprendente y desafortunado que he observado al trabajar con niños que han conseguido cosechar éxitos es que su desarrollo emocional es más lento que el de otros niños de su edad. Muchos niños que se comprometen en gran medida con la actividad que les despierta interés revelan una madurez emocional entre dos y cinco años por debajo de su edad cronológica. Aunque estos niños a menudo revelan una gran madurez en algunas áreas —quizá se han desarrollado físicamente más que sus compañeros, o los aventajan intelectualmente en la actividad en la que esperan triunfar—, no han evolucionado emocionalmente. Este crecimiento emocional más lento parece estar relacionado con que los padres se involucran excesivamente en los esfuerzos que hacen los niños por triunfar.

Cuando los padres tienen una perspectiva equilibrada, la consecución del éxito parece favorecer el desarrollo emocional de sus hijos. Estos niños suelen ser más maduros emocionalmente de lo que corresponde para su edad, porque sus padres utilizan el éxito como un camino para que sus hijos aprendan a gobernar sus emociones, y les brindan todas las oportunidades posibles para que sean capaces de dominarlas. Por ejemplo, si su hijo tiene una mala actuación, debe permitirle experimentar la decepción y el dolor que produce el fracaso. También puede ayudarlo a reconocer y a expresar sus emociones, ofrecerle una perspectiva sana y positiva en relación con sus sentimientos y enseñarle cómo puede manejar sus emociones sin ayuda de los demás.

Los padres que utilizan el éxito como una vía para fomentar el desarrollo emocional, ofrecen a sus hijos cualidades y habilidades esenciales que el doctor Daniel Goleman asocia con la inteligencia emocional. Las personas que son emocionalmente maduras tienen conciencia de sus estados emocionales, pueden controlarlos y sienten empatía por las emociones ajenas; además, saben escuchar, resolver conflictos y cooperar.

En contraste, los esfuerzos por triunfar de aquellos niños cuyos padres están excesivamente pendientes de su progreso parecen interferir en el desarrollo emocional normal. Estos niños, que son emocionalmente inmaduros, a menudo expresan sentimientos inadecuados o desproporcionados para una situación específica. Este tipo de padres protege a sus hijos de sus propias emociones, movidos por la errónea idea de que podrían significar un obstáculo para el verdadero éxito. Como no se ha permitido a estos niños experimentar emociones, ellos no saben, o no comprenden, lo que realmente sienten. A menos que pueda proporcionar a su hijo un «entrenamiento» emocional, él no será capaz de responder a los desafíos de la vida de un modo sano y maduro.

Hasta que los niños se comprometen con una actividad para la que demuestran dotes especiales, muchos padres dedican la mayor parte de su energía al desarrollo emocional de los niños (además de ocuparse de su desarrollo físico e intelectual). Los padres normalmente brindan a sus hijos las oportunidades que les permiten experimentar sus propios sentimientos y madurar emocionalmente. Volviendo a la metáfora de la persona-casa, estas experiencias permiten a los niños construir viviendas fuertes y resistentes, capaces de soportar las peores inclemencias del tiempo.

Sin embargo, cuando los padres pierden la perspectiva respecto de las actividades que pueden ayudar a su hijo a triunfar, es probable que abandonen la construcción de su ser emocional. Acaso estén tan centrados en facilitarle el desarrollo de esa área en especial, que no prestan atención a su desarrollo emocional. En ese caso, se corre el peligro de que la casa del niño nunca se termine de construir y que sea incapaz de protegerse de los elementos de la vida. «Cuando el niño es considerado como una posesión y se espera de él que alcance un determinado objetivo, o cuando se ejerce demasiado control sobre él, su crecimiento se verá violentamente interrumpido», observa Alice Miller.

Si los padres revelan un excesivo interés por el rendimiento de sus hijos, ellos carecerán de los instrumentos emocionales básicos que se requieren para convertirse en una persona exitosa y feliz, tanto a nivel social como profesional. En un sentido muy real, serán niños encerrados en el cuerpo de un adulto, y su falta de madurez emocional conseguirá inhibir todos los aspectos de su vida.

BANDERAS ROJAS

Los padres no tienen la intención de provocar la inmadurez emocional de sus hijos. Las actitudes de los padres que pueden dar lugar a esta situación —a menudo debido a una falta de sensatez— generalmente se basan en el amor que sienten por sus hijos y en el deseo de que sean felices y no sufran. Es natural que los padres intenten proteger a sus hijos del dolor. Ampararlos para que no padezcan ningún daño emocional es una forma de expresar su deseo de protegerlos. Cuando los padres ven sufrir a sus hijos, lo único que quieren es «darles un beso y hacer que se sientan mejor». Desgraciadamente, no se dan cuenta de que, cuando se trata del sufrimiento emocional, es muy probable que solo logren empeorar las cosas.

Los padres quieren que sus hijos conquisten éxitos. Al invertir toda su energía en motivar al niño para que cumpla sus objetivos, piensan que aumentan sus oportunidades de triunfar. Sin embargo, deben comprender que al inhibir las experiencias emocionales de los niños les están negando un ingrediente esencial del éxito.

Los padres también pueden fomentar la inmadurez emocional de una forma totalmente involuntaria a través de sus propias reacciones. Por ser modelos importantes, su forma de responder a la frustración y a la cólera condiciona la reacción del niño frente a sus propias emociones. Cuando los padres expresan sus sentimientos de una forma malsana y destructiva, transmiten a sus hijos que esa reacción es adecuada.

Si los padres no conocen su propia vida emocional, pueden interferir en el desarrollo emocional de sus hijos. Al no haber comprendido aún sus propias emociones, tienen dificultades para reaccionar ante las emociones que manifiestan los niños. Al proteger a sus hijos de sus propias emociones, algunos padres también pueden estar protegiéndose a sí mismos.

Es evidente que lo que se espera de los niños es que actúen como tales durante la mayor parte de su infancia. Sin embargo, a medida que abandonan la niñez y se convierten en adolescentes, deberían manifestar una conducta menos infantil y algunos rasgos más adultos. Los niños que persisten en su conducta infantil y que tienen percepciones, reacciones y emociones que no corresponden a su edad, corren el riesgo de incorporarlas dichas conductas tan profundamente que jamás las reemplazan por el comportamiento propio de un adulto.

La mayor parte de la infancia se dedica a preparar a los niños para la vida adulta. Uno de los objetivos es enseñar a su hijo todo lo que necesita saber para ser un adulto exitoso y feliz. Con ese propósito, usted deberá comprender claramente qué es lo que diferencia a los niños de los adultos con el fin de ayudar a su hijo a realizar esa transición de forma rápida y con las mínimas complicaciones.

BANDERA ROJA 1: LAS ACTITUDES INMADURAS

La vida de un niño se caracteriza por el ensimismamiento y la gratificación inmediata. Desde muy temprana edad, su hijo es el centro de su universo, y satisfacer sus necesidades le exige una parte de su atención. Si ese cuidado constante continúa a lo largo de toda la infancia, el niño se puede convertir en una persona *egocéntrica*, que piensa que los demás tienen que satisfacer todas sus necesidades. Las actitudes del tipo de: «El mundo gira a mi alrededor», «Quiero eso», y «Lo quiero AHORA» serán muy comunes y revelarán que su hijo piensa que sus necesidades y deseos son más importantes que las de cualquier otra persona. Si usted siempre responde a las exigencias de su hijo sin demora, o sin siquiera detenerse a pensarlo, el niño tendrá muchas dificultades para salir de su postura de «Soy el centro del universo».

¿Acaso es su hijo el que controla la situación en vez de hacerlo usted? ¿Piensa su hijo que siempre puede conseguir lo que desea? Si no puede obtener algo, ¿se lo da usted de inmediato? Si su hija no consigue algo que desea de forma inmediata, ¿hará lo que sea para conseguirlo —protestar, llorar o gimotear— hasta que termine por agotarlo y usted decida rendirse?

Su hijo desea *recibir amor y aprobación* de usted y de los demás. Quizá piensa que para obtener el cariño que necesita «debe complacer a todo el mundo» y que «debe gustar a todo el mundo». O posiblemente piense que al ser complaciente con los demás recibirá el amor que necesita para sentirse bien consigo mismo. Lamentablemente, es imposible complacer a todo el mundo, de modo que su hijo nunca podrá recibir todo el afecto que cree necesitar y terminará por sentirse decepcionado. «A una edad muy precoz, enseñamos a nuestros niños la necesidad de obtener una aceptación universal. Esto les impide desarrollar su propio concepto del respeto de sí mismo, que es sustituido por el miedo a no ser amado» observa el doctor Stanley Krippner.

Si su hijo depende excesivamente de los demás para satisfacer sus necesidades y sentir que es amado, acaso tenga un concepto equivocado y enfermizo de la relación que existe entre el rendimiento y ser amado. Cuando intente triunfar en la actividad que ha elegido de acuerdo con sus intereses, su progreso se verá obstaculizado por la idea «Si no triunfo, no me querrán», «Si fracaso, no seré digno de amor». Estas creencias inhibirán su capacidad para rendir a su mayor nivel, para sentirse satisfecho con sus esfuerzos y para ser feliz.

El *absolutismo* es otra cualidad característica de los niños emocionalmente inmaduros. Significa considerar al mundo en términos de blanco o negro: sus necesidades son satisfechas o no lo son, ellos son amados o no lo son, fracasan o tienen éxito. Por ejemplo, su hijo quiere comer una caja entera de galletas, y se niega a comer ninguna cuando usted solo le da unas pocas. Cuando el niño cae en el absolutismo crea un mundo inflexible que le ofrece poco margen para el error en cualquier aspecto de la vida.

Esa rigidez limitará sus opciones —nunca tiene más de dos— y lo atrapará en un mundo interno que está en conflicto con la naturaleza incierta y llena de matices del mundo real.

BANDERA ROJA 2:
REACCIONES INMADURAS FRENTE A LA DECEPCIÓN

La decepción es quizá la emoción negativa más inmediata que los niños experimentan después de lo que consideran un fracaso. Se caracteriza por los deseos frustrados, la sensación de pérdida y el desaliento que sienten los niños cuando no consiguen materializar sus expectativas y esperanzas —o las de los demás. Los niños se sentirán decepcionados cuando no consigan alcanzar sus metas o creerán que han defraudado a sus padres. La decepción es una respuesta natural frente al fracaso, pero los niños emocionalmente inmaduros suelen reaccionar ante ella de un modo que parece aumentar la probabilidad del fracaso y de futuras desilusiones. Cuando los niños inmaduros se sienten desencantados, no se esfuerzan tanto por progresar, pierden fácilmente las esperanzas o abandonan la actividad. Esta reacción puede causar que se sientan incompetentes e inútiles, y, si la sensación persiste, llegará a afectar su autoestima. Aunque es normal que un niño se sienta decepcionado por un fracaso, si es emocionalmente inmaduro deambulará por la casa abatido y apesadumbrado y se compadecerá a sí mismo por un tiempo más prolongado de lo normal.

La tendencia natural de los padres cuando ven que sus hijos están sufriendo es intentar que se sientan mejor. Calmar a su hija con excesivas expresiones de afecto o comprándole regalos resultará más perjudicial que ventajoso, a pesar de que puede proporcionarle un alivio inmediato. Allison Armstrong escribe: «Muchos padres de hoy en día se empeñan en hacerles la vida más fácil a sus hijos con la esperanza de "mantener a raya" la decepción... A menudo, estos niños llegan a la universidad sin haber sufrido jamás una gran desilusión... Los niños que no tienen experiencia en resolver los pequeños contratiempos de la vida lo pasan mucho peor cuando deben enfrentarse con las grandes dificultades». Al apaciguar a su hijo, no le permite comprender su decepción ni descubrir cómo puede evitarla. El niño necesita ser capaz de reflexionar sobre su decepción y preguntarse «¿Por qué me encuentro tan mal?» y «¿Qué puedo hacer para no sentirme así?». Cuando usted lo aplaca, el niño puede interpretar que no lo cree capaz de afrontar y superar el contratiempo. Su reacción únicamente conseguirá interferir en la capacidad del niño para vencer los obstáculos futuros y logrará que la decepción sea más dolorosa en el futuro.

BANDERA ROJA 3:
REACCIONES INMADURAS FRENTE A LA FRUSTRACIÓN

Una de las mejores formas de juzgar la madurez emocional de su hijo es observar cómo responde cuando no se sale con la suya. Debe observar cómo se comporta cuando se siente frustrado, por ejemplo, cuando quiere algo de beber pero usted está hablando por teléfono (desde hace un rato largo), o cuando está jugando a algo con un amigo y pierde. Las banderas rojas de las reacciones infantiles frente a la frustración incluyen la impaciencia y las rabietas cuando sus necesidades no se satisfacen de forma inmediata.

Los niños emocionalmente inmaduros suelen experimentar emociones negativas intensas —ira y frustración— cuando no consiguen lo que pretenden, porque nunca han aprendido a tolerar que sus necesidades no se satisfagan. Tampoco aprenden la paciencia, ni ninguna forma alternativa de manifestar su frustración o de satisfacer sus necesidades. Reaccionan impulsivamente, manifestando su cólera con la persona que se niega a complacerlos. Los niños inmaduros a menudo apelan a las rabietas como una forma de manifestar su enfado. También lloriquean, engatusan, dan la lata y sacan de quicio con la intención de manipular a sus padres y conseguir lo que desean.

Si usted es el padre, o la madre, de un niño emocionalmente inmaduro, es muy probable que haya caído en la trampa de evitar inconscientemente que aprenda a tolerar la frustración. Cuando usted le proporciona una gratificación inmediata, o cede demasiado rápidamente a sus necesidades y exigencias, el niño no conseguirá experimentar la suficiente frustración como para descubrir qué es lo que siente, y cuáles son las causas, para poder así buscar otras soluciones: «Puedo pedirle a otra persona que me dé un vaso de agua».

En tanto las reacciones negativas actúen como un obstáculo importante en el desarrollo del niño, sin que él mismo lo advierta, su inmadurez se arraigará cada vez más profundamente. Dichas reacciones emocionales inmaduras frente a la frustración que pueden ser efectivas durante la niñez —usted le da a su hijo lo que quiere con tal de que se calle— producirán una reacción opuesta en la vida adulta. Los adultos no están dispuestos a satisfacer las necesidades de otros adultos emocionalmente inmaduros. Piense, por ejemplo, cómo responde a un viajero airado el empleado que está junto a la puerta de embarque de una compañía aérea, en comparación con la forma en que se dirige a un pasajero tranquilo que se muestra colaborador.

BANDERA ROJA 4:
EXPRESAR LA CÓLERA DE UNA FORMA INMADURA

Una forma evidente de identificar a los niños emocionalmente inmaduros es su forma de manifestar su cólera que, a menudo, es inadecuada y desproporcionada para la situación. El núcleo de la cólera es que el niño ha aprendido que puede conseguir todo lo que desea en el momento que él quiere. Cuando esta idea se confronta con la realidad, su frustración no encuentra una forma apropiada para expresarse. ¡A chillar fuerte! ¿Nadie responde? Hay que chillar todavía más fuerte. El niño quiere comer algo antes de la cena, pero usted sabe que, si lo hace, luego no querrá cenar. Ante su negativa se frustra y luego se enfada, porque usted no se muestra dispuesta a ceder a sus ruegos.

Expresar la cólera de una forma inmadura hace sufrir al niño. Cuando su hijo se expresa a través de la ira, le hace saber que sus emociones son negativas e intensas. Lo que él realmente desea comunicarle —que sus necesidades no son satisfechas— se pierde en medio de su cólera, y es mucho menos probable que usted pueda escucharlo y responder al verdadero mensaje.

Lo más común es que los niños emocionalmente inmaduros descarguen abiertamente su ira con usted. Normalmente, se trata de una cólera incontrolada, implacable y dispersa, que actúa como una liberación inmediata para las emociones que despierta su frustración reprimida. Es lamentable que los padres respondan a la cólera del niño con su propia ira. Cuando los padres son coléricos, la ira del niño y su propia furia se alimentan mutuamente, creando un círculo vicioso de conflictos y sentimientos negativos por ambas partes. Por ejemplo: su hijo se enfada porque no le da lo que desea, y usted le da unos azotes porque no deja de molestarlo. El resultado final es que ambos se sienten mal, sus sentimientos mutuos se han resentido (al menos temporalmente) y usted no se considera capaz de resolver los problemas que, inicialmente, fueron la causa del enfado de su hijo.

Si en el pasado se ha castigado severamente al niño por sus arrebatos de cólera, quizá ahora tema expresarla abiertamente y se sienta obligado a reprimirla por miedo a las represalias. Los niños pueden dirigir su ira hacia sí mismos y autocastigarse con una baja autoestima, con el perfeccionismo, con la depresión o la ansiedad. También pueden expresar su rabia de forma sutil a través de la pérdida de motivación, de una conducta contraproducente y de un comportamiento pasivo-agresivo para vengarse de usted por no satisfacer sus necesidades.

La cólera es una parte sana y normal del desarrollo evolutivo del niño, y es necesaria para el proceso de separación entre padres e hijos. Es también una parte importante del proceso de maduración emocional. Sin embargo, cuando la ira de un niño hacia sus padres es persistente, en especial si está centrada en un área determinada —como puede ser la actividad para la que el niño revela dotes especiales—, puede dañar la relación. Por ejemplo: una niña se enfada con sus padres por obligarla a asistir a clases de danza, pues lo que desea es jugar con sus amigas al fútbol. Para vengarse de los padres, crea problemas en las clases o se olvida intencionadamente de la coreografía en el espectáculo de danza del colegio. Sus padres expresan la vergüenza que sienten por el comportamiento de la niña mediante la ira y el distanciamiento afectivo. Esta respuesta hiere y enfada a la niña y la estimula a oponerse a sus padres, lo que deteriora aún más la relación.

BANDERA ROJA 5: LA SOBREPROTECCIÓN EMOCIONAL

Una de las causas más comunes de la inmadurez emocional de los niños es que los padres los protegen de sus propias emociones. Este tipo de padres hacen todo lo posible para que su hijo no las experimente, especialmente las denominadas emociones negativas, como la frustración, la ira y la tristeza. Por ejemplo, después de haber sacado una mala nota en una prueba, una madre puede poner todo su empeño en consolar, proteger o distraer a su hija para que no se sienta mal, con la idea errónea de que así logrará que sea más feliz.

Existen algunos padres que protegen a sus hijos de las emociones que pueden perturbarlos, y que se desviven por satisfacer sus necesidades con la esperanza de que sean felices. Rehúyen las situaciones que pueden contrariar a sus hijos y se convierten en esclavos de las emociones de los niños.

Sin embargo, evitar que su hijo experimente profundamente sus emociones produce el efecto contrario del deseado. Si el niño no es capaz de percibir y comprender sus emociones, jamás podrá manejar positivamente los diversos desafíos emocionales que deberá afrontar a medida que crezca y se convierta en un adulto.

Otra consecuencia de la sobreprotección emocional que escapa a las intenciones de los padres, tiene lugar cuando usted le transmite a su hijo el mensaje de que es demasiado frágil para hacerse cargo de los problemas. «Si los niños creen que no pueden encarar los contratiempos, lo más probable es que no se esfuercen por materializar lo que desean», sugiere el terapeuta familiar Richard Sugarman. La incapacidad para experimentar y comprender las emociones negativas impedirá que su hijo aprecie y reconozca sus emociones positivas. Como las dos caras de una misma moneda, el niño no puede apreciar una parte de sus emociones si no experimenta también la otra.

BANDERA ROJA 6: DAR POR SENTADO QUE SU HIJO ES EMOCIONALMENTE MADURO

Todo aquello que los padres presumen en relación con los niños con un gran desarrollo físico, o que aventajan a sus compañeros en la actividad en la que han elegido participar, puede contribuir a un desarrollo emocional más lento. Algunos adolescentes maduran físicamente mucho antes que sus amigos; parecen adultos y, en muchas ocasiones, actúan como si lo fueran. Los padres pueden olvidar fácilmente que las emociones de su hijo aún son infantiles.

Cuando los niños demuestran un gran progreso en la actividad que puede potenciar su desarrollo, los padres pueden especular que, dado que su hijo ha demostrado ser muy maduro en dicha actividad —sea física, técnica o intelectualmente—, también debe serlo a nivel emocional. El ejemplo de Jennifer Capriati, una niña prodigio del tenis, es muy ilustrativo para este tipo de casos. A los trece años de edad tenía la madurez física de una mujer joven y competía con éxito contra las mejores tenistas del mundo. Sus padres y entrenadores, las otras jugadoras y los medios de comunicación supusieron que también era emocionalmente madura, aunque solo tenía trece años y había crecido en un entorno muy protegido. Basándose en esa presunción, todos albergaban la expectativa de que se comportara como una adulta, lo que incluía ganar los partidos y mucho dinero, mantener a su familia, hacer promociones comerciales y brillar bajo los reflectores de los medios de comunicación.

Todo el mundo, incluida quizá la propia Jennifer, asumió que disponía de los recursos emocionales necesarios como para tolerar las presiones. Lamentablemente, el tiempo y una dolorosa experiencia demostraron que no era así. A los pocos años abandonó el tenis, tuvo problemas con las drogas y con la ley. Por fortuna, esta historia tiene un final feliz, o al menos una continuación feliz. Después de estar varios años apartada del deporte, durante los cuales Jennifer aprovechó el tiempo para reflexionar y madurar, regresó al tenis convertida en una jovencita madura y cautelosa, con una perspectiva más sana de la vida y de su carrera como tenista. Además, el enorme talento que demostró diez años atrás, ha renacido posteriormente con sus victorias en el torneo de Australia y en los *opens* de Francia de 2001. «Esta vez sabré reconocer cuando la situación pueda llegar a desbordarme, o cuando ya no me sienta cómoda. Ahora yo soy la que tiene el control», afirma Capriati.

BANDERA ROJA 7: AUSENCIA DE EMOCIONES

He trabajado con familias en las que prácticamente ni siquiera se expresaban las emociones. Los miembros de la familia no solo no manifestaban las emociones negativas, sino que no comunicaban *ninguna* emoción en absoluto. Los padres de estas familias habían sido criados en un ambiente afectivamente distante y nunca se habían hecho cargo de su propia vida emocional. Por este motivo, transmitieron esa distancia emocional a sus hijos de una forma completamente inconsciente. John Gottman, Lynn Katz y Carole Hooven, los autores de *Meta-Emotion*, utilizan la expresión «descartar las emociones» para explicar que para muchas familias es un tabú experimentar y expresar las emociones.

Esta ausencia de emociones en una familia —se trate de ira, tristeza, o alegría— puede ser tan dañina para un niño como puede serlo en otra familia que las emociones negativas se expresen de una forma abrumadora. Sin embargo, si no se expresan las emociones, es posible que los niños no se sientan queridos —el amor se debe expresar con toda claridad— y muchas de las banderas rojas que hemos mencionado a lo largo del libro comenzarán a flamear. Si usted es incapaz de expresar francamente su cariño a su hijo, él nunca podrá experimentar la verdadera dicha; nunca aprenderá el valor y la importancia de la felicidad. Si no tiene la oportunidad de expresar emociones importantes, no será capaz de desarrollar su mundo emocional y no alcanzará la madurez.

Otra dolorosa consecuencia para los niños que crecen en una familia «fría» es que desarrollan ideas y emociones inaceptables y, lo que es peor, aprenden a creer que las emociones son un signo de debilidad. El niño puede construir muros internos para mantener controladas sus emociones; simplemente se abstendrá de expresar ninguna emoción intensa. Lamentablemente, aunque no manifieste sus sentimientos —en especial los negativos como la frustración, la cólera y la tristeza—, de cualquier manera los experimenta. Si su familia es «fría», su hijo habrá aprendido a reprimir dichas emociones; sin embargo, ellas continúan bullendo en su interior y el niño es incapaz de resolverlas. Los niños cuyas familias son «frías» a menudo son retraídos, hoscos y tienen tendencia a la depresión. En la mayoría de los casos, la depresión no se diagnostica ni recibe tratamiento. Estos niños «fríos» llegan a ser adultos «emocionalmente autistas» y desdichados, que luchan en cada faceta de su vida porque carecen de la capacidad para experimentar sus emociones de una manera sana.

En cierta ocasión trabajé con una joven atleta profesional, Kyra, que había crecido en una familia con estas características. Sus padres nunca le demostraron amor, ni siquiera afecto. Le ofrecieron todo tipo de recursos, menos los emocionales, y a menudo le preguntaban: «¿No te parece suficiente?». Cada vez que intentaba comunicarse emocionalmente con sus padres o intentaba transmitirles lo que sentía, ellos cambiaban de tema o daban fin a la conversación. Kyra aprendió a no expresar sus emociones en presencia de sus padres y a no preguntarles por las suyas. Pronto este hábito emocional se instaló en todas sus relaciones. Kyra creció y se convirtió en una atleta exitosa, pero después de cumplir los veinte años comenzó a advertir que era muy desdichada. Mientras se recuperaba de una lesión que la mantuvo apartada del deporte durante un periodo de tiempo bastante prolongado, se sintió finalmente preparada para afrontar su sufrimiento. Durante una de nuestras primeras sesiones me comunicó que nunca se había sentido querida por sus padres. Me sorprendió que no se emocionara mientras pronunciaba estas difíciles palabras. La falta de conexión entre las emociones que describía y la carencia de repercusión emocional que revelaba Kyra era asombrosa. Le pregunté qué era lo que sentía en aquel momento y, con toda naturalidad, respondió: «No siento nada».

Después de verla trabajar con ahínco durante varios meses, observé que su armadura se resquebrajaba; sus ojos vidriosos y una expresión de tristeza en su rostro ponían en evidencia que las emociones comenzaban a corresponder con sus dolorosas palabras. Entonces, cierto día, se abrieron las compuertas emocionales de Kyra y, mientras hablaba de sus padres, comenzó a llorar. Tal como ella lo expresó: «Es como si me estuviera liberando de veinte años de sufrimiento». Esta experiencia fue el momento decisivo para Kyra, porque descubrió sus emociones y logró sentirse cada vez más dichosa.

LA MADUREZ EMOCIONAL

Ahora sabe usted cuáles son las actitudes, las percepciones y las reacciones que caracterizan a los niños emocionalmente inmaduros, y conoce cuáles son las conductas de los padres que pueden retrasar el desarrollo emocional de sus hijos. A continuación, analizaremos las cualidades asociadas con los adultos emocionalmente maduros, y explicaré qué es lo que se debe hacer para fomentar el desarrollo de dichas cualidades, que contribuyen a la madurez emocional de los niños.

LAS ACTITUDES MADURAS

La vida de un adulto se caracteriza por tener en cuenta a los demás y por la capacidad de poder esperar. A medida que los niños maduran emocionalmente, deben comprender que el mundo no gira a su alrededor y que sus necesidades no serán satisfechas del mismo modo que cuando eran pequeños. Usted puede enseñarle a su hijo que otros niños también tienen necesidades y que él tiene que actuar pensando no solo en sí mismo, sino también en los demás. Por ejemplo, si usted está ayudando a uno de sus hijos y otro le pide algo, puede responderle que está ocupado y que se ocupará de él en cuanto termine. Para que no se sienta frustrado ni se impaciente, puede indicarle que aproveche ese tiempo para hacer algo hasta que usted esté disponible. «Ahora voy a bañar a Billy. ¿No querrías hacer un hermoso dibujo para mí? ¡Solo dispones de quince minutos!»

Los niños emocionalmente maduros no son egocéntricos y comprenden que sus necesidades no siempre pueden ser satisfechas, y que no siempre habrán de conseguir lo que quieren. En un sentido, los adultos desarrollan una visión más realista del mundo, y de su propia importancia dentro del mismo. Por ejemplo, si los adultos son realmente maduros, cuando deseen algo serán capaces de decir: «Si no puede ser ahora, quizá un poco más tarde» y «Lo quiero de verdad, pero puedo aceptar que no sea factible conseguirlo». Cuando los niños adoptan estas posturas adultas aprenden a tolerar la inevitable frustración que sienten cuando no son inmediatamente gratificados. De este modo, serán capaces de responder más razonablemente a las incertidumbres del mundo adulto.

Usted puede explicar a su hija que no siempre puede tener el control de la situación, y que habrá ocasiones en que no pueda hacer nada por modificar sus circunstancias. Simplemente, tendrá que *aceptarlas*. Ella necesita aprender que la única cosa que puede controlar es a sí misma y, en especial, su actitud en relación con lo que la vida le ofrece. Usted puede ayudarla a superar esos momentos difíciles, ofreciéndole una perspectiva positiva que le permita comprender la situación; puede enseñarle en qué puede concentrarse y qué necesita controlar para mejorarla. Por ejemplo, si su hija se siente frustrada e impotente en clase porque no entiende la asignatura, puede ayudarla a comprender cuáles son sus dificultades y guiarla para que encuentre una solución. Puede estimularla para que pida ayuda a la maestra, o encargarse usted mismo de contribuir a la solución del problema. Si la niña es capaz de resolver satisfactoriamente su dilema, habrá dado un gran paso adelante para resolver sus emociones negativas y controlar una determinada situación.

Los niños que maduran emocionalmente aprenden que no siempre pueden contar con usted para satisfacer sus necesidades. Por ello, necesitan asumir la responsabilidad de satisfacerlas ellos mismos. Por ejemplo, en vez de ayudar inmediatamente a su hijo con un problema informático, sugiérale que invierta diez minutos en intentar solucionarlo por sus propios medios. Puede recordarle todo lo que le ha enseñado para resolver problemas y motivarlo para que intente descomponer el problema en pequeñas secciones, o pruebe con un enfoque diferente.

Si el problema es encontrar el origen de una famosa cita en Internet, puede sugerirle que pruebe con otro buscador, o con una nueva búsqueda utilizando palabras diferentes. Si el niño aún es incapaz de encontrar la solución, en vez de resolverlo usted —que sería lo más fácil y lo más rápido—, guíelo con preguntas para que pueda encontrar solo la respuesta. Si usted ignora la respuesta, muéstrele paso a paso el proceso que utiliza para solucionar el problema.

Un cambio fundamental que diferencia a los adultos de los niños y ejemplifica la madurez emocional es la capacidad para valorarse a sí mismo en vez de depender de la opinión de los demás. Para que su hijo realice una transición positiva hacia la madurez emocional, debe aprender a valorarse y a basarse en su propio reconocimiento.

Evidentemente, todos necesitamos que nos valoren, pero los niños emocionalmente maduros descubren que no necesitan conquistar el amor y la aprobación de otras personas. Suelen ser más selectivos a la hora de complacer o de agradar a alguien. Desarrollan actitudes como, por ejemplo: «Solo debo complacer a las personas que son importantes para mí» y «No puedo gustarle a todo el mundo».

A diferencia del rígido absolutismo, común entre los niños emocionalmente inmaduros, la madurez emocional proporciona a los niños un mundo formado por diversos tonos de gris. Si su hijo ha madurado emocionalmente, es capaz de ver los matices que tiene el mundo —puede satisfacer algunas de sus necesidades, puede caerle bien— y en distinto grado —a diferentes personas, puede cometer algunos errores y puede triunfar y fracasar mientras recorre el camino hacia el éxito— y, además, su sensación de satisfacción y su felicidad también estarán teñidas por diversos tonos de gris.

Este «pensamiento gris» crea un mundo fluido que prepara a su hijo para que pueda elegir entre diversas opciones y le ofrece muchas oportunidades para aprender y madurar. Esta flexibilidad permite a un niño emocionalmente maduro adaptarse a la incertidumbre, la ambigüedad y la naturaleza siempre cambiante del mundo adulto. Usted puede promover el «pensamiento gris», buscando situaciones en las que su hijo considere las cosas en términos de blanco y negro y destacando que existen más de dos opciones entre las que puede elegir. Por ejemplo: su hija no ha sido seleccionada para el equipo «A» de fútbol y quiere abandonar porque no se considera una buena jugadora. Usted puede hacer hincapié en que ella ha sido admitida en el equipo «B», lo que muchas otras niñas no han conseguido, y que, si se empeña en mejorar, quizá el próximo curso pueda formar parte del equipo «A».

Los niños emocionalmente maduros tienen actitudes sanas en relación con su propio rendimiento. Por tener la capacidad para valorarse a sí mismos pueden situar el éxito y el fracaso en perspectiva y mantenerlos a una distancia adecuada para que el último no se convierta en una amenaza para su autoestima. Actitudes tales como: «Quiero dar lo mejor de mí mismo» y «No me importa fallar algunas veces» permiten a los niños considerar el rendimiento como un desafío que vale la pena afrontar. Todas las recomendaciones de este libro tienen el propósito de desarrollar esta actitud positiva del niño en relación con la consecución del éxito.

REACCIONES MADURAS FRENTE A LA DECEPCIÓN

La decepción es una parte normal, aunque difícil, de la infancia. Es inevitable que su hijo sufra alguna decepción en el colegio, en los deportes, en las artes y con sus amigos. Su respuesta frente a esa sensación de desencanto será determinante para su éxito y su felicidad futuros. Usted puede enseñarle a tratar los escollos como oportunidades para mejorar y madurar. Si cuando el niño se siente decepcionado le brinda una perspectiva diferente —«Sé lo mal que te sientes ahora, pero ¿qué puedes aprender de esta situación?»—, él dispondrá de los recursos necesarios para evitar las desilusiones o restarles importancia y transformar los obstáculos en ventajas.

Después de que su hijo «se caiga del caballo», se sentirá naturalmente defraudado, pero usted debe animarlo para que vuelva a montarlo. Al ofrecerle un punto de vista positivo y entusiasta, puede enseñarle otra forma de responder al fracaso y ayudarlo a encontrar un modo de superar los contratiempos y retornar al camino que lo conducirá al éxito. En vez de permitir que su hijo sucumba a la aflicción y se sienta mal consigo mismo, ayúdelo a utilizar la experiencia para afirmar sus habilidades, mostrándole que puede superar los fallos que ha cometido en el pasado. Por ejemplo, si el niño no está progresando tan rápido como desearía con su instrumento musical, puede comunicarle que es muy común que los músicos atraviesen ocasionalmente un periodo de estancamiento y que esos momentos son realmente necesarios y, en general, constituyen un preludio para una nueva etapa de progreso. Puede animarlo a seguir trabajando con dedicación y expresarle que usted está convencido de que volverá a mejorar.

La actitud que usted adopte frente a las inevitables decepciones de su hijo influirá sobre su forma de responder a los obstáculos que le presente la vida. Debe considerar que los desencantos de su hijo son un entrenamiento para su vida de adulto. «Las decepciones de la infancia son realmente una vuelta de práctica en la carrera hacia la vida adulta. Si usted interviene cada vez que surge la amenaza de una decepción, estará obligando a su hijo a correr en una maratón sin haberlo entrenado antes», agrega Allison Armstrong. Debe transmitirle que el fracaso y la decepción son parte de la vida y que lo importante es la forma de reaccionar ante ellos. También puede darle un espaldarazo, expresándole que tiene plena confianza en él, que él mismo debería confiar en sus posibilidades y que, si persevera, probablemente conseguirá materializar sus objetivos: «La vida está llena de dificultades y de decepciones, pero si tú sigues trabajando con tesón, podrás conseguirlo».

Allison Armstrong ofrece las siguientes sugerencias para responder a la decepción de un niño: no distorsione la situación con el propósito de que su hijo se sienta mejor. Permítale expresar sus sentimientos en relación con las dificultades y sugiérale un nuevo enfoque para considerar la situación. Bríndele su apoyo, pero no le dé un premio de consolación. Sea objetivo respecto de la capacidad de su hijo. Ofrézcale toda la información que potencie sus verdaderas habilidades. Ayúdelo a encontrar una forma de superar las causas de sus dificultades. Finalmente, asegúrele que conseguirá sobrevivir a esta desilusión y que, si continúa trabajando con esmero, cumplirá todos los objetivos que se ha propuesto.

REACCIONES MADURAS FRENTE A LA FRUSTRACIÓN

Un niño emocionalmente maduro es capaz de resolver su frustración y, normalmente, gracias a su forma de reaccionar, al menos en cierta medida, satisface alguna de sus necesidades. Gracias a su madurez no se siente inmediatamente frustrado cuando no consigue lo que quiere, y puede pensar con claridad de qué forma puede satisfacer sus necesidades.

Los niños que aprenden a postergar la gratificación se sienten seguros de sí mismos, revelan firmeza de carácter y son capaces de responder de una forma constructiva cuando se enfrentan a la frustración. Son niños motivados, que perseveran a pesar de los obstáculos y tienen menos probabilidades de derrumbarse bajo el peso del estrés. Además, son excelentes estudiantes y tienen las cualidades que se asocian con los grandes triunfadores.

Su hijo maneja la frustración basándose en cómo reacciona usted frente a ella. Si cuando usted se siente frustrado reacciona de una forma negativa —sea a través de la ira o de la impaciencia—, el niño quizá aprenda que esa es la forma adecuada de responder. Si, por el contrario, usted se muestra sereno y positivo, y busca soluciones cuando se siente frustrado, el niño probablemente adopte el mismo enfoque.

Sus propias reacciones frente a la frustración del niño afectarán la forma en que él mismo la afronte. Si usted se enfada y se irrita con él, su frustración puede ser cada vez mayor y abarcar otras emociones perjudiciales que, más adelante, le impedirán conseguir sus objetivos. Pero si responde a su frustración preguntándole con un tono de voz amable por qué se siente frustrado, y conversa con él expresándole su voluntad de ayudarlo, el niño se calmará y se dejará guiar para solucionar su frustración.

Esta capacidad comienza cuando el niño desarrolla un punto de vista sano respecto de las necesidades que no ha conseguido satisfacer. Puede enseñarle que el hecho de que sus necesidades estén o no satisfechas, no es un reflejo de lo que él es, ni representa lo que vale como persona. De este modo, sus necesidades insatisfechas no supondrán una amenaza. Un niño emocionalmente inmaduro concibe el fracaso como un desafío que puede superar con paciencia y con una actitud positiva, y que le enseñará a responder a situaciones similares de un modo más constructivo.

Cuando no existe una amenaza para su autoestima, el niño emocionalmente maduro es capaz de aceptar la situación tal cual es —es decir, que no va a conseguir de inmediato lo que aspira— y puede considerar sus opciones en vez de pensar en lo que no está a su alcance. Mediante esta actitud el niño se despreocupa de aquellas cosas sobre las que no tiene ningún control y se concentra en lo que puede conseguir. El niño emocionalmente maduro ha aprendido a enfrentar la situación en lugar de considerarla una amenaza que es preciso evitar. También advierte que, para satisfacer sus necesidades, debe confiar en sus propias posibilidades.

Usted puede enseñar a su hijo a comprometerse en un proceso destinado a encontrar soluciones para su situación actual. Si se siente frustrado y decepcionado, deberá tener la madurez necesaria como para deshacerse de sus sentimientos negativos y canalizar positivamente su energía. Al enseñarle a adoptar el «pensamiento gris», le permitirá considerar en qué grado puede obtener lo que desea en vez de insistir inútilmente en satisfacer todas sus necesidades. Los niños emocionalmente maduros saben que, si perseveran en sus esfuerzos, con el tiempo conquistarán sus objetivos y satisfarán sus necesidades. Por ejemplo, su hijo desea una nueva bicicleta, pero la que tiene está en perfecto estado, y usted, con toda razón, piensa que no es pertinente comprarle una bicicleta nueva. Para que el niño responda de una forma sana a la frustración que le produce no conseguir lo que quiere, puede pedirle que piense en otras formas de conseguir una nueva bicicleta, si realmente es lo que más desea. El niño responde que podría hacer algún trabajo extra en la casa y ganar un poco de dinero para comprarla. Con el propósito de apoyar y recompensar su iniciativa, puede decirle que la pagarán a medias. Otro ejemplo puede ser que su hija se sienta frustrada y deprimida porque no ha conseguido su objetivo de terminar entre los tres mejores gimnastas de la competición y se considera una perdedora. Usted puede destacar que su puntuación y el puesto que ha conseguido, son mucho mejores que los del último año, lo que significa que ha cumplido con dos de los objetivos por los que ha luchado y que su entrenador ha afirmado que si continúa entrenándose con dedicación tendrá muchas posibilidades de triunfar en la próxima competencia estatal. Ambos casos revelan que si enseña a su hijo la forma «gris» de considerar sus experiencias, podrá juzgarlas de un modo más positivo y aceptar que ha logrado dominarse frente a situaciones que previamente lo desmoralizaban.

De acuerdo con Ross W. Greene, autor de *The Explosive Child*, usted puede enseñar a su hijo actitudes más sanas para manejar la frustración. Puede aligerar la relación conflictiva que mantiene con su hijo. Puede anticipar situaciones en las que el niño probablemente se frustrará, dar menos importancia a las recompensas y los castigos y, por último, destacar la importancia de la comunicación y de la colaboración para resolver los problemas.

EXPRESAR LA CÓLERA DE UNA FORMA MADURA

Es evidente que incluso las personas emocionalmente maduras se enfadan. Se trata de una actitud normal y saludable. Sin embargo, lo que diferencia a los adultos de los niños es su forma de expresar la ira y de reaccionar ante ella. Los niños emocionalmente maduros son capaces de dominar su cólera y encauzarla en una dirección positiva que les permite resolver el motivo del disgusto.

Las investigaciones realizadas por los psicólogos Diana Tice y Roy Baumeister, de la Universidad Case Western Reserve, han revelado que cuando se expresa la ira, en vez de intentar disiparla, lo único que se consigue es potenciarla y prolongarla. Descubrieron que un enfoque mucho más efectivo es serenarse e intentar buscar una solución para la situación que motivó la cólera. Aristóteles observa: «Cualquiera puede enfadarse —esto es algo muy sencillo. Pero enfadarse con la persona adecuada, en la medida exacta, en el momento oportuno, con el propósito justo y del modo correcto, esto no resulta tan sencillo».

La gran ventaja de los niños emocionalmente maduros es que, cuando se enfadan, tienen la capacidad de evitar que los domine la ira. Son capaces de mantener la distancia necesaria para manejarla de un modo constructivo. El objetivo preponderante debe ser encontrar una solución que se adecue a los propios intereses, en vez de descargar simplemente la cólera. Además, al comprender lo que significa el «pensamiento gris», no se siente compelidos a intentar «ganar» a toda costa. Más bien, han aprendido a apreciar el valor del compromiso —es mejor satisfacer alguna necesidad, que ninguna en absoluto— y aspiran a obtener resultados «en los que todos ganen», donde ellos puedan satisfacer alguna de sus necesidades y todos los que están involucrados en la situación se sientan complacidos.

A diferencia de las reacciones coléricas infantiles, la expresión madura de las emociones resulta coherente con la magnitud del problema. De este modo, el niño es capaz de situar en perspectiva la situación que ha provocado su enfado. Si su hijo es emocionalmente maduro, en vez de reaccionar impulsivamente y magnificar el problema, será capaz de analizar las causas, considerar sus opciones respecto de cómo reaccionar y elegirá la mejor forma de actuar. Estos niños aprenden a expresar sus emociones para resolver sus necesidades emocionales inmediatas —expresar su enfado y aliviar su cólera— y, de este modo, conseguir una solución a largo plazo para la situación que ha motivado de su ira.

Usted puede ayudar a su hijo a comprender que el mensaje que transmite al expresar su ira, puede ayudarlo a descubrir y resolver el motivo de su enfado. Cuando, por ejemplo, su hijo se enoja con usted, lo que necesita es que escuche la parte sustancial de su mensaje y no solamente el contenido emocional. Si lo hace, usted comprenderá que el niño está enfadado y reconocerá las razones que han despertado su cólera. Gracias a esta información y a la forma en que el niño le ha transmitido el mensaje, será capaz de comprender y responder positivamente a lo que intenta comunicarle. Su propia respuesta, a su vez, estimulará al niño a expresar su cólera de una forma sana y constructiva.

También puede ofrecerle alternativas para que descargue su cólera cuando se enfada. Si lo detiene antes de que su ira haya alcanzado la «masa crítica», y sea completamente consumido por ella, él tendrá la oportunidad de encauzarla de una forma más sana. Por ejemplo, puede enseñarle que «cuente hasta diez» o que «respire profundamente», pidiéndole que se aleje durante un breve periodo de tiempo y que regrese cuando se encuentre más sereno. Cuando el niño pierda el control, lo que es inevitable de vez en cuando, usted puede hacerle saber que lo está escuchando, que desea ayudarlo a resolver el problema y, de este modo, animarlo a que le cuente sus dificultades. Su respuesta tendrá un efecto relajante y lo ayudará a volver a conquistar el control de su vida. Su objetivo es que el niño sea capaz de internalizar los instrumentos que le ofrece para dominar su cólera, de modo que no sea necesario recordárselo:

«Pareces estar muy enfadado, Josh.»
«Lo estoy.»
«¿Qué es lo que puedes hacer en primer lugar?»
«Contar hasta diez.»
«Gracias. Mientras lo haces, te estaré esperando pacientemente.»

LOS PADRES EMOCIONALMENTE MADUROS

Muchos niños tienen un desarrollo emocional lento porque uno o ambos padres son emocionalmente inmaduros. Por ejemplo, cuando un niño tiene una rabieta porque no obtiene lo que quiere, si el padre (o la madre) es emocionalmente inmaduro, reaccionará a su vez con otra rabieta. Este círculo vicioso a menudo se convierte en un intercambio de gritos que produce una escalada de la cólera, tanto del niño como de los padres. Esta situación no solamente no resuelve el problema inmediato, sino que además enseña al niño que los adultos también afrontan los conflictos expresando la ira de una forma inmadura y lo autoriza a manifestar su propia cólera.

El niño aprende sus hábitos emocionales observando cómo reacciona usted ante diferentes situaciones. Por su parte, usted habrá desarrollado ciertos hábitos emocionales durante su infancia, que persisten en su vida adulta. Si usted tiene hábitos emocionales perniciosos, se los comunica a su hijo directa —«No se puede confiar en nadie»— o indirectamente, a través de sus propias reacciones frente a situaciones que lo desequilibran emocionalmente. Por ejemplo, si un niño se aleja un poco de su madre y ella reacciona con miedo (porque ha crecido creyendo que el mundo es un lugar peligroso), el hijo puede adoptar la misma actitud. Si la reacción de la madre es frecuente, el niño puede incorporarla y desarrollar la idea de que la exploración y la asunción de riesgos suponen una amenaza, lo que lo llevará a evitarlas, si el hábito emocional persiste en su vida adulta.

En general, los niños emocionalmente maduros tienen padres emocionalmente maduros. Como adulto, usted debe actuar como tal y enseñar a su hijo las conductas adecuadas. Debe mostrarse tranquilo, expresar su cólera de una forma positiva, establecer límites claros y mantenerse firme. Esta respuesta calma a un niño enfadado y lo ayuda a manifestar su ira de un modo más productivo. También le enseña un enfoque sereno frente a la cólera, que el niño puede interiorizar y utilizar en su propio beneficio en el futuro.

Mantener el control emocional no es fácil cuando se educa a un niño. Muchas veces usted se siente cansado y estresado, y la conducta de su hijo —quizá sus incesantes lloriqueos para obtener algo que desea— puede hacerlo sentir frustrada y reaccionar con ira. Las expresiones ocasionales de cólera no son muy perjudiciales; sin embargo, si el niño es expuesto de forma regular a los arrebatos coléricos de los padres —especialmente si se dirigen hacia él—, interiorizará el dolor que le produce la ira de sus padres y lo entenderá como un «permiso» para descargar, fortuita y frecuentemente, su propia cólera.

Cada vez que usted o su hijo experimentan emociones, en especial cuando son negativas, tiene la oportunidad de enseñarle una valiosa lección. Si usted responde a sus propias emociones de un modo constructivo, le ayudará a reaccionar positivamente frente a las suyas; la lección potenciará su crecimiento emocional y su paulatina maduración le será muy provechosa en su camino hacia la vida adulta. El doctor. Wayne Dyer afirma que «desde un primer momento cada persona debe aprender que su mundo interno le pertenece solamente a ella, y que es capaz de controlar todo lo que siente, piensa y hace. Esta es la libertad esencial que puede ofrecerle a su hijo: *la idea y el convencimiento de que puede controlar su propio mundo interno*».

NO SE OLVIDE DE LAS EMOCIONES POSITIVAS

La Tercera Parte trata, principalmente, de las emociones negativas y de cómo puede ayudar a su hijo a superarlas, expresando las emociones positivas y adoptando actitudes que pueden contribuir al éxito y a la felicidad. Un desafortunado aspecto que caracteriza tanto a los padres que expresan intensas emociones negativas como también a los padres indiferentes es que, a menudo, no manifiestan sus emociones positivas. Sin embargo, expresarlas es un regalo maravilloso que puede ofrecer a su hijo. Ver, sentir y expresar emociones positivas es fundamental, porque, a través de ellas, su hijo puede comprender qué es lo que busca y lo que aspira. El amor, el entusiasmo, la alegría, la excitación, la satisfacción y la felicidad son las emociones que su hijo merece experimentar, y representan una recompensa para sus esfuerzos en todos los aspectos de su vida.

Cuando usted expresa emociones positivas, los niños aprenden a reconocerlas y se sienten autorizados para experimentarlas. Cuando usted se sienta feliz, demuéstrelo. Cuando se sienta excitado, compártalo con su hijo. Cuando disfrute plenamente de algo que está haciendo, explíquele el motivo. Cuando se sienta satisfecho, describa su sensación. Y lo más importante, cuando esté con su hijo, exprésele su amor de todas las formas posibles.

El hecho de experimentar y dejarse guiar por las emociones negativas ayuda a su hijo a desarrollar la madurez emocional, pero también le permite aprender y experimentar las emociones positivas. Siempre que esté con su hijo, tiene la oportunidad de crear, expresar y compartir las emociones positivas y de hablar de lo que cada uno siente. También puede ayudar a su hijo a reconocer las experiencias, actividades y personas que le generan estas emociones. Estas oportunidades le servirán de guía para que aprenda a generar emociones positivas por sí mismo.

CLAVES PARA LA MADUREZ EMOCIONAL

1. *Confianza*. La sensación de control y maestría respecto del propio cuerpo, la propia conducta y el mundo; el niño siente que tiene probabilidades de triunfar en todo lo que emprende y que los adultos lo ayudarán.
2. *Curiosidad*. La sensación de que descubrir cosas es positivo y proporciona placer.

3. *Intencionalidad.* El deseo y la capacidad para ejercer influencia y actuar con perseverancia. Esto se relaciona con la sensación de competencia, de ser efectivo.

4. *Autocontrol.* La capacidad para controlar las propias acciones de una forma adecuada a la edad: la sensación de control interno.

5. *Sociabilidad.* La capacidad para relacionarse con otras personas y que se basa en la sensación de ser comprendido por los demás y de comprenderlos.

6. *Capacidad para comunicarse.* El deseo y la capacidad de intercambiar ideas, sentimientos y conceptos. Se relaciona con la sensación de confianza en los otros y con el placer que reporta relacionarse con otras personas, incluidos los adultos.

7. *Colaboración.* Es la capacidad para equilibrar las propias necesidades con las necesidades de los demás cuando se participa en una actividad grupal.

Goleman, D.: *Inteligencia emocional* (1998), Editorial Kairós.

CAPÍTULO 9

¿Qué puedo hacer?

Víctima frente a maestro

¿**S**U hijo está a merced de sus emociones? ¿O acaso tiene la capacidad de modificar sus emociones cuando comienzan a interferir en la consecución del éxito y de la felicidad? ¿Es víctima de sus emociones o ha conquistado la maestría emocional? La culminación del trabajo que realizan los padres para potenciar el desarrollo esencial de sus hijos con el fin de que sean grandes triunfadores es ayudarlos a desarrollar la maestría emocional.

LOS HÁBITOS EMOCIONALES

Madurar significa, en gran parte, que su hijo desarrolle hábitos que puede aplicar en el colegio, en las actividades para las que revela dotes especiales, en las ocupaciones que no son académicas y en sus relaciones a lo largo de la infancia y, más adelante, en su vida adulta. Los hábitos emocionales son formas aprendidas de responder ante las situaciones. Los hábitos que su hijo debe desarrollar incluyen las formas características de responder ante el mundo —tal como su motivación en el colegio, su sociabilidad, su manera de afrontar un conflicto familiar— y su modo de reaccionar a determinadas circunstancias que pueden provocar decepción, frustración, cólera, tristeza y otras emociones. Estos hábitos emocionales se desarrollan mediante experiencias tempranas que despiertan reacciones emocionales. La mayoría de dichas respuestas se pueden clasificar como reacciones ante una amenaza o como reacciones ante un desafío. Por ejemplo, una madre acosa a su hijo porque ha jugado mal en la liga infantil de fútbol. El niño se siente ansioso cada vez que tiene que jugar, y su reacción se transforma en un hábito emocional que se manifiesta en cuanto siente que lo presionan para que triunfe. Otro ejemplo es el de una niña que recibe apoyo y aliento de sus padres por entrenarse a conciencia antes de sus conciertos mensuales de piano, en los que normalmente se desempeña muy bien. Sus padres comparten su entusiasmo, independientemente de cómo sea su actuación. Es habitual que la semana previa a los conciertos la niña se sienta excitada, y esta respuesta se convierte en un hábito emocional que se generaliza y se manifiesta en otras situaciones de su vida en las que siente presión.

Lo ideal es que los hábitos emocionales faciliten el éxito y la felicidad y permitan a su hija evolucionar hacia el estado adulto. Los hábitos emocionales positivos incluyen responder adecuadamente a la adversidad, ser capaz de superar la decepción y la frustración y poder manejar la ira y la tristeza de una forma constructiva. Usted puede fomentar la emergencia de hábitos emocionales sanos exponiendo a su hijo a situaciones que le produzcan reacciones emocionales, dejándolo experimentar esas emociones y enseñándole los recursos necesarios para dominar las situaciones y las emociones correspondientes.

Los niños pueden desarrollar hábitos emocionales malsanos que no les hacen sentir bien, ni les ayudan a materializar sus objetivos. Por ejemplo: Un niño siente que el amor de sus padres depende de su rendimiento escolar; como consecuencia, reacciona frente al éxito como si de una amenaza se tratara. Si este amor condicional persiste, desarrollará un hábito emocional de resentimiento y cólera hacia sus padres y sentirá temor cada vez que deba enfrentarse a una prueba. Este hábito emocional surgirá en todo ocasión que deba afrontar una situación por la que puede ser valorado en el futuro. Es evidente que esta forma de reaccionar ante una amenaza no es beneficiosa y seguirá debilitando sus esfuerzos por conseguir éxito y felicidad cuando sea un adulto. Más aún, si este hábito emocional persiste a medida que el niño crece, no conseguirá comprender por qué se siente mal con tanta frecuencia.

Usted acaso se pregunte: «¿Por qué habría mi hijo de adoptar hábitos emocionales negativos que no le sirven?». Cuando los niños son pequeños no son seres racionales; carecen de la capacidad cognitiva, la experiencia y la perspectiva necesarias para poder reflexionar sobre las situaciones que viven, y decidir cuál es la mejor forma de manejarlas. Por el contrario, los niños son seres intuitivos y su principal interés es protegerse. Cuando son muy pequeños carecen de la capacidad para recapacitar y, por tanto, todavía no pueden definir cómo deben responder a una situación emocional. Simplemente, reaccionan de forma automática para protegerse de lo que perciben como una amenaza inmediata. El neurocientífico de la Universidad de Nueva York Joseph LeDoux observa: «Algunas reacciones y recuerdos emocionales se pueden formar sin que exista una participación cognitiva consciente».

Los hábitos emocionales que se desarrollan precozmente suelen ser de alguna manera funcionales en el momento en que se experimentan por primera vez, y tienen el valor de ofrecer una cierta protección a los niños. Por ejemplo: una madre se enfada con su hijo cuando se entera que no ha superado una prueba escolar. Para asegurarse de que no estará disgustada durante mucho tiempo, y que no lo privará de su cariño si sigue sacando malas notas, el niño se dedica a estudiar con dedicación la asignatura antes de la próxima prueba. A partir de ese momento, si suspende otra vez, se amonestará severamente y, de este modo, demostrará a su madre que lo ha hecho mal pero que no volverá a suceder. Esta respuesta emocional le evita tener que afrontar la ira de su madre y, al mismo tiempo, elimina el temor de perder su cariño. Si la reacción de la madre persiste, su respuesta emocional se convertirá finalmente en un hábito emocional, en respuesta a la amenaza de la desaprobación y la pérdida del amor de su madre.

Lamentablemente, muchos hábitos que en un determinado momento sirvieron para un propósito útil —proteger al niño de lo que se percibe como una amenaza— terminan por inhibir su capacidad mientras se encamina hacia la vida adulta. Estos hábitos emocionales, que resultaron provechosos para el niño cuando era pequeño, tendrán el efecto opuesto en su vida madura. Los hábitos emocionales aprendidos en la niñez no suelen ser beneficiosos para los adultos, aunque su hijo puede seguir dependiendo de ellos porque están muy arraigados.

En el caso del alumno que acabo de mencionar, su hábito emocional sobrepasó las experiencias escolares y se manifestó también en su vida de deportista. El niño se convirtió en un perfeccionista que intentaba complacer a los demás con el fin de evitar el fracaso y, además, para que su madre no se sintiera desdichada. Aunque en su vida profesional consiguió bastante éxito, se convirtió en un adulto que no se permitía disfrutar de los esfuerzos que realizaba con el propósito de triunfar y, por lo tanto, nunca llegó a ser realmente feliz. La relación amorosa que establecía con sus novias estaba teñida de complacencia, y hacía cualquier cosa con tal de no decepcionarlas y enfadarlas.

LAS VÍCTIMAS EMOCIONALES

Muchos niños crecen siendo víctimas de sus emociones, están convencidos de que tienen poco control sobre ellas y que no pueden hacer nada para modificar la situación. Si sus emociones les hacen sufrir, no tienen más remedio que aceptarlas porque son incapaces de modificarlas. Tienen hábitos emocionales enfermizos y poco productivos; sus emociones los gobiernan e interfieren en sus posibilidades de alcanzar el éxito y la felicidad.

Los niños que son víctimas emocionales son inmaduros, excesivamente dependientes de los adultos, se sienten incompetentes, impotentes y, en general, amenazados por el mundo exterior. No se consideran capaces de dominar ni modificar su mundo interno y, por lo tanto, no se sienten responsables de sus propias emociones y tampoco sienten que les pertenezcan. Estas víctimas emocionales no confían en su capacidad para controlar sus pensamientos, emociones o acciones. Son gobernados por unos hábitos emocionales que han desarrollado tempranamente y, cualesquiera sean ellos, a menudo actúan como sus peores enemigos al pensar, sentir y comportarse de un modo que genera emociones negativas y obstaculiza su camino hacia el éxito y la felicidad.

Los que son víctimas de sus emociones frecuentemente «no conectán» con su vida emocional. Experimentan y actúan sus emociones sin tener un sentido claro de lo que sienten, ni de lo que los impulsa a actuar. Por ejemplo: una niña se enfada con sus padres y expresa su ira abiertamente, sin poder controlarse. Lo que realmente intenta expresar es que está dolorida y triste porque cree que sus padres no la quieren. Las víctimas emocionales llegan a temer todas sus emociones porque les resultan incómodas. Prefieren tener una vida segura, predecible y en la que no haya emoción. Desgraciadamente, al evitar las emociones negativas tampoco experimentan completamente las positivas —como el entusiasmo, la alegría y la felicidad—, de manera que caen prisioneros de sus propias emociones y son incapaces de escapar de su confinamiento.

Las víctimas emocionales tienen muchas dificultades para progresar y consideran que afanarse por conseguir cualquier meta supone un esfuerzo que, probablemente, les hará sufrir. Esta reacción frente a lo que se percibe como una amenaza provoca una profecía que habitualmente se cumple: esperan fracasar, tienen un bajo rendimiento y su fracaso les causa aún más sufrimiento.

Las víctimas emocionales también tienen dificultades en sus relaciones afectivas. Como están más preocupadas por resultar heridas que otras personas, son más vulnerables a la decepción y al sufrimiento. Se desconectan de todas sus emociones, incluidas las positivas, como el amor, el respeto y la preocupación por los demás. Las otras personas perciben que es muy difícil acceder a ellas y no se sienten inclinadas a «abrirse» con alguien que parece incapaz de hacer lo mismo.

LA MAESTRÍA EMOCIONAL

Si educa a su hijo para que adquiera la maestría emocional, ella aprenderá que puede gobernar sus emociones. Será muy consciente de lo que siente y se sentirá a gusto experimentando todo el abanico de emociones, desde la cólera y la tristeza, hasta el entusiasmo y la alegría. Desarrollará hábitos emocionales sanos y productivos que fomentarán su capacidad de conseguir el éxito y la felicidad. Las cualidades que el doctor Daniel Goleman asocia con la maestría emocional, incluyen la habilidad para seguir estando motivado y perseverar a pesar de las frustraciones para controlar los impulsos y la necesidad de gratificación inmediata, para dominar los estados de ánimo y evitar que las emociones negativas anulen la capacidad de pensar claramente y actuar con corrección.

Puede favorecer la maestría emocional de su hijo animándolo a experimentar y comprender su vida emocional. Él aprenderá a reconocer sus emociones y los motivos que las sustentan. A medida que crezca, se conectará con sus emociones y podrá aceptarlas —tanto las positivas como las negativas—, porque reconocerá que confieren riqueza y profundidad a su vida. Y lo más importante, al adquirir la maestría emocional, el niño aprenderá que tiene la capacidad de modificar sus emociones para que potencien sus posibilidades de obtener éxito y ser feliz.

Los atributos característicos de quienes alcanzan la maestría emocional incluyen la madurez, la competencia, la efectividad, y la posibilidad de responder a un desafío. Aunque los niños que la han desarrollado pueden advertir que tienen poco control sobre muchos aspectos de su vida, están convencidos de que pueden dominar sus emociones. Esta sensación de control les da la libertad que necesitan para asumir riesgos, afrontar los inevitables fracasos y experimentar todo lo que la vida tiene para ofrecer.

Todas estas virtudes convergen para que los maestros emocionales se conviertan en sus mejores aliados. Estos niños emocionalmente maduros tienen la capacidad de conseguir que la energía que invierten en sus esfuerzos por triunfar —y las emociones positivas y negativas que sienten a lo largo del proceso— les ayude a progresar y a materializar sus objetivos. Quienes han conquistado la maestría emocional no solamente alcanzan un alto nivel de éxitos, sino que también disfrutan de sus propios esfuerzos. Otorgan a sus fracasos el lugar que les corresponde, y su empeño por conseguir el éxito les brinda una gran satisfacción y alegría.

Si usted educa a su hijo para que desarrolle la maestría emocional, le está ofreciendo un regalo que le servirá durante toda su vida y que le ayudará a cosechar innumerables beneficios. Al experimentar completamente sus emociones, y expresarlas de una forma adecuada y cómoda, puede entregarse con pasión y energía a la actividad que puede potenciar sus cualidades. Los niños que han conquistado la maestría emocional consideran el éxito como un desafío y no como una amenaza, y por ello pueden responder positivamente a los diversos obstáculos que se presenten en su camino y utilizar sus emociones como un arma para alcanzar sus metas.

Los niños que alcanzan la maestría emocional desarrollan relaciones enriquecedoras porque se sienten seguros y a gusto consigo mismos. Pueden ser personas emocionalmente vulnerables que comunican sus emociones de una forma sana. Los demás perciben su disponibilidad emocional y se sienten a gusto manifestando, a su vez, sus propios sentimientos. Al conseguir el éxito en las actividades que responden a sus intereses, y también en su vida social, estos maestros de las emociones se sienten satisfechos por tener una vida emocionalmente rica.

BANDERAS ROJAS

La mayoría de las banderas rojas que se describen en este libro son señales de advertencia de que los niños se están convirtiendo en víctimas emocionales. Todas ellas comparten un elemento común: los niños hacen cosas que no responden a sus mejores intereses. La más grave de todas las banderas rojas es cuando su hijo piensa, siente y actúa de un modo que interfiere en la consecución del éxito y de la felicidad. Cuando el niño hace algo que, en vez de potenciar la consecución de sus logros, atenta contra ellos, usted debería ver una gran bandera roja izándose en el mástil de su mente, indicándole que puede existir un problema que requiere su atención.

Es muy común que las víctimas emocionales tengan problemas para superar las dificultades y deshacerse de las emociones negativas. Usted debería observar si las emociones negativas de su hijo comienzan a tener influencia sobre otros aspectos de su vida, como su salud, sus hábitos diarios, sus relaciones o las actividades que pueden proporcionarle el éxito. Por ejemplo: unos días después de un concierto de flauta en el que no tuvo una buena actuación, Denise seguía hablando de su fracaso y manifestaba constantemente su decepción. Sus emociones negativas persistían y, finalmente, comenzó a cometer muchos fallos en las clases de flauta y cuando practicaba a solas. Empezó a tener problemas para dormir, se despreocupó de su aspecto y no hacía las tareas que le habían asignado en casa. Su incapacidad para desprenderse del pasado fue la causa de que no se encontrara a gusto cuando tocaba la flauta. Esa actitud negativa creó una respuesta basada en el miedo que se oponía a sus esfuerzos por conquistar el éxito y la felicidad.

Acaso la bandera roja más significativa que debería buscar en la vida de su hijo es si está atrapado en un círculo vicioso emocional, como le sucedió a la intérprete de flauta que acabamos de mencionar. La espiral descendente de las emociones negativas —desde la frustración y la cólera hasta el pánico y la desesperación— es el sello distintivo de un niño que es víctima de sus emociones. Una vez que ha experimentado las primeras emociones negativas en sus esfuerzos por triunfar, una víctima emocional carece de la capacidad para modificar conscientemente sus emociones y frenar su efecto destructivo. Estos hábitos emocionales tan poco saludables pueden precipitarla a un torbellino emocional que garantiza el fracaso en todo lo que emprende.

CÓMO EDUCAR A SU HIJO PARA QUE ADQUIERA LA MAESTRÍA EMOCIONAL

Las emociones desempeñan quizá un papel definitivo para que su hijo se convierta en un gran triunfador. El éxito y la felicidad son posibles cuando el niño puede expresar todas las habilidades que posee para triunfar en la actividad para la que demuestra buenas aptitudes y cuando disfruta participando en ella. Para poner en juego toda su capacidad, debe primero comprometerse emocionalmente consigo mismo. Este compromiso emocional significa arriesgar la imagen que tiene de sí mismo —su autoestima— aceptando la posibilidad del fracaso y sus consecuencias. Si es capaz de cumplir su compromiso, aceptar el fracaso y asumir el riesgo, su hijo se liberará emocionalmente de la carga que implica reaccionar por miedo, y podrá expresar completamente sus aptitudes y perseguir el éxito y la felicidad.

Cuando su hijo se empeña en convertirse en un gran triunfador, debe participar en dos «juegos». El *juego del éxito* se opone a la actividad en sí misma —un examen, una partida de ajedrez, un recital de música, una competición deportiva— en la que el niño necesita demostrar un excelente rendimiento para poder triunfar. Pero con el fin de ganar el juego del éxito, el niño debe ganar primero el *juego mental*. Este «juego entre las orejas» únicamente puede ganarlo quien haya alcanzado la maestría emocional.

LOS PADRES QUE HAN CONQUISTADO LA MAESTRÍA EMOCIONAL

Un tema constante a lo largo de este libro es que, en gran medida, usted es responsable de que su hijo se convierta en un gran triunfador. Debe apoyarlo para que pueda conquistar la maestría emocional. Debe analizar la influencia que tiene sobre su hijo —tanto si es positiva como negativa— e identificar qué es lo que debe hacer para potenciar su crecimiento. Por ejemplo, si usted está «microorganizando» la vida deportiva de su hijo —recordándole que se entrene, preparándole su equipo—, debería abstenerse y dejar que él mismo asuma dichas funciones, aunque normalmente no suela ocuparse de sus propias responsabilidades. Si usted supervisa y corrige su tarea escolar, debería dejar que lo hiciera por sus propios medios. Si se involucra exageradamente en las actividades de su hijo, pero está deseando poder modificar la situación, debe ser menos entrometido y permitirle desarrollar la sensación de pertenencia respecto de sus propios esfuerzos por triunfar. De este modo, el niño cosechará más éxitos, se sentirá más contento y conseguirá satisfacer sus propias necesidades, además de las de sus padres.

El hecho de que los padres posean las cualidades que su hijo necesita aprender, facilita en gran medida el desarrollo de los grandes triunfadores. Esto no es menos cierto cuando se trata de la maestría emocional. Su hijo aprenderá los hábitos emocionales más básicos, observándolo e imitando su ejemplo. Si usted es víctima de sus emociones, es muy probable que, a menos que tenga otros modelos importantes que pueda imitar, también él se convierta en una víctima emocional. Si usted ha adquirido la maestría emocional, ya tiene recorrido un buen tramo del camino para potenciar los hábitos positivos de su hijo.

Es menos probable que los padres que han alcanzado la maestría emocional se entrometan en la actividad en la que su hijo aspira a triunfar porque, por ser emocionalmente maduros, pueden adoptar un punto de vista positivo en relación con los esfuerzos que realiza el niño. Los padres con estas características tienen más conciencia de sus propias necesidades y son capaces de ponerlas a un lado de vez en cuando para satisfacer los mejores intereses del niño. Los padres que han conquistado la maestría emocional no tienen que reñir con sus hijos porque sus objetivos y sus esfuerzos coinciden. Como resultado, no existe una guerra de voluntades para resolver cuáles necesidades han de ser satisfechas y qué objetivos deben ser alcanzados.

Los padres que gozan de la maestría emocional enseñan a sus hijos hábitos emocionales sanos que fomentan su desarrollo como grandes triunfadores. Ellos no solamente «hablan» de la maestría emocional, sino que además «han recorrido el camino»; por lo tanto, son modelos positivos y sus hijos pueden aprender los hábitos emocionales que les permitirán conquistar la maestría emocional y triunfar.

Una de las recomendaciones más importantes que puedo ofrecerle, sea para prevenir problemas o para abordar las dificultades que con toda certeza surgirán a lo largo del desarrollo del niño, es que consulte con un psicoterapeuta. Esta sugerencia no se basa en la idea de que la mayoría de los padres tienen importantes problemas psicológicos; por el contrario, he descubierto que gran parte de ellos son mentalmente sanos y, en general, tienen una influencia positiva sobre sus hijos. Sin embargo, muchos padres —como la mayoría de las personas— arrastran hábitos emocionales desde la niñez que pueden interferir en sus mejores intenciones a la hora de educar a sus hijos.

Es posible que piense: «¿Acaso todo el mundo tiene que consultar con un psicoterapeuta?». Probablemente no, pero un signo razonable podría ser que usted o su hijo estén haciendo algo que atenta contra los esfuerzos del niño por progresar, o que afecta sus relaciones y su felicidad. Si estas banderas rojas describen una situación que se repite con frecuencia, y también le recuerdan la forma en que sus padres lo educaron, quizá sería conveniente que consultara con alguien para estar seguro de haber resuelto sus propios conflictos.

Creo que la principal función de un psicoterapeuta es poner las cosas en perspectiva para facilitar su comprensión y ayudar a las personas a eliminar los obstáculos que se interponen en su camino. Un psicoterapeuta puede ofrecerle la oportunidad de ver de qué manera está influenciando a su hijo. Él, o ella, puede analizar sus hábitos emocionales para constatar si están obstaculizando el desarrollo del niño. El psicoterapeuta puede aclararle cuál es el nivel de compromiso que debe tener con la actividad en la que participa su hijo. Por último, puede trabajar con usted para resolver los contratiempos que le impiden hacer lo que es mejor para él.

LA PERSPECTIVA DE QUIENES HAN ALCANZADO LA MAESTRÍA EMOCIONAL

Si adopta una perspectiva sana en relación con el éxito, tendrá menos posibilidades de comprometerse más de lo aconsejable en las ocupaciones de su hijo, y su autoestima —y la del niño— no estarán exageradamente asociadas con sus éxitos y sus fracasos. Este punto de vista positivo es básico para que su hijo conquiste la maestría emocional. Libre de las presiones de padres emocionalmente inmaduros, su hijo advertirá que una parte esencial del éxito es tener una vida rica en emociones.

Tanto usted como su hijo *deberían ocuparse de los esfuerzos que él hace por triunfar.* Es normal, sano y necesario que el niño deposite un cierto nivel de expectativas en su ego cuando interviene en una actividad que puede conducirlo al éxito. ¿Por qué habría su hijo de trabajar con tesón para alcanzar sus objetivos si realmente no le interesara la actividad? Con una apuesta sana, su hijo dará lo mejor de sí mismo, incluso cuando las cosas se pongan difíciles. Si no consigue obtener lo que esperaba, como es natural, se sentirá decepcionado, pero nunca desconsolado.

Lamentablemente, muchos padres traspasan los límites de una colaboración sana y educan a sus hijos basándose en una perspectiva que pone el énfasis en una simple palabra que no resulta positiva para el niño: «demasiado» En el momento en que usted y su hijo se involucren *demasiado* en la actividad, esta se convertirá en algo *demasiado* importante, y su hijo se esforzará *demasiado.* Esto es un signo evidente de que su autoestima y la del niño están *demasiado* conectadas con las actividades en las que el niño participa para potenciar sus aptitudes.

Quienes han alcanzado la maestría emocional comprenden que es natural que en el camino hacia el éxito haya *momentos altos y momentos bajos.* Por lo tanto, pueden mantener un punto de vista positivo que los mantiene motivados, y gracias a él no se sienten muy contrariados cuando atraviesan un periodo bajo. La maestría emocional los estimula a dar lo mejor de sí mismos y no rendirse nunca e, independientemente de cuán difícil se haya puesto la situación, intentan encontrar la causa de su bajo rendimiento para encontrar una solución. Con esta perspectiva, responden positivamente a los momentos bajos; son capaces de detener el círculo vicioso emocional, restar importancia a la duración y profundidad de la mala racha que atraviesan y superarla con facilidad.

Los que han alcanzado la maestría emocional entienden que el éxito se basa en el amor. La relación entre el éxito y el amor se inicia cuando usted quiere a su hijo por los esfuerzos que realiza y no por los resultados que obtiene. Este amor es determinante para que el niño se sienta competente y querido por los demás, y para que se valore a sí mismo según ese modelo. El cariño que profesa por su hijo, y el aprecio que el niño siente por sí mismo, anulan cualquier amenaza para su autoestima que pueda surgir cuando se decida a asumir riesgos para alcanzar sus metas. Este amor posibilita al niño apreciar incondicionalmente, y con todas sus vicisitudes, la actividad en la que participa —y no solo por el éxito que puede reportarle. El respeto que su hijo siente por sí mismo y por la actividad para la que ha revelado tener condiciones fortalece el cariño que siente por usted —por ofrecerle la oportunidad de tener una experiencia enriquecedora— y le permite disfrutar de su participación y sentirse satisfecho.

ASPIRAR A LA MAESTRÍA EMOCIONAL

Conquistar la maestría emocional implica que su hijo desarrolle la habilidad para decidir cómo debe reaccionar frente a las emociones que experimenta. El niño puede disfrutar de sus emociones positivas —la felicidad, la alegría y la serenidad— y actuar guiado por ellas. La dificultad reside en experimentar las emociones negativas —la frustración, la cólera, o la tristeza— y reaccionar de un modo que, en vez de apartarlo de su búsqueda del éxito y la felicidad, lo anime a conseguir sus metas.

Su hijo debe aprender a reaccionar frente a sus emociones, y esto es *una opción simple aunque, de ningún modo, sencilla.* Es simple, porque si el niño se encuentra ante la disyuntiva de sentirse mal y no progresar de acuerdo con lo esperado, o de sentirse bien y tener un buen rendimiento, evidentemente se inclinará por esta última posibilidad. Sin embargo, no es fácil decidir cómo responderá a sus emociones, porque los hábitos emocionales negativos que ha aprendido acaso lo impulsen a reaccionar de una forma que interfiere en la consecución del éxito y la felicidad. Debido a dichos hábitos, su hijo puede sentirse obligado a tomar un determinado camino en contra de su voluntad.

La habilidad del niño para elegir entre ambas opciones puede manifestarse de dos formas. Usted desea que su hijo alcance la maestría emocional. Si lo logra, el niño aprenderá hábitos emocionales saludables que le permitirán elegir el camino que lo conducirá hacia el éxito y la felicidad. No se debatirá interiormente entre sus hábitos emocionales negativos, que lo impulsan a materializar de inmediato sus objetivos, y sus sanas necesidades. De una forma natural, seguirá el camino que le permitirá convertirse en un gran triunfador.

No obstante, el niño puede desarrollar algunos hábitos emocionales negativos que le impidan percatarse de que él puede elegir cómo responder a sus emociones. Usted debe ayudarlo a sentirse capaz de tomar una decisión: puede seguir adelante por el camino que ha iniciado —es decir, ser víctima de sus emociones—, o puede elegir una nueva alternativa que lo conducirá a la maestría emocional. Usted debe brindarle su apoyo para que tome una simple, aunque difícil, decisión; y la forma de hacerlo es introducir algunos cambios para animarlo a adoptar nuevos hábitos emocionales que lo conducirán hacia el camino del éxito y de la felicidad.

CÓMO DESARROLLAR LA MAESTRÍA EMOCIONAL

A través de sus observaciones debe guiar a su hija para que inicie el proceso que culminará en la maestría emocional. La niña debe aprender a reconocer los momentos en que sus emociones actúan en contra de sus objetivos. Debe llegar a comprender que, si permite que su estado emocional negativo persista, seguirá sintiéndose insatisfecha y rindiendo por debajo de sus posibilidades. Debe aprender a reconocer que necesita hacer algo diferente para combatir esa tendencia negativa.

Usted debe ayudarla a familiarizarse con sus emociones para que sea capaz de comprender lo que siente. Podría preguntarle: «¿Qué es lo sientes?». Los niños pueden separar fácilmente las emociones negativas de las positivas, pero solamente a través de la experiencia pueden aprender que existen diferentes emociones negativas. Cuando su hijo se siente mal, necesita poder distinguir si, por ejemplo, tiene miedo, está enfadado, se siente frustrado, triste o defraudado. «Ser consciente de las propias emociones es una habilidad fundamental sobre la que se construyen otras como el autocontrol emocional», observa el doctor Daniel Goleman.

Puede ayudar a su hija a comprender sus emociones si aprovecha sus experiencias para enseñarle que representan una oportunidad para aprender sobre sus emociones; por ejemplo, su malestar por haber tenido una actuación decepcionante, o su disgusto por haberse enfadado con un amigo. Puede animarla a que verbalice exactamente lo que siente. Puede describir las diferentes reacciones que puede manifestar una persona en esa misma situación, y comparar dichos sentimientos con los que ella experimenta en ese momento.

Los escritores Gottman, Katz y Hooven denominan «entrenamiento emocional» a este proceso en el que usted guía a su hijo para que analice su mundo emocional. Afirman que el entrenamiento emocional es esencial para el desarrollo cognitivo, social y emocional del niño, y que puede atemperar diversos problemas psicológicos. Los niños que se benefician de este entrenamiento, se concentran más, son mejores alumnos y tienen un rendimiento escolar superior.

Su hijo puede llegar a sentirse muy agobiado por las emociones negativas que le suscita una experiencia que puede augurarle el éxito, hasta el punto de ser incapaz de detenerse y advertir que sus reacciones no sirven a sus propósitos y que es preciso modificarlas. Usted puede intervenir, actuando como un *entrenador emocional temporal*. Por ejemplo, en cierta ocasión trabajé con una joven atleta cuyos antecedentes indicaban que perdía el control de sus emociones y, como consecuencia, su rendimiento se deterioraba durante los entrenamientos y en las competiciones. En cuanto comprendí el círculo vicioso emocional en el que se encontraba, le formulé diversas preguntas (y obtuve las siguientes respuestas): «¿Qué emociones experimentas en este momento?» («Me siento frustrada y furiosa conmigo misma.») «¿Estas emociones te ayudan o te hacen sufrir?» («Me hacen sufrir.») «Si esta sensación de malestar persiste, ¿crees que tus actuaciones mejoraran o empeorarán?» («Serán peores.») «¿Quieres seguir rindiendo por debajo de tus posibilidades o prefieres modificar la situación?» («Me gustaría poder modificarla».) Y finalmente: «¿Qué crees que debes hacer para revertir la situación?» («Tengo que respirar profundamente, relajarme y concentrarme para jugar bien.»)

Con su ayuda, tanto como modelo a imitar como a través de su intervención directa como entrenador emocional temporal de su hijo, él puede aprender a reconocer, nombrar y comprender sus emociones. Entonces podrá analizar su entorno, y a sí mismo, para encontrar las posibles causas para sus reacciones emocionales. Reconocer los motivos que generan sus sentimientos ofrece a su hijo una información muy útil sobre su experiencia emocional, y le permite comprender y controlar lo que siente. Este proceso también lo anima a «tomar distancia» de sus emociones para desarrollar una perspectiva diferente que, a menudo, disminuye la intensidad y el impacto de las mismas. Este enfoque interrumpe el círculo vicioso emocional y ofrece la oportunidad al niño de modificar la situación.

Con este punto de vista más objetivo y una mejor comprensión de la situación, el niño puede considerar cuáles son las acciones más convenientes y elegir el camino en el que se siente más cómodo y que lo conducirá al éxito. Estas opciones pueden incluir diferentes formas de pensar (por ejemplo, ser positivo, estar motivado, concentrarse en el proceso y no en los resultados), de sentir (por ejemplo, sentirse excitado o entusiasmado) y de actuar (por ejemplo, tener más energía, esforzarse más). Finalmente, su hijo puede elegir la dirección que quiere tomar su vida y comprometerse con ella para modificar su estado emocional actual. El objetivo final de este proceso que conduce a la maestría emocional es que su hijo tenga la capacidad para elegir un camino emocional que le ayude a conquistar el éxito y la felicidad.

Oscar, un alumno del último curso del instituto, se sentía asustado y deprimido porque tenía que rendir el S.A.T. (Examen de Aptitud Académica)[*]. Evitaba estudiar e intentaba convencerse de que no era demasiado importante que aprobara o suspendiera. Oscar pidió ayuda a su madre para salir del agujero en el que él mismo se había metido. Con su ayuda, Oscar analizó cómo se sentía y se dio cuenta de que tenía miedo de perder la oportunidad de asistir a una buena universidad. Además, le comunicó que no quería decepcionarla, ni tampoco a su padre. Estos sentimientos motivaron que Oscar evitara estudiar (y que eludiera las emociones

---

[*] Abreviatura de *Scholastic Aptitude Test*, examen que realizan los estudiantes estadounidenses que acceden a la Universidad. (*N. de la T.*)

negativas), una situación que lo asustaba y lo deprimía aún más, porque sabía que no lograría aprobar el examen y que, finalmente, se confirmaría su mayor temor.

La madre de Oscar le comunicó que tanto ella como su padre lo querían mucho, y que lo apoyarían en todo lo que hiciera porque se sentían muy orgullosos de los esfuerzos que realizaba, independientemente de la nota que sacara en el examen. También le indicó que su miedo y su preocupación estaban contribuyendo a que se materializara lo que él más temía. Entonces le preguntó si era eso lo que deseaba. Oscar respondió enfáticamente: «¡No!» Su madre le preguntó de qué podría evitar ese resultado y Oscar respondió: «Tengo que afrontar mi miedo y concentrarme en algo positivo que me ayude a prepararme adecuadamente para el examen». Con esta nueva perspectiva, y gracias al apoyo que recibió de su madre, Oscar estaba preparado para afrontar la situación. A partir de entonces, se sintió mucho mejor imaginando que el Examen de Aptitud Académica era simplemente un paso para alcanzar su sueño de ser médico y que sería fantástico poder cumplir con sus objetivos. Finalmente, se dedicó a esbozar un plan de estudios y, durante el mes previo al examen, se dedicó a hacer exámenes de práctica para poner a prueba su preparación.

Una vez que eligió el camino de la maestría emocional, Oscar tomó conciencia de varias cosas. El examen le producía cada vez menos ansiedad y descubrió que estudiaba mucho mejor. Esta situación consiguió aumentar su confianza y generó emociones positivas que reemplazaron su aprehensión. Se sintió inmerso en una espiral ascendente de emociones y pensamientos positivos, y de una gran productividad, que se alimentaban mutuamente. A medida que se acercaba el día del examen, Oscar se sentía confiado y preparado para dar lo mejor de sí. Cuando conoció los resultados, estos excedían sus expectativas. ¡Y se sintió realmente bien!

LA MAESTRÍA EMOCIONAL ES UN PROCESO

Tener un excelente rendimiento escolar o disponer de las aptitudes necesarias para practicar deportes o dedicarse a las artes supone muchos años de determinación, paciencia y perseverancia —recuerden la regla de «diez años, diez mil horas». Lo mismo ocurre cuando ayuda a su hija a conquistar la maestría emocional. Se trata de un proceso constante en el que ella necesita invertir tiempo y esfuerzo y usted debe proporcionarle un entrenamiento emocional diario.

En las primeras etapas del desarrollo de la maestría emocional, su hijo deberá aprender a dominar sus emociones, porque son fuerzas poderosas e inconscientes que pueden escapar a su control. Quizá tome una decisión acertada, pero sus emociones negativas pueden obligarlo a elegir el camino equivocado. El niño no se debería desalentar por estos contratiempos, ni usted debería pensar que su entrenamiento emocional no es efectivo. He trabajado con clientes que acudieron a mi consulta durante varios años y no consiguieron cumplir sus objetivos durante el primer año de tratamiento. No eran capaces de incorporar las aptitudes que intentaba enseñarles y no evidenciaban ninguna mejoría. Su incapacidad para aprender dichas habilidades eran desconcertantes y frustrantes a la vez. Pero he aprendido que todo cambio requiere tiempo —un montón de tiempo, y los niños tienen mucho tiempo por delante—, y que el hecho de que los niños no modifiquen sus actitudes, no significa que no estén escuchando, así como tampoco se puede considerar un fracaso. En la mayoría de los casos, estos niños que parecen aprender «con lentitud» demuestran no ser lentos en absoluto; simplemente, todavía no están preparados para actuar según lo que han aprendido. Entonces, de una forma inesperada, poco tiempo después —que en algunos casos puede ser un año— comienzan a pensar, sentir y actuar de acuerdo con lo que les he sugerido bastante tiempo atrás y, finalmente, son capaces de dar el gran paso que los conducirá a la maestría emocional y les permitirá convertirse en grandes triunfadores.

Usted no debería esperar que su hijo se deshaga de una forma inmediata de sus hábitos emocionales negativos y los reemplace por emociones positivas. Por el contrario, su objetivo inicial debe ser *equilibrar la balanza*. Por ser víctima de sus emociones, la «balanza emocional» de su hijo se ha inclinado excesivamente hacia las emociones negativas. Mientras el niño lucha por conquistar la maestría emocional, puede esforzarse por controlar sus emociones negativas y experimentar más emociones positivas para que, al menos, estén equilibradas. A su debido tiempo, cuando sienta que puede dominar un poco más sus emociones, podrá dar el próximo paso e inclinar la balanza hacia las emociones positivas. Entonces habrá llegado el momento de experimentar una nueva sensación de felicidad y bienestar.

Tomar la decisión adecuada y actuar en consecuencia requiere un esfuerzo, una determinación y una concentración considerables. Pero cada vez que su hija toma la decisión correcta, estará allanando el camino para la próxima vez que tenga que enfrentarse con una decisión. Lo que tiene de maravilloso la maestría emocional es que permite al niño sentirse satisfecho consigo mismo. Cuando toma una decisión acertada, no solamente se siente mejor, sino que tiene un rendimiento superior. Igual que Oscar, su hija puede experimentar la espiral ascendente de las emociones positivas y el éxito. Llegará a considerar que la maestría emocional es el mejor camino que puede tomar. Con cada decisión positiva, el niño entrena lentamente sus hábitos emocionales hasta que, con el paso del tiempo, los hábitos negativos se manifestarán cada vez menos y tendrá plena capacidad para reafirmar sus hábitos emocionales positivos que le permitirán convertirse en un gran triunfador.

La maestría emocional es una habilidad que se adquiere mediante la toma de conciencia, el control y la práctica. Usted puede facilitar su desarrollo guiando a su hija a través del proceso. Debería encontrar situaciones que no fueran muy radicales en las que ella pueda experimentar un ligero malestar —por ejemplo, algún juego— y luego ayudarlo a conquistar la maestría emocional. Cuando la niña consiga dominar pequeñas dificultades emocionales, podrá utilizar dichas habilidades para afrontar situaciones que impliquen una mayor exigencia emocional —los exámenes en el colegio, las representaciones artísticas, las competiciones deportivas—, hasta que sea capaz de aplicar la maestría emocional en las actividades que más le interesan y con las que más se ha comprometido. Con el paso del tiempo, y mediante la práctica, el niño interiorizará las habilidades que confiere la maestría emocional y tendrá libre acceso a ellas. Además, podrá aprender a utilizar la maestría emocional de una forma preventiva; es decir, será capaz de identificar las situaciones que suelen despertar emociones negativas y apelar a la maestría emocional antes de que se manifiesten, evitando de este modo que se instale el círculo vicioso para continuar su viaje hacia el éxito y la felicidad.

APTITUDES NECESARIAS PARA CONQUISTAR LA MAESTRÍA EMOCIONAL

APTITUDES EMOCIONALES

1. Identificar y nombrar los sentimientos.
2. Expresar los sentimientos.
3. Evaluar la intensidad de los sentimientos.
4. Manejar los sentimientos.
5. Postergar la gratificación.
6. Controlar los impulsos.
7. Reducir el estrés.
8. Conocer la diferencia entre los sentimientos y los actos.

APTITUDES COGNITIVAS

1. Hablar consigo mismo —crear un «diálogo interno» como medio para resolver algún tema o desafío o para reforzar la propia conducta.
2. Entender e interpretar los signos sociales —por ejemplo, reconocer las influencias sociales sobre la conducta y verse a sí mismo como parte integrante de una comunidad.
3. Descomponer los problemas en pasos con el fin de resolverlos y tomar decisiones —por ejemplo, controlar los impulsos, establecer metas, identificar posibles acciones alternativas, anticipar las consecuencias.
4. Comprender el punto de vista de los demás.
5. Conocer las normas de conducta (qué es una conducta aceptable).

6. Adoptar una actitud positiva respecto de la vida.
7. Conocerse a sí mismo —por ejemplo, tener expectativas realistas en relación con uno mismo.

APTITUDES CONDUCTUALES

1. No verbales —comunicarse a través de la mirada, de la expresión facial, del tono de voz, de los gestos, etcétera.
2. Verbal —hacer pedidos claros, responder de una forma efectiva a las críticas, oponerse a las influencias negativas, escuchar a los demás, ayudar a otras personas, formar parte de un grupo de amigos.

Goleman, D.: *Inteligencia emocional* (1998), Editorial Kairós.

Palabras finales

ES fundamental que usted ayude a su hijo, o hija, a tener confianza en sí mismo. Esto se consigue fomentando que desarrolle la sensación de pertenencia en relación con sus éxitos y su vida; enseñándole a conquistar la maestría emocional, y educándolo para que llegue a ser un gran triunfador. Estos son los mayores regalos que puede usted hacerle a su hijo, pero también los más difíciles.

Tiene por delante una batalla difícil en la que deberá luchar contra formidables adversarios para poder ofrecer dichos regalos a su hijo. Deberá enfrentarse con la inercia del niño, que lo impulsa a estancarse en vez de progresar y madurar. Necesitará combatir los mensajes negativos con que nuestra cultura, superficial y basada en la imagen, lo bombardea a través de los medios de comunicación. Y, por último, deberá confrontar el mayor obstáculo que existe cuando se trata de criar a un niño para que en el futuro sea un gran triunfador —usted mismo. Es preciso que plante cara a sus propios demonios —su bagaje del pasado, sus hábitos emocionales y sus necesidades—, que pueden impedirle actuar de acuerdo con los mejores intereses de su hijo.

Debido a esta lucha, estoy convencido que *el coraje y el compromiso* son las dos cualidades más importantes que deben poseer los padres para educar a un niño que llegue a ser un gran triunfador. Usted necesita tener coraje para enfrentarse a los demonios que pueden conducirlo a dar prioridad a sus propias necesidades en vez de ocuparse de las del niño. Debe tener la fortaleza para reconocer y modificar los hábitos emocionales negativos que pueden hacer sufrir a su hijo. Debe tener valentía para tomar decisiones adecuadas ante cualquier contratiempo que se interponga en su camino, y frente a cualquier situación que pueda perjudicar la consecución del éxito y la felicidad de su hijo.

También debe comprometerse con el proceso de educar a su hijo de la mejor forma posible. La crianza de los niños no es un trabajo a tiempo parcial; no es algo que puede hacer cuando le viene bien. Por el contrario, su obligación diaria es velar por los mejores intereses de su hijo. Este compromiso le permitirá comprender que cualquier experiencia que tenga el niño puede significar una oportunidad para obtener el éxito y la felicidad, o un paso más a lo largo de un camino que solamente puede conducirlo hacia la mediocridad y la desdicha. El compromiso garantiza que usted toma las decisiones correctas cada día con el fin de tener una influencia positiva sobre la vida de su hijo.

Espero que este libro le haya ofrecido la comprensión y los instrumentos necesarios para «presionar positivamente» a su hijo con el propósito de que se convierta en un gran triunfador. A usted le corresponde la responsabilidad de utilizarlos. Ahora se encuentra en un recodo del camino desde donde puede influenciar a su hijo, y a la relación entre ambos, por el resto de su vida. Usted puede ser un padre bien intencionado pero, sin embargo, pasivo o entrometido; o puede ser una fuerza consciente, activa y positiva en el viaje que realiza su hijo hacia su vida adulta.

¿Cuál es el camino que elige?

JIM TAYLOR, doctor en Psicología
Abril 2002

Bibliografía

Adderholdt-Elliott, M. (1991): «El perfeccionismo y los adolescentes superdotados», en M. Bireley y J. Genshaft (ed.), *Understanding the gifted adolescent: Educational, developmental, and multicultural issues*. Educación y psicología de la serie de superdotados (págs. 65-75), Nueva York, Teachers College Press.

Anshel M. H. (1991): «Causas para el abuso de drogas en el deporte: un estudio sobre atletas universitarios», *Journal of Sport Behaviour* 14, 283–307.

Antony, M. M., y Swinson, R. P. (1998): *When Perfect isn't good enough: Strategies for coping with perfectionism*, Oakland, CA, New Harbinger Publications.

Armstrong, A. J. (julio de 2001): «Cómo afrontar la decepción», *Hemispheres*, 102-105.

Azar, B. (junio de 1997): «Los padres consecuentes ayudan a sus hijos a regular sus emociones», *APA Monitor,* 17.

Bakker, F. C. (1988): «Diferencias de personalidad entre los jóvenes bailarines y los jóvenes que no lo son», *Personality and Individual Differences 9,* 121-131.

——— (1991): «El Desarrollo de la personalidad en los bailarines: un estudio longitudinal», *Personality and Individual Differences 12,* 671-681.

Bishop, J. B., Bauer; K. W., y Becker, E. T. (1998): «Un estudio sobre la necesidad de orientación psicológica de los estudiantes universitarios masculinos y femeninos», *Journal of College Student Development 39,* 205-210.

Bloom, B. S. (1985): *Developing talent in young people*, Nueva York, Ballantine.

Bohnert, C. (sept./oct. 1999): «Flotar como una mariposa, volar alto como un águila», *Olympian* 27-28.

Bradley, B (abril de 2000): «El juego de la vida», *Parents* 37-39.

Brazelton T. B. (1989): *El saber del bebé: nuevas orientaciones dirigidas a padres y...*, Editorial Paidós Ibérica.

Buri, J. R. (1988): «La naturaleza de la humanidad, el autoritarismo y la autoestima», *Journal of Psychology and Christianity* 7, 32-38.

Burke Mountain Academy (diciembre de 1998): *Newsletter #4.*

Burns, D. (1980): «El guion del perfeccionista para autosabotear-se», *Psychology Today*, 34-51.

Callahan, G., y Steptoe, S. (24 de julio, 1995):«Un final demasiado rápido», *Sports Illustrated*, 33-36.

Clarke, J. I. (1978): *Self-esteem: A family affair,* Minneapolis, Winston Press.

Cline, F. W., y Fay, J. (1990): *Parenting with love and logic*, Colorado Springs, Pinon.

Coles, R. (1998): *La inteligencia moral del niño y del adolescente.* Editorial Kairós.

Conroy, D. E.: «Establecer una medida multidimensional para evaluar el miedo al fracaso: Cuestionario para valorar el fracaso de una actuación», Documento presentado en la reunión anual de la Asociación para el Fomento de la Psicología Aplicada al Deporte, Nashville, TN, 20 de 2000 octubre.

——— (en imprenta): «El miedo al fracaso: un modelo de investigación sobre el desarrollo social en los deportes», *Quest.*

Conroy, D. E.; Poczwardowski, A., y Henschen, K. P. (2000): «Criterios de evaluación y consecuencias asociadas con el fracaso y el éxito para los atletas de élite y artistas de la interpretación», Manuscrito entregado para su publicación.

Coopersmith, S. (1967): *The antecedents of self-esteem,* San Francisco: Freeman.

Csikszentmihalyi, M. (1975): *Beyond boredom and anxiety,* San Francisco: Jossey-Bass.

Deci, E. L.; Koestner, R., y Ryan, R. M. (1999): «Una reseña meta-analítica de experimentos que analizan los efectos de las recompensas extrínsecas de la motivación intrínseca», *American Psychologist* 125, 627-668.

Dinkmeyer, D., y McKay, G. D. (1982): *Raising a responsible child: Practical steps to successful family relationships*, Nueva York: Fireside.

Dobson, J. C. (1987): *Parenting isn't for cowards: Dealing confidently with the frustrations of child-rearing*, Waco, TX, World Books.

Dyer, W. W. (1986): *La felicidad de nuestros hijos: prepárelos para su futuro*, Barcelona, Grijalbo.

Edelman, M. W. (1992): *The measure of our success: A letter to my children and yours*. Boston, Beacon Press.

Elliot, A. J., y Church, M. A. (1997): «Un modelo jerárquico de acercamiento y evitación respecto de la motivación para conseguir el éxito», *Journal of Personality and Social Psychology*, 72, 218-232.

Elliot, A. J., y Sheldon, K. M. (1997): «Evitar la motivación para conseguir el éxito: Un análisis de los objetivos personales», *Journal of Personality and Social Psychology* 73, 171-185.

———— (1998): «Evitación de los objetivos personales y conflictos de personalidad», *Journal of Personality and Social Psychology*, 75, 1282-1299.

Ericsson, K. A., y Charness, N. (1994): «Actuación experta: estructura y aprendizaje», *American Psychologist* 49, 725-747.

Evitt, M. F. (marzo de 2000): «Eduque a un niño dinámico», *Parents*, 199-200.

Felson, R. B., y Reed M. (1986): «Los efectos que producen los padres en la autovaloración de los niños», *Social Psychology Quarterly* 49, 302-308.

Ferrari, J. R. (1992): La postergación y la conducta perfecta: Un análisis del factor exploratorio de los componentes del conocimiento de sí mismo, de la autopresentación y de la autoimposición de obstáculos», *Journal of Research in Personality* 26, 75-84.

Fine, A. H., y Sachs, M. L. (1997): *Total sports experience for kids: A parents' guide to success in youth sports*, South Bend, IN, Diamond Communications.

Flett G. L.; Hewitt, P. L.; Blankstein, K. R., y Mosher, S. W. (1991): «Perfeccionismo, autorrealización y adaptación personal», *Journal of Social Behavior and Personality* 6, 147-160.

Flett, G. L.; Hewitt, P. L.; Endler, N. S., y Tassone, C. (1994): «El perfeccionismo y los componentes de los rasgos y el estado de ansiedad», *Current Psychological Research and Reviews* 13, 326-350.

Forehand, R., y McKinney, B. (1993): «Perspectiva histórica de la disciplina infantil en los Estados Unidos: Implicaciones para los investigadores y profesionales de la salud mental», *Journal of Child & Family Studies* 2, 221-228.

Frome, P. M., y Fuchs, J. M. (1998): «La influencia de los padres en las percepciones de los niños relacionadas con el éxito», *Journal of Personality and Social Psychology* 74, 435-452.

Frost, R. O., y Henderson, K. J. (1991): «El perfeccionismo y las reacciones ante las competiciones atléticas», *Journal of Sport and Excercise Psychology,* 13, 323-335.

Frost, R. O.; Marten P. A.; Lahart, C., y Rosenblate, R. (1990): « Las dimensiones del perfeccionismo», *Cognitive Therapy and Research* 14, 449-468.

Gleick, E. (abril 22, 1996): «Cualquier niño es una estrella», *Time,* 39-40.

Goldenthal, P. (1999): *Beyond sibling rivalry: How to help your child become cooperative caring, and compassionate,* Nueva York, Henry Holt.

Goleman, D. (1998): *Inteligencia emocional,* Editorial Kairós

Gottman, J. M.; Katz, L. F., y Hooven, C. (1997): *Meta-emotion: How families communicate emotionally,* Mahwah, NJ: Lawrence Erlbaum.

Gould, S. (1977): *Teenagers: The continuing challenge,* Nueva York, Hawthorn.

Gray, J. (1999): *Children are from heaven: Positive parenting skills for raising cooperative, confident and compassionate children,* Nueva York, HarperCollins.

Greene, L. J. (1995): *The life-smart kid. Teaching your child to use good judgment in every situation,* Rocklin, CA, Prima.

Greene, R.W. (1998): *The explosive child: A new approach to understanding and parenting easily frustrated, «chronically inflexible» children,* Nueva York, HarperCollins.

Hamilton, L. H. (1999): «El perfil psicológico del bailarín adolescente», *Journal of Dance Medicine and Science* 3, 48-50.

Harter, S. (1978): *Effectance motivation reconsidered, Human Development,* 21, 34 -64.

——— (1983) «Perspectivas evolutivas de la autoestima», en E. M. Hetherington (ed.): *Handbook on child psychology, socialization, personality and development change* (págs. 275-385) Nueva York, Wiley.

Harter, S.; Marold, D. B.; Whitesell, N. R., y Cobbs, G. A.: «Modelo de los efectos del apoyo de los padres y compañeros, en la conducta del falso ser adolescente», *Child Development* 67, 360-374.

Hewitt, P. L., y Flett, G. L.: «Perfeccionismo y depresión: Un análisis multidimensional», *Journal of Social Behavior and Personlity* 5, 423-438.

——— (1991): «El perfeccionismo en el contexto del ser y social: Conceptualización, evaluación y asociación con la psicopatología», *Journal of Personality and Social Psychology* 60, 456-470.

Hewitt, P. L.; y Flett, G. L., y Endler, N. S. (1995): «El Perfeccionismo, cómo sobrellevarlo, y sintomatología de la depresión en un caso clínico», *Clinical Psychology and Psychotherapy* 2, 47-58.

Hill, K. T. (1972): «La ansiedad en un contexto de evaluación», en W. W. Hartup (ed.) *El Niño Pequeño* (vol. 2, págs. 225-263), Washington, DC, Asociación Nacional para la Educación de los Niños Pequeños.

Juster, H. R.; Heimberg, R. G.; Frost, R. O.; Holt, C. S.; Mattia, J. I., y Faccenda, K. (1996): «Fobia Social y perfeccionismo», *Personality and Individual Differences* 21, 403-410.

Kabat-Zinn, M., y Kabat-Zinn J. (1997): *Everyday blessings: The inner work of mindful parenting,* Nueva York, Hyperion.

Kamins, M. L., y Dweck, C. S. (1999): «Elogios y críticas de la persona versus el proceso: Implicaciones para la forma de tratar a los niños dependientes y para su autovaloración», *Developmental Psychology* 35, 835-847.

Kimura, N. (diciembre de 1998): «Referencia sobre la crianza de los niños» [Online] http://unr.edu/homepage/kimura/child.html.

Krippner, S. (1967): «Diez mandamientos que bloquean la creatividad», presentado en las reuniones anuales de la Asociación Nacional de Niños Superdotados, Hartford, Connecticut, mayo de 1967.

Lee, B. P. H.; Caputi, P.; Anshel, M. H., y Walker, B. M.: «El perfeccionismo en el deporte: su relación con las aptitudes psicológicas específicas del deporte», presentado en la reunión anual de la Asociación para el Progreso de la Psicología Aplicada al Deporte, Banff, Alberta, Canadá, 25 de septiembre de 1999.

Lenning, D. J. (1999): «Motivación y orientación temporal futura: Un test sobre la hipótesis de la autoimposición de obstáculos. *Psychological Reports* 84, 1070-1072.

Love, III, D. (1997): *Every shot I take:Lessons learned about golf, life and a father's love,* Nueva York, Simon and Schuster.

Masten, A. S., y Coarsworth, J. D. (1998): «El desarrollo de la competencia en entornos favorables y desfavorables: Lecciones impartidas por las investigaciones sobre niños que conquistan el éxito», *American Psychologist* 53, 205-220.

McCann, N., y Oliver, R. (1988): «Problemas en familias con niños superdotados: Implicaciones para los profesionales que los asesoran», *Journal of Counselling and Development* 66, 275-278.

McClelland, D. C. (1958): «Asunción de riesgos de los niños con poca y mucha necesidad de triunfar», en Atkinson (ed.), *Motives in fantasy, action, and society* (págs. 306-321), Princeton, NJ, Van Nostrand.

McClelland, D. C; Atkinson J. W.; Clark, R. A., y Lowell, E. L. (1953): *The achievement motive,* Nueva York, Irvington.

Miller, A. (1981): *The drama of the gifted child,* Nueva York, Basic.

——— (1986): *Prisoner of Childhood,* Nueva York, Basic.

Mueller, C. M, y Dweck, C. S. (1998): «Elogiar la inteligencia de los niños puede minar su rendimiento y su motivación», *Journal of Personality and Social Psychology* 75, 33-52.

Murray B. (junio de 1997): «El elogio verbal puede ser el mejor elogio», *APA Monitor,* 26.

Nevius, C. W. (1 de septiembre de 2001): «Demasiado bueno para ser verdad», *San Francisco Chronicle,* A1, A8.

Nuttall, E. V., y Nuttal, R. L. (1976): «Relación padre-hijo y motivación académica efectiva», *Journal of Psychology* 94, 127-133.

Parke, R. D.; MacDonald, K. B.; Baitel, A., y Bahvnagri, N. (1988): «El papel de la familia en el desarrollo de las relaciones con los pares», en R. Peters y R. J. McMahan (eds.) *Social Learning systems: Approaches to marriage and the family* (págs. 17-44), Nueva York, Brunner-Mazel.

Paterson, J., (mayo de 2000): «Inténtalo, inténtalo otra vez», *Parents,* 221-222.

Pipher, M. (1999): *Cómo ayudar a su hija adolescente: respuestas sólidas a la anorexia, la sexualidad, la incomunicación, el fracaso escolar y otros problemas de las adolescentes de hoy,* Barcelona, Gestión 2000.

Powers, J. (18 de marzo de 1993): «Sentirse bien (por nada)», *The Stowe Reporter,* 4-5.

Rimm, S. (1997): *Dr. Sylvia Rimm's Smart Parenting: How to Parent So Children Will Learn,* Nueva York: Crown.

Rosemond (septiembre de 1998): «Crimen y castigo: Cuando lo único que funciona son las consecuencias», *Hemispheres* 99-101.

———— (noviembre de 1998): «Mitos desacreditados sobre la educación de los hijos», *Hemispheres* 120-124.

Rotella, R. J., y Bunker, L. K. (1987): *Parenting your Superstar: How to help your child get the most out of sports.* Champaign, IL: Leisure.

Rubenstein, C. (1997): *The sacrificial mother: Escaping the trap of self-denial,* Nueva York, Hyperion.

Sarason, S. B.; Davidson, K. S.; Lighthall, F. F.; Waite, R. R., y Ruebush, B. K. (1960): *Anxiety in elementary school children.* Nueva York, Wiley.

Scanlon, T. K., y Lewthwaite, R. (1984): «Aspectos psicológicos y sociales de la competición deportiva para jóvenes participantes masculinos. I: Indicadores de estrés competitivo», *Journal of Sport Psychology* 6, 208-226.

Scanlon, T. K., y Passer M. W. (1978): «Factores relacionados con el estrés competitivo en los deportes de los jóvenes participantes masculinos», *Medicine and Science in Sports* 10, 103-108.

———— (1979): «Fuentes del estrés competitivo en los jóvenes participantes masculinos», *Journal of Sport Psychology* 1, 151-159.

Schmalt, H. D. (1982): «Dos conceptos de la motivación por miedo al fracaso», en R. Schwar. H. M. van der Ploeg y C. D. Spielberger (eds.), *Advances in test anxiety research* (vol. 1, págs. 45-52), Lisse, The Netherlands, Swets & Zeitlinger.

Sheldon, K. M.; Elliot, A. J.; Kim Y., y Kasser, T. (2001): «Qué es lo satisfactorio de un evento destinado a proporcionar satisfacción: Evaluando las necesidades psicológicas de 10 candidatos», *Journal of Personality and Social Psychology* 80, 325- 339.

Shoda, Y.; Mischel, W., y Peake, P. K. (1990): «Predecir las competencias cognitivas y autorreguladoras de los adolescentes a partir de la postergación de la gratificación en el preescolar», *Developmental Psychology* 26, 978-986.

Singh, S. (1992): «Medidas de presión hostiles para el miedo al fracaso y su relación con las actitudes de los padres y los problemas de conducta», *Journal of Social Psychology,* 132, 397-399.

Smoll, F. (1997): «Mejorar la calidad de las relaciones entre padres y entrenadores en los deportes infantiles», en J. M. Williams (ed.) *Applied sport psychology: Personal growth to peak performance* (3.ª edición, págs. 63-73), Mountain View, CA, Mayfield.

Spear, N. (19 de agosto de 2001): Adultez 101, *San Francisco Chronicle* B5.

Stipek, D., y Gralinski, J. H. (1996): «Creencias de los niños en relación con la inteligencia y el rendimiento escolar», *Journal of Educational Psychology,* 88, 397-407.

Strang, R. (1960): *Helping your gifted child,* Nueva York, E. P. Dutton.

Taffel, R. (abril de 2000): «Sintonice con la verdadera naturaleza de su hijo», *Parents* 127-133.

Teevan, R. C. (1983): «Desarrollo infantil de la motivación por miedo al fracaso: una respuesta», *Psychological Reports* 53, 506.

Teevan, R. C., y McGhee, G. (1972): «Desarrollo infantil de la motivación por miedo al fracaso», *Journal of Personality and Social Psychology* 21, 345-348.

Tice, D., y Baumeister, R. F. (1993): «Controlar la ira: cambio emocional autoinducido, en D. Wegner y J. Pennebaker (eds.),

Handbook of mental control, Englewood Cliffs, NJ, Prentice-Hall.

Treffert, D. A., (otoño de 1975): «La felicidad es... el sueño americano. *Inspection News* 6, 23.

Trillin C. (1996): *Messages from my father,* Nueva York, Farrar, Strauss & Giroux.

Vanderkam, L. (27 de julio de 1999): «Practicar el sexo sin amor hace pasar hambre al alma», *USA Today,* 7A.

Vuko, E. P. (29 de noviembre de 1999): «Los niños que no se sienten motivados pueden cambiar, si cambian los padres», *The Hartford Courant* D1-2.

Warren, L. (enero de 2000): «Después de la caída», *Good Housekeeping* 20-21.

Weeda, M.; Winny, L. y Drop, M. J. (1985): «El valor discriminatorio de las características psicológicas en la anorexia nerviosa: Comparación clínica y psicométrica de pacientes con anorexia nerviosa, bailarines y controles», *Journal of Psychiatric Research,* 19, 285- 290.

Weiss, M. R.; Weise, D. M., y Klint, K. A. (1989): «Enamorados del éxito: La relación entre la eficacia personal y el rendimiento en jóvenes gimnastas competitivos», *Journal of Sport and Exercise Psychology* 11, 444-451.

Wertheim, L. J. (5 de febrero de 2000): «Jenny come lately», *Sports Illustrated,* 54-58.

Woodhouse, L. D. (1990): «Una investigación sobre el uso de los métodos de la historia personal para determinar las necesidades de tratamiento para las mujeres que abusan de las drogas», *Response to the Victimization of Women and Children* 13, 12-15.

Woods, E. (1992): *Playing through: Straight talk on hard work, big dreams and adventures with Tiger.* Nueva York, HarperCollins.

Young, J. A., y Hipple, J. (1996): «Problemas socio/emocionales de universitarios que estudian música y solicitan ayuda en un centro de orientación estudiantil», *Medical Problems of Performing Artists* 11, 123-126.

Zinsser, N.; Bunker, L., y Williams, J. M. (1998): «Técnicas cognitivas para fomentar la confianza y mejorar el rendimiento», *Applied sport psychology: Personal growth to peak performance* (págs. 270-295), Mountain View, CA, Mayfield.

Acerca del autor

DURANTE más de dieciséis años, Jim Taylor, doctor en Psicología, ha trabajado con niños que han desarrollado al máximo su potencial en los deportes, en las artes de la interpretación y en los estudios, y también con sus padres. Les ha enseñado las aptitudes necesarias para conquistar el éxito y la felicidad. El doctor Taylor ha ayudado a los padres a comprender cómo pueden educar mejor a sus hijos y les ha brindado los instrumentos necesarios para convertirse en una fuerza activa, consciente y positiva en la vida de sus hijos.

El doctor Taylor ha sido asesor de los Equipos de Esquí de los Estados Unidos y de Japón, y de la Asociación de Tenis de los Estados Unidos, y ha trabajado con atletas de diferentes niveles que participaban en distintos deportes. También ha trabajado con el Ballet de la Ciudad de Miami, con la Compañía de Ballet Hartford y con la Escuela de Verano DanceAspen.

El doctor Taylor obtuvo su licenciatura en el Middlebury College; se doctoró en la Universidad de Colorado, donde también hizo un máster. Fue profesor adjunto en la Escuela de Psicología de la Universidad Nova en Ft. Lauderdale.

Por haber sido corredor de esquí alpino a nivel internacional, el doctor Taylor llevó la vida de un joven triunfador y aprendió por experiencia propia los desafíos que propone el éxito. También es profesor titulado de la Asociación de Tenis Profesional de los Estados Unidos, cinturón negro de segundo grado e instructor titulado de kárate y corredor de maratones de tres horas.

El dotor Taylor es autor de los siguientes libros *Psychology of Dance, Psychological Approaches to Sports Injury Rehabilitation* y *Comprehensive Sports Injury Management.* Ha publicado más de 250 artículos en publicaciones académicas y populares y ha coordinado más de 350 talleres y presentaciones en Norteamérica y Europa.

El doctor Taylor ha participado en algunos programas de las principales cadenas de televisión de Florida del Sur y en *ABC's World News This Weekend* y ha intervenido en muchas audiciones de radio. Sus investigaciones han sido el tema de diversas columnas deportivas publicadas en docenas de periódicos de los Estados Unidos, y es columnista de *The Denver Post* y *Ski Racing*. Ha sido entrevistado para diversos artículos publicados en *The Miami Herald, The Ft. Launderdale Sun-Sentinel, The Baltimore Sun, The Denver Post* y en muchos otros periódicos y revistas.